COLLECTION « PÉDAGOGIE PSYCHOSOCIALE »

Fritz REDL et David WINEMAN

L'ENFANT AGRESSIF

II

MÉTHODES DE RÉÉDUCATION

Techniques pour traiter l'enfant agressif

Traduit de l'américain par
le Docteur Michel LEMAY

D0543520

ÉDITIONS FLEURUS, 11, rue Duguay-Trouin, PARIS-6e

COLLECTION « PÉDAGOGIE PSYCHOSOCIALE »

La collection « Pédagogie Psychosociale » a été créée pour apporter sur les problèmes les plus fondamentaux ou les plus critiques concernant l'enfance, l'adolescence et même l'accès à l'âge adulte, l'éclairage que peuvent fournir les diverses sciences de l'homme : psychologie, sociologie, psychopathologie, éthique, religion et, finalement, pédagogie ou orthopédagogie. Elle s'est proposée de considérer l'homme à tous les niveaux de son être et en fonction de tous ses besoins, qu'ils soient physiques, psychiques, sociaux ou spirituels. Elle s'attache plus particulièrement, mais non pas uniquement, à l'être humain handicapé, en difficulté dans sa confrontation avec son entourage et avec lui-même. Elle cherche à promouvoir, en matière de pédagogie et d'orthopédagogie, des idées nouvelles ou des efforts courageux. C'est pourquoi la collection « Pédagogie Psychosociale » publie des ouvrages originaux, souvent des œuvres de pionniers d'hier et d'aujourd'hui, qu'il s'agisse de manuscrits français ou de textes traduits d'autres langues. Elle s'efforce d'allier le sérieux scientifique et la clarté du style afin de se mettre à la portée d'un grand nombre. Et c'est ainsi qu'intéressant ces spécialistes que sont éducateurs, psychiatres, psychologues, travailleurs sociaux divers, elle concerne aussi les parents, les responsables de groupements, les ministres du culte et finalement cette part du grand public qui, jouissant d'une certaine culture de base, s'intéresse aux problèmes de l'éducation générale et de la rééducation dans l'univers d'aujourd'hui.

Ouverte à des options diverses, la collection « Pédagogie Psychosociale » n'en demeure pas moins désireuse de promouvoir une certaine vision de l'homme et du monde. Son ambition, par le retentissement qu'elle donne aux services déjà rendus et par les travaux qu'elle désire susciter, est, en effet, de mieux faire aimer l'homme quel qu'il soit. S'attachant en priorité aux plus démunis et désireuse de leur venir en aide, elle souhaiterait, à sa manière et à sa mesure, « sauver ce qui était perdu ».

L'édition américaine originale de THE AGGRESSIVE CHILD a été publiée en deux volumes sous les titres : CHILDREN WHO HATE (1951) et CONTROLS FROM WITHIN (1952), par The Free Press, a Corporation, New York.

Préface

Dans le premier volume de *l'Enfant agressif* : le *Moi désorganisé* [1], nous avions essayé de décrire la situation telle qu'elle nous apparaissait toutes les fois que les moyens de contrôle devenaient déficients. Nous en avions montré les divers aspects.

La plupart de nos descriptions se basaient sur nos propres observations. Elles furent faites au cours de trois expériences qui nous donnèrent la possibilité d'observer de très près des groupes d'enfants : le *Detroit Group Project*, son camp d'été et *Pioneer House* [2].

Nous avions tiré la majorité de nos exemples d'un groupe d'enfants vivant à Pioneer House. En ne conservant qu'un petit nombre de cas, nous permettions au lecteur de découvrir plus aisément la vie quotidienne de ces jeunes.

Nous nous proposions de décrire le comportement d'enfants particulièrement agressifs, espérant étudier, en même temps, certains aspects du Moi et de la conscience de l'enfant non perturbé.

Ce deuxième volume : *l'Enfant agressif* : *Méthodes de rééducation*, s'est fixé une autre tâche, dont le premier n'était que le prélude. A quoi servirait en effet de savoir comment agissent les enfants inadaptés ou de rechercher les raisons de leur comportement si l'on n'étudie parallèle-

1. Fritz REDL et David WINEMAN, *Children Who Hate* (Glencoe, Illinois, The Free Press, 1951).
2. Maison des pionniers. *(Note du traducteur.)*

ment les moyens de prévention et les possibilités de traitement?

Nous voulons exposer dans ses grandes lignes un nouveau traitement destiné à faire face aux troubles que présente l'enfant agressif. Des thérapies individuelles, telles qu'elles sont habituellement pratiquées, sont insuffisantes pour modifier de semblables sujets. Nous essayons de montrer de façon pratique ce qui peut être réalisé progressivement. Quoique cette étude soit spécialisée, nous pensons pouvoir tirer certaines généralisations applicables aux groupes d'enfants normaux et susceptibles de rendre service aux instituteurs, aux éducateurs et aux parents.

L'importance que nous attribuons au « système de contrôle » dans l'édification de la personnalité humaine nous a conduits à choisir le titre de ce livre [3]. L'un des premiers buts de l'éducateur, autant que du clinicien, est, en effet, de garantir un contrôle intérieur. Notre récit révèle combien ce dernier ne s'obtient souvent que par l'intermédiaire d'une aide extérieure. Il ne faudrait cependant pas en conclure que ce contrôle intérieur n'est que la résultante d'interventions étrangères. Ce livre essaie, au contraire, de montrer combien il est difficile de favoriser le développement d'un contrôle personnel intériorisé.

Nous espérons décrire au moins partiellement ce processus de prise de conscience personnelle, sans lequel tout changement temporaire de comportement demeure inutile.

Nous avons repris quelques idées déjà émises dans *le Moi désorganisé*, en pensant au lecteur qui n'aurait pas lu notre premier ouvrage.

Les observations que nous présentons sont de deux sortes. Certaines sont directement tirées de nos dossiers. Nous les avons fait suivre de la notation « Ref. ». Celles qui ne portent pas cette indication proviennent de documents enregistrés ou sont des souvenirs d'incidents dont nous nous sommes rappelé ensuite.

Il ne s'agit souvent que de fragments d'épisodes, le récit détaillé risquant d'alourdir inutilement le texte.

---

3. Il s'agit du titre anglais : *Controls From Within*. Précisons qu'initialement *Children Who Hate* et *Controls From Within* formaient deux livres et qu'ils ont par la suite été réunis sous un seul titre : *The Aggressive Child*.

Les faits présentés dans ce livre doivent être évalués, nous semble-t-il, avec une grande prudence. Nous ne prétendons pas que l'expérience de Pioneer House soit exemplaire. Si nous avions la chance de pouvoir la recommencer, nous ne la ferions pas sans y apporter de grands changements. Selon le passé des enfants, selon leur âge et la variété de leurs troubles, de nombreuses modifications seraient nécessaires; à plus forte raison, si les origines sociales, économiques et culturelles étaient très différentes.

Malgré ces nombreuses adaptations, nous pensons que les principes de base utilisés dans l' « approche » de l'enfant inadapté demeureraient constants. Ce que nous avons réalisé et appris à Pioneer House nous paraît suffisamment important pour être transmis aux praticiens, en espérant que ces notions seront le point de départ de recherches élargies et plus approfondies. Outre cette tâche, nous espérons que ce livre amènera les parents et les pédagogues à réfléchir sur leurs attitudes éducatives, qu'il les conduira à un concept plus défini des traitements à appliquer et qu'il aidera à réviser certaines méthodes utilisées dans les internats et dans les centres de rééducation.

Puisse-t-il décider les pouvoirs publics à favoriser tout ce qui concerne la prévention de la délinquance, à stimuler les recherches dans le domaine des traitements.

Puisse-t-il, enfin, sortir le citoyen moyen de son étonnante apathie à l'égard de ces problèmes [4].

---

4. Personne n'a souligné le problème de façon aussi poignante ni aussi vivante qu'Albert Deutsch dans son livre, *Our Rejected Children* (Boston, Little, Brown and Co., 1950).

Introduction

LE DÉFI POSÉ PAR LES ENFANTS AGRESSIFS

Que présentent donc de si particulier les enfants agressifs? Ne sait-on pas depuis longtemps que tous les enfants développent des sentiments négatifs envers ceux-là mêmes qu'ils aiment et respectent?

Tout ceci est vrai et le problème de l'agressivité infantile a déjà fait l'objet d'études détaillées. Deux caractères permettent cependant de différencier de leurs camarades les sujets que nous allons décrire. Incapables de faire face aux tâches quotidiennes qui sont, pour eux, autant de défis, ils deviennent esclaves de leurs tendances instinctives.

Inaptes à maîtriser leurs diverses impulsions, leurs efforts et leurs tentatives sont liés par un sentiment commun : la haine. Elle domine la scène et forme, en quelque sorte, la toile de fond de leur existence.

S'ils nous défient continuellement, c'est qu'ils ne peuvent pas réaliser une synthèse cohérente de leurs instincts.

Contre qui s'opposent-ils ainsi? Contre ceux qui vivent avec eux, ceux qui les éduquent, ceux qui les forment, ceux qui tentent de les modifier; contre le médecin qui essaie de les aider, contre l'éducateur et le moniteur qui organisent leurs loisirs, contre tous les adultes qui jouent un rôle un peu important dans leurs vies.

Au cours de notre travail avec ces jeunes, nous avons constaté que la haine n'était pas le seul sentiment qu'ils

9

ne pouvaient pas maîtriser; mais elle était présente partout. Tourbillons, fleuves, océans de haine incontrôlée et incontrôlable étaient notre lot quotidien.

Afin de découvrir les moyens de les aider, nous avons soigneusement observé leurs comportements, chaque fois qu'ils perdaient le contrôle d'eux-mêmes. Nous avons ainsi noté que différentes fonctions de leur Moi étaient considérablement affaiblies.

Par *Moi*, nous entendons cette partie de la personnalité chargée de nous maintenir en contact avec la réalité et de nous aider à régulariser nos impulsions dans les limites dictées par cette réalité.

Imaginez un homme invité à se rendre à une réunion d'amis. Il est un peu en retard et pressé d'arriver tant il craint de manquer les réjouissances attendues. Comme il atteint un passage à niveau, il aperçoit le clignotement des lumières rouges qui lui signalent un danger. Le roulement du train va en s'intensifiant. Peut-il franchir à temps le passage à niveau?

Essaiera-t-il de le faire? Son Moi doit prendre une décision. La réponse à donner peut se compliquer de problèmes moraux : cet acte est-il raisonnable ou mauvais?

Le cas est identique, tout en étant plus complexe, quand il s'agit de relations entre le conscient, le Moi et les instincts. Dans *le Moi désorganisé*, nous avons étudié en détail les différentes fonctions du Moi ainsi que ses relations avec les autres instances de la personnalité.

Nous avons établi une liste incomplète des situations journalières où le Moi de ces enfants risquait d'être déficient. Toutes les fois qu'ils ne pouvaient pas y faire face, une réaction dominait le tableau : la haine. Elle exprimait une poussée primitive bien supérieure à ce qui pouvait être considéré comme normal. Elle représentait également une réaction secondaire et disproportionnée à l'échec.

C'est ainsi que de tels sujets se révèlent incapables de réagir à la crainte, à l'anxiété ou à l'insécurité sans sombrer dans une agressivité mal contrôlée. Ils ne peuvent pas faire face aux sentiments de culpabilité engendrés par leurs actes, car plus ils se sentent coupables, plus ils deviennent violents. Ils répètent alors les mêmes comportements, déjà générateurs d'angoisse. Incapables de profiter des satisfactions proposées, ils ne perçoivent pas la signification d'une activité pleine d'intérêt pour des sujets normaux et s'évadent dans des attitudes impulsives et destructrices.

Si l'adulte est parvenu au prix de grands efforts et d'une préparation minutieuse à les engager dans une activité qui leur convient, ils ne paraissent pas susceptibles de conserver au fond d'eux-mêmes l'image bienfaisante de ce plaisir.

Dans les moments de détresse, loin de retrouver le souvenir de satisfactions passées, ils se réfugient dans l'agressivité et la brutalité. Toute attente leur est impossible. Ce qu'ils veulent doit leur être accordé immédiatement. Si un refus est opposé à leurs demandes, ils redeviennent hostiles.

Ils perçoivent difficilement les liens existant entre une situation donnée et leur comportement; ils distinguent mal la part qu'ils ont jouée dans un événement malheureux et ne ressentent pas la portée de leurs provocations.

Toute prise de conscience s'évapore rapidement. Les interroge-t-on, trente minutes plus tard, sur ce qui est arrivé? ils trouvent toujours quelque personne à blâmer ou quelque coup du sort à accuser.

Est-on serviable avec eux, les entoure-t-on d'affection, de jeux, de nourriture variée, est-on prêt à les aider? ils semblent considérer que la modération dont ils ont fait preuve momentanément peut être jetée aux quatre vents. Leurs réclamations deviendront si pressantes que l'adulte ne pourra ni ne devra les accepter. Une explosion de haine apparaîtra inévitablement.

Il existe un autre problème fascinant, propre à ces enfants. Ils ne savent demander aide ni à l'adulte ni au monde extérieur en général. Le raisonnement de nos lecteurs sera peut-être le suivant : « ces gosses difficiles ne peuvent pas supporter l'idée de devenir dépendants d'un adulte. » Il n'est pourtant pas possible de trouver une solution dans leur attitude orgueilleuse. Quand ils s'habillent ou quand ils mettent leurs chaussures par exemple, nos enfants ne se sont jamais privés de multiplier les attitudes infantiles afin d'attirer l'attention sur eux.

Le nombre de situations où ils se révèlent capables de demander une aide précise est étonnamment bas.

Ils sont incapables de résoudre les difficultés sans confusion et sentiments de frustration, et il est facile de s'imaginer combien cette inaptitude risque d'être le point de départ de réactions hostiles. Tout échec, toute faute ou même tout succès, libère des torrents d'agressivité dirigés contre leur entourage ou les conduise à se replier sur eux-mêmes. Les erreurs sont interprétées comme les machinations d'un monde hostile dont il faut se défendre par une bouderie haineuse ou agressive. Même les réussites occasionnelles sont sources d'irritations. Pour les autres enfants, ce ne sont que des vantardises, des « crâneries », des « illusions ».

Nous ne pouvons pas nous étendre plus longtemps sur ces défaillances du Moi. Nous les avons déjà étudiées dans *le Moi désorganisé*. Face aux insuccès, nos enfants se révèlent incapables de contrôler leurs impulsions agressives. Nous pensons que cette insuffisance ou cette régression des moyens de contrôle constituent le fait essentiel dans la psychologie de ces sujets. Le problème serait cependant bien simplifié si la faiblesse de leur Moi résumait toute leur histoire. Fait étrange et apparemment paradoxal, ces enfants peuvent utiliser leurs énergies psychiques avec une puissance, une vigilance et un savoir-faire surprenants. Cette force est au service de l'impulsivité, de la haine, des besoins destructeurs. Afin de satisfaire à tout prix ses désirs, le Moi lui-même, si peu apte à contrôler ses impulsions, réalise des tâches très difficiles avec une efficacité étonnante et exaspérante.

Loin d'établir une synthèse entre ses plaisirs, les exigences de la réalité et les valeurs sociales, il est alors totalement esclave de son impulsivité.

Il n'est pas possible d'entreprendre une étude systématique du combat mené par le Moi pour satisfaire ses besoins. Cela nous entraînerait trop loin. Nous devons nous contenter d'un rapide survol du sujet, en considérant que ces enfants bataillent sur quatre fronts différents.

Leur propre conscience est le théâtre du premier combat. Elle est l'ennemie intérieure qui s'oppose aux impulsions, aux tendances de haine et de destruction. Sa force varie selon chaque enfant, mais nous n'avons jamais rencontré un sujet qui en était totalement dépourvu. L'enfant découvre, par exemple, des moyens de camoufler les intentions qui se cachent derrière son acte : « Bien sûr, je l'ai volé, mais j'en avais réellement besoin. » — « Ce n'était qu'un prêt », répond-il si un vol est découvert. Par une argumentation habile, il se protège contre les sentiments de culpabilité, de gêne ou de honte et garantit ainsi sa liberté d'action.

Le second champ de bataille est un peu différent. Il revêt la forme d'une recherche en vue de trouver ün support à la délinquance. A l'image d'une armée en campagne qui doit être soutenue par ses arrières et par le travail des civils, le délinquant guerrier doit s'assurer toute une logistique, afin de ne pas manquer de munitions. C'est ainsi que ces sujets présentent une faculté étonnante à reconnaître chez les autres enfants une pathologie semblable. Fait surprenant, compte tenu du fonctionnement défectueux de leur Moi, ils discernent avec une grande habileté ce qui peut être exploité dans leur propre personnalité pour parvenir à leur but. « Comment pourrais-je rendre service à ce camarade? Vous savez combien j'ai mauvais caractère! »

Une telle exploitation de leurs humeurs et de leurs faiblesses psychiques est destinée à soutenir leurs tendances primitives et brutales. C'est une arme, entre plusieurs, qui leur permet de libérer leurs impulsions. Si le psychiatre ou le travailleur social tentent d'utiliser les mêmes mécanismes afin d'influencer et d'améliorer leur comportement, ils seront violemment repoussés.

La défense contre tout changement éventuel constitue le troisième combat entrepris par le Moi. Aucune des deux précédentes batailles n'atteint la violence de celle-ci. Toute situation impliquant la possibilité d'un changement déclenche une réaction de défense qui va en s'intensifiant, dans la mesure où le traitement s'attaque précisément à elle. Ils combattent pour leur propre existence.

Un enfant est pris sur le fait alors qu'il commet un larcin. L'objet volé se trouve dans sa poche. Il sait que nous connaissons son acte. L'avouera-t-il? Non; il refuse la confession, ne parle pas et ne peut réellement pas parler. Cette brutale suppression du langage, il n'en connaît pas consciemment la raison, mais un plan, que nous pouvons résumer par quelques phrases, se cache pourtant derrière cette attitude : « je les forcerai à céder; je les contraindrai à me rendre malade. Croient-ils que je leur laisserai la chance de me prouver qu'ils sont bons avec moi? Pensent-ils que je leur donnerai l'occasion de me démontrer combien il est agréable de ne pas être puni? Je les ferai agir comme ces sales flics qui courent toujours après moi. Je pourrai ainsi garder ma haine; je ne serai pas obligé de céder. »

D'autres mécanismes sont également utilisés. Passer à l'ennemi est punissable de mort, mort sociale. Le camarade qui se convertit est violemment chassé de son groupe, même s'il désire rester un ami. On retrouve ici la règle de toutes les armées du monde : pas de fraternisation avec l'adversaire. Appliqué à nos enfants, le précepte devient : « évitez les « bons sujets » qui aiment les adultes et qui participent à leur vie.

Ils peuvent vous corrompre. En éprouvant de l'amitié pour eux, vous risquez d'avoir la tentation d'imiter leurs comportements. »

Reste le quatrième combat. Pour un Moi qui prétend s'opposer à toutes menaces de changement, il ne suffit pas de trouver les moyens de s'opposer aux situations nouvelles. Il faut s'attaquer aux membres susceptibles de les créer. Des mécanismes de défense sont ainsi employés contre les responsables des changements.

Il est fascinant de constater que ce Moi si stupide pour percevoir la réalité, si socialement aveugle, diagnostique avec précision les sentiments et les attitudes de l'adulte. A un moment donné, il perçoit si l'adulte est mécontent, jusqu'à quelle limite il peut sans crainte l'aiguillonner et le provoquer. A d'autres périodes moins « engagées », ce même Moi ne semble pas percevoir que l'adulte l'aime, est bon à son égard. Il est déconcertant de constater que ces enfants incapables d'apprendre, confondant souvent les notions de lieu et de temps (certains ne peuvent même pas lire l'heure), se défendent parfois avec autant d'habileté et d'astuce qu'un homme de loi. Ils prétendent, par exemple, que toute tentative de discuter avec eux sur un vol commis constitue en soi une accusation. Si un larcin a été commis au préjudice de l'un des enfants, nous avons l'habitude de parler individuellement avec chacun d'eux. Le véritable coupable réagit immédiatement comme s'il s'agissait d'une offense et nous accuse amèrement, en nous considérant comme illogique, stupide et mesquin : « Vous me blâmez parce que j'ai été un délinquant. »

Une autre fois, il nous démontre son innocence grâce à une fausse plaidoirie, bâtie selon les règles de l'évidence. Ainsi, tout méfait (vol, brutalité, destruction, etc.) ne sera reconnu que preuves en mains et pas à pas.

Ce très rapide tour d'horizon n'a présenté que très incomplètement les mécanismes de défense utilisés par ces enfants. Si par ces quelques faits le lecteur comprend ce que nous voulons dire en parlant de défenses contre tout changement, nous serons cependant satisfaits.

Notre but est encore plus ambitieux. Il ne suffit pas de concevoir comment la faiblesse et la puissance sont intimement et étonnamment mêlées. Il faut comprendre quelle force d'opposition représente cette situation. Que pouvons-nous faire avec eux et pour eux? Quels outils pouvons-nous employer?

Psychiatrie infantile est souvent synonyme de méthodes d'interviews. Beaucoup de sujets inadaptés ne sont-ils pas examinés et aidés par ce système, tant dans les Child Guidance Clinics que dans les agences familiales [1], tant par les travailleurs sociaux que par les autres spécialistes? Que pouvons-nous espérer de ces méthodes en ce qui concerne nos enfants?

Elles peuvent certainement améliorer un grand nombre d'entre eux. Leur succès dépend cependant d'un minimum de conditions, sans lesquelles elles risquent d'être sans efficacité : détermination des buts thérapeutiques — possibilités de communiquer avec le client — protection contre les excès dus à une attitude hyperagressive et destructive.

Sans ces garanties, l'entretien risque de dévier. Avec les enfants agressifs, ces conditions minima ne sont pas remplies [2]. L'intensité de l'excitation et des réactions hostiles dépassent nettement le niveau acceptable. Elles contraignent inévitablement le thérapeute à intervenir, bien avant qu'une « névrose de transfert » ou qu'une relation positive ait pu être établies [3]. Le fait essentiel n'est cependant pas là : il existe une nette séparation entre le rôle joué par le thérapeute et le restant de leurs vies, et cet écart favorise énormément l'utilisation de défenses contre les changements. Ce fait constitue un tel désavantage stratégique dans nos tentatives d'engager ces enfants dans une thérapie individuelle qu'il n'y a pratiquement pas de solution.

Bien que cela soit rare avec nos sujets, nous pouvons obtenir des périodes transitoires de relations positives qui nous apportent un matériel « significatif ». Il y a cependant peu de chance pour que l'une de celles-ci puisse être utilisée par le thérapeute afin d'influencer leurs conduites dans

---

1. Voir l'étude très lucide des avantages et des inconvénients de l'analyse des enfants dans « Child Analysis » par le docteur Margaret SHŒNBERGER MAHLER, chapitre du livre *Modern Trends in Child Psychiatry* de D. C. LEWIS, M. D., et Bernard L. PACELLA, M. D. (New York, International Universities Press, 1945).
2. Hyman S. LIPPMAN analyse dans « Treatment of Juvenile Delinquents, *Nat. Conf. Social Work, Proceedings*, 1945, p. 314-323, certaines des difficultés et certains des échecs du traitement habituel des « enfants agressifs ».
3. Pour une étude plus détaillée des techniques psychanalytiques aux enfants inadaptés, voir Kate FRIEDLANDER, *Étude psychanalytique de la délinquance juvénile* (P. U. F.) et l'article de S. LORAND, « Psychoanalytic Contribution to Treatment of Behavior Problems in Children », *Am. J. Psychiat.*, 105, novembre 1948, p. 357-360.

leur vie « civile ». Les Moi sont mal armés contre les difficultés journalières et peu capables d'assimiler un gain temporaire, tant dans leurs propres mécanismes que dans la réalité sociale de l'environnement. Ils sont tellement peu aptes à profiter des satisfactions antérieures qu'ils ont inévitablement recours à une conduite primitive, dominée par l'impulsion, elle-même génératrice de contre-réactions punitives de la part de tout le personnel. Le thérapeute est trop directement lié à ces événements pour pouvoir les contrôler. Par personnel, nous entendons les parents, les professeurs, les moniteurs de jeux, les voisins, les camarades même qui sont part inhérente de l'environnement émotionnel de tout enfant. Si nous pouvons trouver de temps en temps un parent ou un professeur désireux de commencer une thérapie, la majorité des personnes rencontrées chaque jour par l'enfant inadapté soit se détourne de lui, soit, ce qui est pire, le rejette à cause de sa manière brutale et hostile d'entrer en contact avec l'extérieur. Ainsi ces sujets soulèvent journellement de tels problèmes que le thérapeute individuel se trouve désarmé devant eux[4].

Si la psychiatrie, dans le sens des méthodes d'interview, n'est pas applicable à ces sujets, que nous offrent les systèmes d'éducation?

Qu'adviendrait-il si ces enfants qui ne peuvent pas être atteints à travers un entretien trop éloigné de la réalité étaient exposés à un bon milieu éducatif, étaient entourés par des adultes les dirigeant avec sagesse et affection? Puisqu'ils sont si troublés, l'éducateur essaierait de leur apporter des occasions et des moyens de reprendre goût à l'existence. La porte étant ainsi ouverte, ils devraient théoriquement la franchir et laisser derrière eux leurs singulières tendances à se livrer au mal, à la destruction et au vandalisme. Dans une étape suivante, les éducateurs essaieraient de combattre leur irritabilité et leur haine chronique en leur enseignant les manières de les maîtriser puis de progresser avec succès. En tant qu'éducateurs, en effet, ils sont attentifs aux frustrations de base, nées d'échecs répétés. Ils proposent des expériences qui passionnent les enfants

4. Les problèmes que l'application du « casework » soulève avec de tels enfants sont bien étudiés dans le livre d'Eleanor CLIFTON et Florence HOLLIS, *Child Therapy — A Casework Symposium* (New York, Family Service Association of America, 1948).

16

et les conduisent à se « dépasser ». Ils essaient de voir s'il est possible de régulariser leurs vies en les mettant en contact avec des camarades plus heureux et moins inadaptés qu'eux.

L'activité et la joie de ses compagnons conduisent le « mauvais sujet » à modifier son comportement, car il constate que le plaisir et l'apaisement peuvent être obtenus par d'autres modes de conduite. En agissant ainsi, l'éducateur espère contredire l'ancien précepte « une pomme gâtée contamine l'arbre entier. » Il tente de liguer le reste de l'arbre contre le fruit abîmé. La loi : « apprendre à partir de l'expérience » devient un procédé pédagogique, les enfants changeant leurs conduites s'ils constatent qu'ils sont aimés et compris.

Il va sans dire qu'ils ne se trouvent jamais en face des réactions cruelles, des injures, des insultes et des mesquineries qu'ils ont connues antérieurement.

Cette attitude compréhensive les transforme peu à peu en sujets heureux et paisibles.

Pour être complets, disons que les éducateurs ne penseront pas naïvement qu'une telle existence sera suffisante pour obtenir des changements aussi radicaux. Tout enfant a besoin de subir certaines « pressions » pour suivre un chemin correct. Dans ce but, l'éducateur s'aide de « techniques éducatives », telles que punitions amicales, critiques compréhensives, récompenses spéciales, promesses, encouragements. Dans son esprit, cet ensemble constitue un bon programme qui, associé à un intérêt profond et à beaucoup d'amour pour les enfants, peut réellement aboutir à des résultats étonnants. Il est vrai que, dans des milliers de cas, il réussit remarquablement. Nos enfants sont cependant de douloureuses exceptions. Afin d'être effective, cette méthode présuppose certaines potentialités qui sont précisément absentes chez nos sujets.

Étudions de façon sommaire quelques-unes de ces défaillances.

Pour prendre plaisir à une activité constructive et compétitive, un enfant doit être capable de tolérer les frustrations; il doit pouvoir sublimer certaines recherches de satisfactions plutôt que de s'abandonner à ses tendances primitives; il lui faut être prêt à sacrifier l'impulsion du moment en vue d'un gain futur; la tolérance aux frustrations, les capacités de sublimation, la faculté de résister aux impulsions immédiates en vue d'une satisfaction future sont étonnamment faibles chez les enfants dont nous nous occupons.

Pour être intéressé par les tâches de l'existence ou pour tirer une leçon des situations vécues, un enfant doit avoir quelque image de son propre futur. Il doit être capable de supporter l'échec sans désorganisation, la victoire sur un adversaire sans haine triomphante. Les enfants agressifs ne peuvent pas établir de liens exacts avec le futur; ils ne sont guère capables de faire face aux conséquences d'un échec sans réactions primitives et sans désappointements; devant le succès, ils deviennent orgueilleux et vantards.

Pour être influencé par la conduite amicale de l'adulte, l'enfant doit avoir réellement besoin d'amour. Il lui faut reconnaître dans celui-ci un être désireux d'aimer, même s'il s'oppose temporairement aux satisfactions. Nos sujets n'éprouvent que faiblement et confusément le désir d'établir des relations positives avec autrui. Ils interprètent toute limitation, aussi légère et nécessaire soit-elle, comme une marque de rejet.

Pour profiter des critiques, des punitions, des récompenses ou des louanges, des promesses ou des menaces, un enfant doit avoir conscience de sa propre responsabilité au moment de l'acte; il lui faut comprendre les liens qui existent entre son propre effort et ce qu'il accomplit; il doit avoir appris, grâce à ses expériences antérieures, à faire face aux tentations qui le poussent à mal se comporter. Les relations unissant le Moi et le Surmoi des sujets placés en internat sont souvent perturbées. Les sentiments de culpabilité naissent trop tard ou sont vagues. Ils ne perçoivent que faiblement, parfois pas du tout, leur propre responsabilité par rapport à ce qui leur arrive. Leur résistance face à la tentation est des plus réduites.

Toutes ces difficultés cliniques s'opposent à la réussite de ce que nous pourrions appeler un bon programme éducatif. Pratiquement, nous ne retrouvons dans leur personnalité aucun des éléments qui puissent permettre d'espérer une réussite de ce programme. Ils ne réagissent pas comme nous le voudrions. Nous constatons même que certains comportements empirent, car nos tentatives pour les attirer hors de leur pathologie renforcent leurs défenses.

Nous sommes ainsi amenés à conclure qu'une bonne éducation ne constitue pas un remède suffisant. Pour obtenir un résultat positif, nous devons nous attaquer aux faiblesses de leurs personnalités. Si la psychiatrie et la pédagogie sont l'une et l'autre bafouées, il nous faut découvrir une nouvelle méthode thérapeutique, afin de faire face aux problèmes soulevés. Elle doit être conçue selon un plan différent, tout en s'inspirant largement des notions et des techniques apportées par ces deux disciplines.

Il est une innovation essentielle qu'un tel projet voudrait souligner : c'est le concept d'un traitement en internat capable d'offrir les meilleures chances de résoudre les problèmes de ces enfants.

Si l'entretien avec le psychiatre est trop éloigné de la vie réelle, si le milieu communautaire est trop antipathique ou s'il est devenu agressif du fait des réactions hostiles, aucune méthode n'atteindra l'enfant tant que dureront ces conditions. La complexité clinique des cas, les difficultés presque insurmontables rencontrées pour les aider écraseront autant le thérapeute d'internat que l'éducateur ou le psychiatre. Leur combat épuisant et incessant, leurs recherches pour découvrir la solution des difficultés seront sources de bien des cauchemars. Il faudra consacrer beaucoup de temps à trouver des activités cliniquement valables qui permettent à la fois de libérer impulsions et affects et de renforcer le Moi. Les problèmes de la vie journalière devront être réglés non seulement par rapport au comportement immédiat, mais en tenant compte des causes de l'inadaptation et des buts du traitement.

La philosophie clinique et la stratégie que semble exiger une telle expérience feront l'objet des chapitres suivants.

PAUVRETÉ DE NOS OUTILS THÉRAPEUTIQUES

Quels que soient leur âge, leur histoire antérieure, leur milieu de vie, ces enfants ont un point commun : leur Moi est incapable de contrôler leur conduite durant les 24 heures d'une journée. C'est vrai, sans doute, autant pour les enfants normaux que pour les sujets sévèrement atteints. Désirs, fantasmes déformés et « malades » ne sont pas, en effet, les seuls à devoir subir un contrôle. Même les besoins les plus compréhensibles et les plus normaux de l'enfant doivent être souvent limités dans leurs modes d'expression, être freinés momentanément ou différés dans leurs réalisations.

Par exemple, sans être kleptomanes, un garçonnet ou une fillette visitant un rayon de jouets dans un grand magasin sont assaillis par des désirs, par des impulsions à posséder et à utiliser quelques-uns des objets séducteurs exhibés sur les comptoirs. Désirer intensivement les avoir n'est en rien anormal. En face d'un tel spectacle, même un enfant paisible peut sentir l'eau lui venir à la bouche. En fait, nous devons considérer comme normaux les fantasmes de substitution créés par le Moi de l'enfant pour échapper aux frustrations. Exposé à une telle torture, le moins inadapté des jeunes pourrait avoir un rêve de ce genre : un étranger s'approche soudainement de lui, lui explique qu'il est trop âgé pour prendre plaisir à de tels jeux et lui achète une bicyclette qu'il peut immédiatement emporter. Si les tentations sont trop fortes pour être totalement réprimées, un rêve éveillé pourrait les inclure sur-le-champ dans le thème suivant : l'enfant s'imagine roulant sur la bicyclette; il est de plus en plus tenté de s'en emparer, mais décide, au dernier moment, de la rapporter. Le vendeur, qui a déjà commencé à le suspecter, est tellement touché par la franchise de sa confession et par son self-control final qu'il lui laisse son trophée en récompense de sa sincérité et de son repentir. De tels rêves éveillés doivent être considérés comme normaux aussi longtemps que l'enfant reste capable de limiter ses désirs en les empêchant de s'exprimer ouvertement et que ses rêves n'empruntent pas des thèmes par trop pathologiques.

Constater la légitimité de ces besoins ne résout cependant pas le problème. Le contrôle des conduites demeure une tâche essentielle et journalière qui est imposée au Moi de l'enfant le plus normal.

Notre existence avec des sujets agressifs nous a montré le tableau d'un Moi totalement incapable d'assumer cette tâche. Oublions cependant pour un temps ces enfants. Leurs troubles ne sont qu'une image intensifiée, caricaturale de ceux que présente tout jeune dans la recherche du contrôle de soi-même. Ceci doit être bien compris, tant par les parents que par les éducateurs. Le fait que le Moi de votre enfant soit intrinsèquement normal et que votre jeune soit « un gosse merveilleux » ne signifie pas qu'il soit capable de se contrôler dans toutes les circonstances. Nous devons au contraire souligner deux points :

1. Le Moi se développe graduellement et sur une longue période de temps. Durant cette évolution, il a besoin de « soutiens » apportés par l'extérieur.

2. Le contrôle de la conduite n'est possible que dans certaines limites.

Si des événements écrasent l'enfant ou si une poussée anormale d'impulsions affecte le jeune, le Moi le mieux développé ne sera pas capable de lutter seul. Il lui faudra une aide. La différence entre un enfant normal et un enfant inadapté ne réside pas dans la possibilité ou l'impossibilité de se contrôler. Elle tient à ceci : même en des circonstances difficiles, le sujet normal peut se reprendre si une aide efficace lui est fournie. Dans le cas du sujet sévèrement troublé, il ne lui est pas possible de profiter véritablement du support qui lui est offert.

La recherche des moyens susceptibles d'aider le Moi n'est donc pas la tâche exclusive du clinicien qui tente de vivre au milieu d'enfants aussi malades que ceux décrits dans cet ouvrage. C'est un devoir aussi important pour les parents et les éducateurs de tout enfant. Nous voudrions être sûrs que ceci soit bien compris, en dépit de la confusion habituelle de l'opinion publique sur ce point. Abandonnons momentanément les enfants qui nous préoccupent et illustrons notre position par l'exemple d'un sujet pris dans un groupe différent.

Ken est âgé de 10 ans. C'est un enfant heureux. Sa naissance fut accueillie avec joie par sa famille qui vit modestement mais confortablement. Il fut élevé par des parents particulièrement intelligents, sensibles et pleins de bon sens. Nous pourrions insister sur les conditions exceptionnelles de son existence. Sans manquer de réalisme, il nous est cependant possible d'affirmer que sa vie fut jalonnée par une série de petits déboires communs à tous les enfants. Aussi agréable et plaisante que fût sa vie scolaire, elle fut marquée par la rencontre d'un ou deux professeurs médiocres ou stupides. Durant les jeux avec ses petits camarades, bousculé par un enfant violent et plus fort que lui, il connut parfois la peur. Les maladies habituelles de l'enfance l'exposèrent aux traumatismes qui accompagnent toutes les convalescences, à quelque opération chirurgicale. Ses parents, bien que prudents et l'aimant tendrement, ne purent pas éviter de réagir occasionnellement à sa conduite selon leurs propres sentiments ou selon leur humeur plutôt que d'après leur habituelle sagesse éducative. Il nous faut ajouter que Ken est loin d'être « le bébé de sa maman » ou un enfant modèle, bien que la bonne éducation reçue le rende généralement docile et prêt à se corriger. Les méfaits dont il rêve ou qu'il a réalisés n'ont, bien sûr, pas le caractère extrême, déraisonnable et pathologique que nous avons décrits chez les enfants étudiés dans ce livre. En résumé, Ken peut être considéré comme un sujet parfaitement normal, vivant dans un cadre d'existence particulièrement favorable.

Pour étudier son Moi, confrontons-le à présent à deux événements qui compliquent brutalement sa vie. Rien de sérieux, juste assez pour constituer une situation plus difficile que celles généralement rencontrées.

La première des difficultés remonte à cet après-midi. Ken jouait avec ses amis du voisinage, quand M. N., le père de l'un des enfants, entra brusquement en scène. Il était en proie à une colère visiblement non contrôlée. Il interpella violemment le camarade de Ken au sujet d'un fait sans importance, mais le pire de tout fut qu'il fit réellement honte au garçon sans le moindre tact et en présence de son groupe. Comme l'enfant en question était souvent un rebelle, le groupe considéra son départ comme un spectacle honteux, une défaite ignominieuse. Il fut contraint au silence par la véhémence de M. N., et Ken souffrit la torture d'un couard abandonnant son camarade sur le champ de bataille. Se mettant à la place de son ami, il fut rempli d'une fureur impuissante. Jamais encore il n'avait ressenti ouvertement le besoin de frapper un adulte et ce sentiment nouveau lui fit peur. Son pire tourment fut bien caractéristique de la honte éprouvée par le préadolescent. S'être rendu ridicule comme un « petit bébé », ne pouvoir rien faire contre cela, si ce n'est en s'échappant de l'existence réelle, en réagissant par des petites

22

rébellions et des « bêtises » dans des secteurs où l'on se sent sûr.

L'autre événement est arrivé le soir de la même journée. Ses parents avaient organisé une réunion, ce qui était plutôt inhabituel. Des amis personnels ainsi que des connaissances d'affaires avaient été invités. L'impression laissée par la famille sur quelques-uns des hôtes pouvait être importante pour son avenir, car elle s'était installée récemment dans le quartier. Ken savait qu'il pourrait assister quelques instants à la réunion. Il était chargé d'apporter les rafraîchissements et de vider les cendriers; mais il savait également que la règle demeurerait la même : à 20 heures 30, il serait l'heure de se séparer des adultes, de monter à sa chambre et de le faire sans créer d'ennuis à ses parents. Ce point lui fut répété à cette occasion.

La réunion débuta sans histoire. Les adultes se servirent de la présence de l'enfant pour surmonter leurs propres difficultés à établir les relations sociales. Ils comblèrent les silences gênants par des réflexions faites sur le jeune. Il devint ainsi le centre de la scène, « baignant » dans les compliments ou les remarques flatteuses destinées en réalité aux parents. Ajoutons d'ailleurs que certains invités aimaient réellement les enfants.

Ken se trouva stimulé par l'intérêt manifesté, par la chance qui lui était donnée de parler de ses sujets préférés et par le contact amical qui s'établissait entre les adultes et lui. Il trouva finalement l'accueil plus sympathique qu'il ne l'espérait. Saisi par l'atmosphère générale de la réunion et par l'attention personnelle qu'il recevait, il devint énervé et même surexcité. Quand arriva 20 heures 30, son Moi se trouva en difficulté. Il désirait obéir à la raison et aux convenances, compte tenu de la valeur des règles parentales, mais deux forces rendaient la décision délicate. D'une part, l'attention des adultes et la satisfaction d'être traité comme « un grand » avaient accru son désir de rester. L'incident de cet après-midi modifiait, d'autre part, sa façon de voir. Après ce qui était arrivé, le geste de son père qui lui montrait l'horloge n'était plus considéré comme le simple rappel d'un accord antérieur. Aujourd'hui, son père devenait brusquement l'un de ces adultes qui « gâchent toujours votre plaisir. » En s'imaginant montant les marches de l'escalier, il découvrait la similitude effrayante entre la situation actuelle et la scène de cet après-midi : son camarade s'éloignant en rampant comme un chien battu, abandonnant son indépendance de préadolescent pour une obéissance aveugle, sous la dérision et la honte collective.

Face à une telle situation, la tâche qui incombait au Moi de Ken devenait double.

1. Il devait décider dans quel sens il porterait son effort. Il pouvait se ranger du côté des forces de la raison et des convenances en renonçant à la réalisation de ses désirs. Il pouvait également tenter de sauvegarder ses intérêts en cherchant à satisfaire son plaisir « qui ne faisait de mal à personne ». Il lui fallait alors trouver les moyens de rester encore un peu, malgré les interdictions parentales.

2. Quelle que fut sa décision, son Moi devait faire face à une seconde tâche. Il lui fallait « se débarrasser des sentiments secondaires. » Il est bien rare que les décisions soient prises assez nettement pour ne laisser aucun élément à démêler ensuite. Dans le cas de Ken, par exemple, nous pouvons nous attendre à ce que des complications surgissent, quelle que soit l'issue choisie. S'il décide de rester, son Moi devra lutter contre des sentiments de culpabilité qui apparaîtront tôt ou tard pour avoir désobéi à ses parents. S'il décide de suivre les conseils et d'aller se coucher, il lui faudra affronter la honte de se plier à un ordre comme un petit enfant. Enfermé dans sa chambre, peut-être ressentira-t-il la solitude, la colère, l'impression d'être abandonné.

Nous voulons souligner le point suivant : tout en étant généralement capable de prendre une décision, Ken a besoin d'une aide extérieure. Il n'est pas possible de la définir avec précision. Tout dépend de la situation elle-même, des « trucs » employés par l'enfant pour prolonger son séjour (Dieu sait s'il en a un grand choix !).

Il peut simplement essayer de se faire oublier, jusqu'à ce qu'un adulte attentif lui rappelle l'heure du coucher. Il peut tenter d'amadouer, de cajoler ou de détourner le moment fatadique en rusant afin que l'attention se détourne de lui. Il peut essayer de prouver son utilité en servant les rafraîchissements, en vidant les cendriers, en agissant de façon si efficace que les adultes ne puissent plus rappeler à un tel serviteur une affaire aussi peu glorieuse que l'heure du lit. Il peut tenter d'attirer la sympathie des adultes, de gagner les faveurs de l'un des invités afin qu'il l'aide à obtenir la permission de rester. D'un autre côté, profondément choqué par l'incident de cet après-midi, Ken, pourtant si complaisant d'habitude risque d'entrer en rébellion ouverte. Même s'il se plie aux exigences de ses parents, il montera alors les escaliers après avoir fait une telle comédie que, malgré la défaite apparente, la victoire lui demeurera acquise.

Suivant le choix de l'enfant, il existe différents moyens de l'aider à prendre sa décision. S'il décide simplement de rester, il suffira que sa mère ou son père s'approchent de lui, lui renouvellent leur affection et lui rappellent nettement le pacte accepté. S'il choisit les bouffonneries, ses parents agiront sagement en le laissant s'amuser un peu, plutôt que de se fâcher. Au bout d'un moment, ils stopperont le manège et conduiront l'enfant dans une autre pièce afin qu'il ne perde pas la face devant les invités. Ils discuteront alors sérieusement avec lui : « Nous comprenons ton désir de rester », lui diront-ils, « mais tu dois aller te coucher. » S'abrite-t-il derrière son travail? il sera facile de l'interrompre à la fin d'un service précis. Par exemple, lorsqu'il aura distribué les rafraîchissements, on lui proposera l'aide d'un domestique ou d'un invité qui se substitueront naturellement à lui. S'il tente de gagner la sympathie d'un ami parmi les invités, ce dernier devra lui apporter l'aide dont il a besoin. Elle pourra prendre une forme proche de celle-ci :

« Écoutez, Ken, je ne peux pas faire ce que vous me demandez. Vous m'avez dit vous-même que vous aviez promis à votre mère d'aller au lit ce soir sans difficulté. Cela ne serait vraiment pas « chic » de votre part si vous changiez d'avis. J'ai cependant une idée. Je vais lui demander si elle me permet de monter dans votre chambre avec vous. Vous pourriez me montrer ce bateau à voile dont vous venez de me parler et nous resterons ainsi ensemble un petit moment. Mais après vous me laisserez partir gentiment, d'accord? »

Si Ken se rebelle, une multitude de moyens s'offre aux parents. Sa mère peut s'approcher de lui pour lui demander de ne pas la placer dans une situation délicate un tel jour. S'il est très excité, son père sera contraint d'être plus sévère, tout en lui laissant une marge suffisante de désobéissance pour sauver la face; tout à l'heure ou demain matin, lorsque Ken sera devenu plus calme, ils pourront discuter en détail de l'incident. S'il fait une véritable scène, la meilleure technique sera sans doute de paraître l'ignorer et de remettre la solution à plus tard.

Supposons que Ken soit monté tout de suite ou presque. Son Moi devra supprimer les « sentiments secondaires ». Il peut encore avoir besoin d'aide pour y parvenir. Ken est en effet un préadolescent. A la différence d'un enfant plus avancé dans sa puberté, le combat engagé pour son émancipation ne lui procure pas encore un véritable plaisir lorsqu'il se heurte aux exigences du monde adulte. La vue de sa chambre, du pyjama déplié sur le lit lui rappellent les soins maternels, les précautions prises par sa mère pour que ses habits restent propres.

Tout en demeurant révolté, il lui est dur de se coucher sans la présence de ses parents. Le souvenir de la reddition honteuse de cet après-midi accroît son impression d'avoir perdu la face; il a le sentiment que toute son équipe continue à regarder par-dessus son épaule. Il risque d'être envahi par des fantasmes de revanche et de fureur, par des souvenirs de faiblesse et de honte, les uns et les autres le laissant en pleurs ou maussade. Frappé de panique au fond de sa chambre noire, il peut avoir le sentiment d'être abandonné.

Pour se débarrasser des « sentiments secondaires », quelle sorte d'aide lui sera précieuse?

Sa mère peut monter le voir au bout d'un moment (pas trop tôt, afin que son acte ne soit pas interprété comme une surveillance méfiante). Elle agira avec précaution, sans rien mentionner des troubles antérieurs, sans le réprimander pour sa lenteur à se déshabiller ou à se laver; elle l'assurera de son affection par sa simple présence ou lui rappellera quelques bons moments passés en bas.

Si les parents connaissaient l'incident de cet après-midi, ils réaliseraient, bien sûr, combien il leur faut être tolérants aujourd'hui. Ken a en effet besoin, compte tenu de sa fierté de préadolescent, de se rebeller un peu, au moins dans sa manière d'obéir, afin de ne pas trop mettre son Moi à l'épreuve.

En résumé, les parents doivent lui apporter une aide, tout en essayant de le faire obéir, mais en évitant de l'embarrasser, de lui faire perdre la face et de lui rappeler les règles de sa petite enfance où il devait aller au lit sans discussion.

Ce soutien ne dépend pas seulement des adultes qui vivent avec lui. En comparant Ken avec des sujets moins chanceux, nous comprenons que l'organisation même des lieux où il habite joue un rôle important, facilite ou complique la tâche de son Moi.

Supposons que ses parents soient moins riches. L'enfant aurait dû se coucher dans une pièce proche de la réunion. Étendu sur son lit, écoutant les moindres détails de la soirée de plus en plus animée, il aurait vu s'accentuer son hostilité envers des adultes qui le « chassent à coups de pied », mais continuent ensuite à le déranger. Sa rancœur se serait accrue contre ses parents qui « passent si bruyamment un bon moment avec tous ces étrangers au lieu de prendre soin de lui. » L'invité qui fut si gentil avec lui apparaîtrait maintenant comme un traître. Il ne lui a été d'aucun secours dans sa situation fâcheuse et se moque bien de son absence comme le prouvent clairement les éclats de rire bruyants que l'on entend maintenant.

Il est certain que Ken aurait réagi différemment s'il avait été envoyé au lit après avoir participé à une activité clairement définie ou s'il était simplement parti après un brutal rappel des obligations antérieures. Prenons un exemple.

L'enfant regarde avec son ami un album de timbres et sa mère lui rappelle alors que c'est la dernière chose à regarder avant de monter. Cette activité clairement définie rend la transition plus facile. Le départ est par contre beaucoup plus difficilement accepté s'il s'est produit au milieu du brouhaha et de l'excitation croissante, car l'envoi au lit paraît être un ordre donné à un gosse plutôt qu'une entente tacite avec un enfant raisonnable. Ainsi, le plan d'une activité, les horaires et le déroulement des faits peuvent en eux-mêmes constituer un élément de soutien. Il va sans dire que l'acceptation d'aller ou non au lit dépend non seulement de ce qui arrive à présent, mais des faits qui ont précédé. Cela tient aussi à la signification générale de l'événement pour le sujet. Avec des parents qui ne savent pas agir avec tact et qui tentent de justifier le départ aux yeux de l'enfant en soulignant son jeune âge, l'heure du lit est nécessairement le point de départ d'une bataille sévère, quel que soit le côté raisonnable de la demande. Si les parents de Ken assurent égoïstement leur confort en l'envoyant se coucher parfois de bonne heure, parfois tardivement, selon leurs goûts et selon leurs besoins, il est fatal qu'une réaction violente se produise. Le mode général d'éducation et « l'atmosphère de base » dans laquelle vivent les gens sont les facteurs qui aident le Moi le plus efficacement.

Si Ken a du mal aujourd'hui à prendre rapidement la bonne décision, il y parviendra cependant en étant épaulé par son contexte de vie. Dans un cadre de vie défavorable ou face à une éducation médiocre, il serait, étant seul, en difficulté. Tout ceci montre combien il est important d'aider non seulement le Moi des sujets inadaptés, mais encore celui des enfants normaux.

Dans nos recherches incessantes pour découvrir des moyens de vivre avec les enfants agressifs, un fait ne tarda pas à nous frapper.

Malgré la sérieuse inadaptation de nos jeunes, nous pensions pouvoir apprendre quelque chose en observant l'enfant normal et en étudiant de quelle manière il est possible d'aider son Moi. Très vite, il nous fallut reconnaître la fausseté de cette théorie. Nous ne savons pas en effet comment apporter une aide au Moi de l'enfant normal. Les méthodes actuelles d'éducation ne nous ont appris que peu de choses sur ce point. Il semble que nous devons grouper nos observations cliniques afin de constituer les rudiments d'une science destinée à supporter le Moi et susceptible d'aider les éducateurs et les parents dans leurs tâches journalières.

Nous avons d'abord été fort surpris, car nous ne pensions pas que la situation pouvait être aussi mauvaise. Malgré les bibliothèques pleines de livres, malgré les querelles des spécialistes au sujet des principes d'éducation, de leurs valeurs et des manières de les inculquer aux enfants, les parents chercheront vainement une réponse concrète et scientifique à une question aussi simple que celle-ci : « Comment puis-je aider Johny à se coucher sans difficultés? » Ils trouveront de nombreuses suggestions pour aider l'enfant névrotique à surmonter ses cauchemars (*après* l'avoir mis au lit!) ou pour « mâter » le sujet récalcitrant (sans référence au conflit produit par les moyens disciplinaires). Ils n'auront aucune difficulté à lire des centaines d'études expliquant pourquoi les enfants préfèrent rester au lit, pourquoi il leur est dur de passer du monde de leurs rêves à celui de la réalité. Mais l'aide qu'il faut apporter au Moi dans les moments de confusion est un sujet à peine traité. On retrouve ce même vide douloureux en de nombreuses situations scolaires et familiales, pourtant beaucoup plus sérieuses que l'heure du coucher au cours d'une soirée.

En fait, toutes les questions se rapportant à des techniques telles que punitions et récompenses, louanges ou critiques, permissions ou interdictions, indulgence ou autorité, encouragements ou réprimandes, toute la gamme des problèmes concernant les limites permises et nos réactions si elles sont dépassées sont encore un no man's land où tout le monde peut croire ce qu'il veut. Nos concepts de santé corporelle, de nourritures sont de même restés identiques à ce qu'ils étaient il y a un siècle.

« Ce qui a bon goût ne peut pas me faire mal » — « Cela m'a fait grand bien quand j'étais enfant. C'est donc sûrement excellent pour les jeunes d'aujourd'hui » — « Nos grands-parents furent élevés de cette manière et ils sont devenus des gens fort respectables » sont autant de stéréotypes gouvernant nos habitudes éducatives journalières. Nous les acceptons sans discuter, aussi fantaisistes et peu fondées que puissent être les buts et les valeurs allégués [5].

---

5. Edith BUXBAUM, dans son livre *Your Child Makes Sense* (New York, International Universities Press, Inc., 1949), essaie d'amener les parents à réfléchir sur leur attitude en face de leurs enfants. Voir également Dorothy W. BARUCH, *Parents and Children go to School* (Chicago, Scott, Foresman, 1939.)

Des gens qui n'enverraient jamais leurs enfants chez un dentiste employant les « bons vieux outils » de leurs grands-parents utiliseront pourtant des arguments aussi simplistes quand ils discuteront du problème des punitions corporelles. Ils liront les ouvrages psychiatriques les plus compliqués, traitant des motivations inconscientes, mais affirmeront qu'un accès de colère pourtant disproportionné à la bêtise commise par l'enfant lui « apprendra à ne pas recommencer. »

Nous ne devons pas persister plus longtemps dans notre ignorance collective. Parents et professeurs réclament des réponses concrètes à des questions telles que celle-ci : que dois-je faire quand il agit de cette façon? Il est certes utile d'étudier les motivations profondes de la conduite-mais il est temps de définir « une méthodologie du contrôle des conduites », élément, elle-même d'un système étudiant les « techniques d'aide au Moi. » Ce livre ébauche seulement cette tâche. Comme dans *le Moi désorganisé* et à partir de nos propres expériences face à des enfants sévèrement inadaptés, nous avons tenté de découvrir quelles techniques pouvaient aider à acquérir un contrôle du Moi. Nous ne pouvons présenter ici qu'une fraction de nos observations. En observant nos efforts, le lecteur devra percevoir lui-même les analogies et tenir compte des différences afin d'appliquer ces méthodes aux enfants normaux.

Comme l'analyse du conflit de Ken peut le faire supposer, l'inventaire des techniques susceptibles d'aider le Moi est si riche en nombre et en variété qu'il nous faut les classer.

Nous les rangerons en quatre catégories :

1. *Aide apportée au Moi par l'environnement.* Nous attacherons une importance particulière aux installations matérielles, aux conséquences du règlement sur l'atmosphère générale dans un lieu donné.

2. *Rôle des activités et du programme :* rôle des jouets, des outils, des différents objets; manières dont ils sont présentés.

3. *Emploi spécifique des techniques pour contrôler les conduites.* En d'autres termes, comment apporter une aide au Moi en intervenant dans ce que veulent faire les enfants.

4. *Utilisation de leurs propres expériences :* enseignement à partir de ce qu'ils font, de ce qu'ils ne peuvent pas faire, à partir des conflits correctement surmontés.

Tout ce que nous présentons dans les chapitres suivants s'applique à des enfants présentant des perturbations sévères de leur Moi. L'application de ces notions aux sujets moins inadaptés est laissée à l'initiative du lecteur. Nous espérons qu'il nous sera possible, dans le futur, de reprendre ces recherches afin de les développer et d'établir une véritable méthodologie du Moi.

Chapitre I

Structure et stratégie d'un traitement en internat

Développé à partir des notions de psychanalyse infantile, le traitement individuel s'est fixé deux buts principaux : établir un rapport personnel avec l'enfant et modifier ce rapport selon les besoins thérapeutiques; découvrir des techniques afin d'utiliser le matériel apporté et interpréter les conduites apparaissant durant le traitement. Il est vrai que, outre ces deux buts, tout bon thérapeute s'intéresse à l'influence qu'exerce l'environnement sur le sujet en cours de traitement. Il est souvent contraint de « manipuler » cet environnement. Il peut avoir à tenir compte des autres relations qui s'établissent avec le jeune et de leurs répercussions. La force principale d'une thérapie individuelle est liée cependant aux deux facteurs mentionnés plus haut.

Si l'enfant vit dans le même établissement que le psychiatre ou le travailleur social, ces derniers sont souvent submergés par une foule de variables [1]. Même si nous espé-

1. Irene M. JOSSELYN a étudié dans « Treatment of the Emotionally Immature Child in an Institutional Framework », *Am. J. Orthopsychiat.*, vol. 20, 1950, p. 397-409, le problème des entretiens psychiatriques au sein d'un internat.

rons atteindre nos buts, essentiellement par le traitement individuel reçu au cours des sessions, nous devons admettre que tout ce qui arrive au sujet durant sa vie en institution risque d'avoir une influence capitale. Quand les choses vont mal, nous sommes d'ailleurs prêts à souligner l'importance de ces facteurs apparemment secondaires... Quels que soient nos talents et nos efforts pour traiter l'anxiété névrotique d'un enfant, quelle influence réelle pouvons-nous avoir si le même sujet passe 23 heures sur 24 dans un cadre de vie fertile en situations traumatisantes? Comment pouvons-nous l'aider si, dès notre départ, il rentre dans un monde régi par des routines et par des règlements étouffants, rétréci par l'ennui et le laisser-aller, parsemé de surexcitations issues des membres de son groupe, criblé de scènes où alternent les punitions sadiques et les gâteries sentimentales, marqué de discours verbeux venant d'adultes qui n'ont aucun intérêt pour leur travail? Il est clair que toute maison d'enfants désirant instituer un traitement individuel dans ses murs devra sérieusement tenir compte de l'influence du cadre de vie. Par ce mot, nous voulons dire que la vie entière de l'internat doit être organisée, afin d'apporter une aide au traitement individuel, ou, tout au moins, ne pas s'opposer aux progrès thérapeutiques.

La plupart des institutions ou des internats qui entreprennent actuellement une thérapeutique sur les enfants n'ont pas été créés dans ce but [2]. Ils ont construit leurs bâtiments, ils ont défini leur politique à l'égard du personnel, ils ont organisé leurs programmes, leurs règlements et leurs méthodes pédagogiques avant que se développent les notions « d'antisepsie clinique ». Les services chargés du traitement individuel furent ajoutés plus tard et durent faire face aux problèmes énormes que représentait pour eux l'adaptation à un système de vie en internat qui n'était pas alors discuté. Est-il besoin de dire que l'efficacité d'une thérapeutique individuelle en internat dépend essentiellement des possibilités d'harmoniser l'ancien système aux buts du nouveau traitement? Il est nécessaire de supprimer de la vie en institution tout ce qui n'est pas clinique-

2. Dans son article « The Treatment of the Pseudosocial Boy », *Am. J. Orthopsychiat.*, avril 1943, p. 353-360, Ruth TOPPING décrit certaines des difficultés rencontrées dans la rééducation de jeunes inadaptés au sein d'internats à gros effectifs. Elle souhaite vivement que l'organisation de ces maisons soit modifiée afin que puisse être entreprise une véritable thérapeutique.

ment pur. Dès que nous passons du concept « homes d'enfants avec thérapeutique individuelle surajoutée » à celui que nous pouvons appeler « authentique traitement en internat », le principe de l'antisepsie clinique reçoit une priorité absolue; et c'est exactement ce que nous avons dans l'esprit ici [3].

Nous sommes convaincus qu'un bon internat avec services psychiatriques associés est insuffisant dans le cas des enfants dont nous nous occupons. Nous avons tenté de créer une méthode entièrement nouvelle. Nous pourrions l'appeler « traitement total en institution. » Par ce terme, nous voulons dire que chaque phase de la vie en internat doit non seulement « supporter » le traitement de base entrepris, mais faire partie intégrante de celui-ci. Donnons un exemple, afin de montrer la différence essentielle entre ce nouveau concept et ce qui est habituellement réalisé dans les maisons pour enfants.

Dans un bon internat avec thérapeutique individuelle associée, on reconnaît que la cuisinière ne doit pas vociférer contre les enfants chaque fois qu'elle les rencontre, mais doit être une personne aimable et compréhensive. On sait également que les relations établies entre les enfants et les moniteurs techniques ou les éducateurs de groupe constituent un apport important, sans lequel le psychiatre ne pourrait pas faire un aussi bon travail. On considère cependant que l'heure où Johny se trouve dans le bureau du psychiatre constitue le véritable traitement. Notre conception est entièrement différente. Nous pensons réellement que la réaction de la cuisinière devant Johny « chipant » un second dessert fait autant partie du traitement que ce que le psychiatre peut avoir dit au cours de l'entretien. Nous estimons que la façon de présenter les « activités libres », la qualité des ateliers, sont tout autant des éléments thérapeutiques que la discussion entamée l'autre jour avec les enfants. Nous allons même plus loin que cela. Nous sommes convaincus que la manière dont la maison est dirigée, la valeur des règlements en vigueur, en fait tout ce qui arrive durant le jour et la nuit, peuvent être des éléments essentiels du traitement. A notre avis, la mai-

3. La première tentative pour instituer un milieu thérapeutique en internat remonte à Auguste AICHHORN et est décrite dans son ouvrage *Verwahrloste Jugend.*

son qui a tenté d'appliquer le plus sérieusement ce concept et de le suivre dans les détails de la vie journalière est l'école orthogénique de l'Université de Chicago. La population infantile de Bruno Bettelheim diffère cependant considérablement de la nôtre, car ses clients viennent essentiellement des classes moyennes de la société, où les familles peuvent dépenser des sommes considérables pour la réadaptation de leurs enfants. Quelques-unes des conséquences d'une thérapeutique en internat ainsi conçue ont pourtant été si bien décrites dans son livre *Love is not enough* que nous ne donnerons pas à cette question la place qu'elle aurait dû normalement occuper. Nous pouvons nous contenter de résumer les principes de Bettelheim, de les adapter aux exigences de nos sujets et de donner ainsi un aperçu de ce que signifie pour nous un plan thérapeutique.

1. UNE MAISON SOURIANTE, DES « OBJETS » ATTIRANTS, UN ESPACE SUFFISANT

Il est étonnant de constater combien des enfants habituellement sur la défensive demeurent sensibles à l' « atmosphère » créée par le lieu même, par les plans architecturaux, par la distribution des pièces, par le style et la disposition du mobilier, par l'équipement, par l'aspect de la maison[4]. Il serait utile de faire des recherches à ce sujet. Elles demanderaient une collaboration étroite entre architectes, décorateurs d'intérieur, sociologues, psychiatres, psychologues, travailleurs de groupe, éducateurs expérimentés. Il nous est en effet difficile de décrire exactement notre façon de réagir quand nous entrons dans un lieu. Ce serait un grand progrès si nous pouvions observer en détail ce que nous pressentons de la « contagion psychique » émanant des locaux et des objets. Privés d'une telle aide, essayons d'exposer certaines de nos conceptions sur l'influence de l'aspect physique des locaux.

4. L'ouvrage d'Eva BURMEISTER, *45 In The Family* (New York, Columbia University Press, 1949), décrit une fascinante expérience destinée à réaliser une atmosphère familiale dans une institution de jeunes enfants.

ÉVITER LE CHOC SOCIOLOGIQUE.

Il n'est pas nécessaire d'imiter tous les éléments du cadre de vie connus par les enfants. Il serait évidemment absurde de construire un nouveau taudis sous prétexte que les enfants doivent se sentir chez eux. Il est essentiel, d'autre part, d'éviter les trop grands extrêmes qui conduiraient à un choc sociologique. Il ne faut pas, en effet, qu'un sujet dont la personnalité est progressivement restaurée soit frappé de panique par la nouveauté des situations. Un style architectural ne convient qu'à un certain mode de vie et crée un état d'anxiété ou un désir d'opposition chez celui qui ne peut pas le supporter.

Si des sujets difficiles devaient, par exemple, vivre quotidiennement dans l'atmosphère calme et austère d'une bibliothèque léguée par un amateur de livres rares, il nous serait bien difficile de compenser les erreurs cliniques dues à ce milieu. Cette atmosphère tranquille pourrait avoir deux effets : soit qu'elle amènerait les enfants à parler bas tout le temps — ils deviendraient incapables de faire du bruit sans ressentir des sentiments de culpabilité — soit que ce cadre deviendrait source d'irritation et les conduirait à des manifestations de rébellion triomphante. Les deux effets gêneraient considérablement le thérapeute qui ne pourrait pas y faire face.

INVITER A L'ACTION AU LIEU DE L'INTERDIRE.

Dans le style et l'arrangement du mobilier, dans la disposition des objets et des livres, il y a un je ne sais quoi entraînant leur propriétaire à les employer sagement, à les protéger avec fierté, à les révérer, à les préserver des influences trop destructives. Les éducateurs d'internat se rappelleront, en lisant ces lignes, que la tâche essentielle du personnel est trop souvent de protéger le matériel mis à la disposition des enfants. Le milieu de vie est fréquemment si mal adapté qu'il leur faut s'opposer continuellement aux conduites pourtant normales, car elles risqueraient d'endommager les dons d'un mécène vigilant ou d'un conseil d'administration.

Les jeunes considèrent la valeur d'un internat non seulement en fonction de l'équipement lui-même, mais en fonction des limites que celui-ci impose à leurs conduites. Le problème que nous voulons souligner est le suivant :

L'équipement prévu pour un certain usage doit pouvoir être employé occasionnellement comme source de satisfactions fort importantes sur le moment, bien qu'il n'ait pas été conçu à l'origine dans ce but. Les divans, par exemple, ont une signification bien précise, celle de s'asseoir dessus. Pour des enfants pleins de vie, l'interdiction formelle de sauter sur eux, même au cours d'un jeu excitant, peut apparaître comme une limitation cruelle qui est faite à leur besoin de mouvement. Cela ne signifie pas qu'ils s'attendent à faire tout ce qu'ils veulent avec les fauteuils, mais ils espèrent pouvoir outrepasser quelque peu certaines limites sans avoir à craindre des punitions trop sévères ou sans créer en eux des sentiments de culpabilité trop profonds.

Nous connaissons des maisons dont l'atmosphère demeure très libérale dans la mesure où certaines règles ne sont pas enfreintes. La sollicitude inquiète dont les responsables entourent le matériel amène l'enfant à se considérer « criminel » s'il fait usage de l'équipement d'une façon légèrement différente. Pour cette raison, dans les lieux où nous pouvons craindre un comportement violent, nous préférons utiliser de « vieux objets » ou du matériel moderne spécialement conçu pour supporter un emploi différent de son usage normal. Cela supprime les tracas inutiles, évite d'embarrasser l'enfant timide, limite les réactions de rébellion triomphante en permettant des jeux violents mais inoffensifs.

Psychologie de l'arrangement des lieux.
Dosage des sublimations.

L'état d'esprit des enfants et leur besoin d'activité peuvent être, dans une certaine mesure, prévus à l'avance. Si le dessinateur et l'architecte de la maison ne tiennent pas compte de ce principe, ils gêneront inutilement le personnel qui passera plus de temps à compenser les erreurs dues à l'équipement qu'à contribuer au traitement qui devrait être pourtant favorisé par la disposition des locaux.

Les enfants agressifs passent fréquemment d'une activité tranquille à des jeux hyperactifs. Il est donc important de pouvoir disposer d'un lieu où les courses effrénées, les jets de balles, les brutalités, les cris puissent être permis sans soulever de difficultés. S'il possède un tel endroit, l'adulte qui doit intervenir dans une violente partie de ballon apparue spontanément dans la salle de veillée peut aisément le faire par une simple « redistribution géographique ». Son intervention prendra, par exemple, la forme suivante : « J'aime que vous vous amusiez. Il n'y a réellement rien de mal à cela ; seulement, rendez-vous au lieu prévu dans ce but, c'est tout. » Sans une telle possibilité, une activité de ce genre devrait être totalement arrêtée. L'adulte ne serait plus celui qui modifie amicalement les lieux, mais un sujet interdisant toute satisfaction et s'opposant aux mouvements. Quelle différence!

L'arrangement même du lieu est aussi d'une grande importance stratégique.

Ce qui a débuté en groupe se continue très souvent en sous-groupes, une activité importante se brisant en morceaux. Une partie de gendarmes et de voleurs peut, par exemple, commencer avec cinq enfants, puis trois d'entre eux se lassent et veulent jouer au ballon. Les deux autres désirent jouer aux cartes. La situation n'est pas assez critique pour nécessiter une réorganisation totale du programme ou pour exiger la présence d'un adulte supplémentaire. Si la disposition des locaux le permet, l'adulte demeure avec les joueurs de ballon dans la pièce la plus grande, tandis que les deux joueurs de cartes restent dans la salle de veillée adjacente, la porte étant ouverte. Bien qu'il ne soit physiquement présent qu'avec les joueurs de ballon, il n'est pas entièrement absent de la sphère d'existence des autres enfants. Il peut converser avec les deux pièces ou passer aisément d'un lieu à l'autre, chaque fois que cela lui semble sage. La scène serait bien différente si la salle pour jeux bruyants était au rez-de-chaussée, comme nous l'avons vu une fois, tandis que les pièces réservées aux activités tranquilles étaient situées aux étages supérieurs.

Une telle situation implique toujours un « soit... soit... ». Un adulte qui irait tantôt dans l'une, tantôt dans l'autre pièce n'aurait pas une attitude naturelle. Il apparaîtrait comme un surveillant. Cliniquement parlant, la différence est essentielle. Dans le premier cas, il y a un soutien apporté au Moi, dans l'autre cas, nous risquons de créer un état de désorganisation.

ORIENTATION DES TENDANCES DESTRUCTRICES. GASPILLAGE AUTORISÉ BIEN QUE LIMITÉ.

Dans un internat thérapeutique, destruction et gaspillage ne doivent pas être considérés comme « le résultat de la faiblesse inévitable de l'être humain ou des imperfections de la supervision. » Ils peuvent devenir des éléments essentiels du traitement. Il est important que le budget consacré à l'équipement soit directement proportionnel au but clinique poursuivi et non pas lié à des problèmes de financement par des conseils d'administration. Bruno Bettelheim souligne, par exemple, que, sous certaines conditions, des chaises spacieuses et confortables sont beaucoup plus économiques que du matériel plus simple, en dépit de leur prix d'achat élevé, car ces dernières risquent d'être utilisées comme projectiles au cours d'accès de colère. Si nous voulons amener nos jeunes qui détestent et qui craignent les travaux manuels à créer par eux-mêmes et à s'exprimer par l'objet, il nous faut abandonner momentanément l'idée de limiter les matériaux pour des raisons d'économie. Les enfants ne pourraient même pas concevoir qu'un objet puisse devenir source de création si nous exigions en même temps qu'ils tiennent compte de facteurs financiers. Cela ne pourra se faire que plus tard, après des sacrifices temporaires. Une partie des aliments doit pouvoir être préparée sans économie, afin de symboliser des modèles sociologiques que ces sujets n'ont pas connus; une autre partie doit pouvoir être gaspillée, afin d'être utilisée symboliquement comme manifestations de défense à l'égard de l'adulte qui propose son amitié. Beaucoup de cakes et de friandises furent ainsi renversés ou jetés. Une contrainte surhumaine fut imposée à nos braves et merveilleux cuisiniers, jusqu'à ce que l'amour cuit dans le gâteau d'anniversaire puisse finalement atteindre son destinataire. Quand cela fut fait, cela valait bien les sacrifices de farine et de sueur que ses prédécesseurs moins chanceux avaient exigés.

Comment limiter les sources de séduction.

Une trop grande libéralité représente aussi un danger. Les enfants inadaptés résistent mal aux tentations et se contrôlent difficilement, surtout dans les moments d'excitation. Afin de ne pas surcharger leur Moi, il est important d'éviter soigneusement les surexcitations et les séductions issues de l'environnement et des objets. L'accès aux chambres et au matériel dont ils n'ont pas besoin doit être clairement délimité, compte tenu des buts thérapeutiques. Il faut que les adultes sachent nettement quels genres d'objets et de situations exposent ces jeunes à des tentations incontrôlables. Ils ne devraient pas les exposer à des événements auxquels ils ne pourront vraisemblablement pas faire face. L'histoire populaire du petit « voleur » tellement impressionné par les « marques de confiance » de son éducateur abandonnant près de lui son portefeuille qu'il renonce à chaparder est un joli thème pour les journalistes en quête d'histoires sentimentales. C'est un non-sens du point de vue stratégique clinique. Notre tâche est de soutenir les forces restantes du Moi, non de les affaiblir en les exposant à des pressions insurmontables. En suivant cette règle, bien des désordres inutiles peuvent être évités. Si les enfants doivent traverser le dortoir d'un autre groupe pour se rendre au lavabo, on s'expose à des difficultés qui n'impliquent aucun gain clinique. Si leur cadre de vie est encombré « d'objets intouchables », si les chambres d'éducateurs, pleines d'objets séducteurs, s'offrent constamment à des explorations sans entraves, nous compliquons notre plan de traitement au lieu de l'améliorer. Seuls les buts cliniques doivent nous guider dans notre appréciation de ce qui doit ou de ce qui ne doit pas être accessible.

Hygiène mentale et organisation intérieure de la maison.

Les enfants ne jugent pas seulement la maison à leur entrée. Son atmosphère générale, les règlements qui président à son organisation ont un effet sur eux.

La simple visite d'un établissement nous fait parfois pressentir si son propriétaire préfère le bien-être aux tracas que lui procurerait la protection totale de ses biens. Les jeunes réagissent également au style de vie d'un internat. Ils le conçoivent non seulement par rapport à l'existence qui leur est faite, mais comme un geste ayant une signification précise, celle d'adultes essayant d'établir une relation avec eux. Grâce à une soigneuse évaluation clinique, un internat thérapeutique doit tenir compte de ces implications psychologiques.

Voici un exemple parmi des douzaines qui illustrera notre point de vue.

> Dans nos discussions avec le personnel, le problème du rangement des vêtements était souvent évoqué. Les règles durent être faites sur mesure et furent modifiées à plusieurs reprises. A un moment, par exemple, il nous parut intéressant que les enfants puissent choisir chaque matin leurs chemises et leurs habits, en établissant ainsi un dialogue avec leur éducatrice. Nous étions prêts alors à sacrifier nos projets ambitieux visant à « accroître leur participation par la confiance en soi » au profit de ce simple fait. Durant cette période, il était également important que l'éducatrice aussi bien que les autres responsables ne soient pas embarrassés par des problèmes de discipline. Il leur fallait ignorer le fait que chaussettes ou chaussures étaient souvent laissées en désordre à travers la chambre. D'un autre côté, nous avions raison d'insister sur la puissance « séductrice » que représente une salle malpropre, si c'est le premier lieu où les enfants pénètrent le matin. Pour résoudre ce dilemme, nous réunissions soigneusement toutes leurs affaires après le coucher et nous les mettions dans un lieu où ils pouvaient aisément les retrouver sans avoir à se chamailler pour connaître leurs propriétaires. Nous gardions ainsi les possibilités de contact avec les enfants à un niveau optimum. A un autre moment, cette règle aurait été périmée; elle aurait été exploitée par les garçons qui seraient tombés dans une dépendance totale ou dans un abandon bienheureux.

Une telle notion doit nous guider dans le choix du personnel et dans sa formation. Ni le maniaque de l'ordre et de la propreté ni le « bohème » ne réussiront. Les adultes travaillant dans un internat thérapeutique doivent être capables de sacrifier leurs propres conceptions de l'organisation intérieure d'une maison au profit du plan clinique alors défini. L'économe et la cuisinière sont ceux qui doivent

42

accepter les plus grands sacrifices personnels et professionnels. Comme tous les autres, il leur faut adapter aux faits cliniques ce qu'ils ont appris à considérer comme de « bonnes habitudes ».

2. DES « HABITUDES » REPOSANTES

L'attitude des gens face au concept d'habitudes serait en soi un sujet fascinant de recherches. Elle peut se résumer ainsi :

Bien des gens ont une attitude que l'on pourrait qualifier de naïve. Certains croient en la valeur des habitudes, les considèrent comme une part importante de l'éducation, comme un bon moyen de faire accepter aux enfants les limites imposées par la réalité; d'autres pensent qu'il faudrait plutôt les éviter, si cela était possible. D'autres encore réagissent tellement à ce simple mot qu'il semblerait supposer des troupes marchant au pas de l'oie sous une direction fasciste. Une telle conception est évidemment erronée.

Les habitudes ne sont en soi ni bonnes ni mauvaises. On ne peut pas juger leur valeur pour un groupe donné d'après les goûts personnels d'un individu. Des critères objectifs doivent être trouvés. A partir d'eux, il nous est possible de prendre des décisions afin de déterminer quelles habitudes sont nécessaires à la vie d'un groupe d'enfants et de préciser « les plus utiles ». Ces critères peuvent être de deux sortes :

a) Efficacité dans la direction. Tous les administrateurs (non pas seulement ceux des maisons d'enfants) disent qu'il faut admettre un certain nombre d'habitudes pour pouvoir répondre efficacement aux besoins d'une collectivité. Par exemple, si un hôtel permettait à ses clients de venir manger à n'importe quelle heure de la journée, il faudrait accroître le personnel, augmenter les dépenses et consacrer plus de temps au problème de la nourriture, par comparaison avec un autre établissement qui fixerait les heures de repas. De la même manière, une unité combattante ou l'équipage d'un navire, qui sont appelés à agir dans les plus brefs délais, trouveront indispensable de se préparer à leurs tâches par des exercices répétés. Dans le même ordre d'idée, sous le prétexte de faciliter l'organisation générale, on introduit dans la vie des institutions de nombreuses habitudes qui sont parfaitement justifiées.

b) Assez récemment est apparu un autre concept. Nous pourrions l'appeler l'aspect « hygiène mentale » des habitudes ou « le facteur humain de direction. » Il est en effet certain que l'efficacité administrative peut nuire au but poursuivi par un établissement. Dans une maison de rééducation, il est sans doute plus pratique de nourrir les enfants qui ont faim d'une manière très organisée. Les gens qui en ont la charge pourraient cependant remarquer que les longues files d'attente, les pressions nécessaires pour les garder en rangs, les frustrations accumulées durant ce temps créent d'innombrables problèmes de discipline, des effondrements de la morale collective et des disputes. Un tel règlement n'est plus un soutien mais un préjudice porté à la maison. A l'origine, ce fut grâce à la psychologie, à l'hygiène mentale, à la psychiatrie et particulièrement à l'éducation dite « progressive » que furent soulignées les conséquences des habitudes. Reconnaissons que les premiers défenseurs de ce point de vue s'y opposèrent naïvement et firent de cette opposition la base de leur doctrine. Ce fait importe cependant peu. Un nombre croissant de maisons chargées d'éduquer les enfants ou des collectivités d'adultes considèrent les habitudes non seulement d'après leurs avantages pratiques (diminution des problèmes, facilités d'organisation), mais d'après leurs effets sur les sujets pris individuellement et sur la totalité du groupe.

Dans un internat thérapeutique, il faut inverser l'ordre des critères. Priorité doit être donnée à la notion « influence des habitudes » sur le traitement. Il faut abandonner les discussions portant sur les avantages administratifs et sur l'opportunité clinique des règlements dans la vie des enfants. Les notions suivantes nous paraissent constituer les conditions nécessaires pour que les habitudes puissent s'intégrer sainement dans un internat thérapeutique.

Comment intégrer les habitudes dans un plan susceptible de soutenir le Moi.

A Pioneer House, nous n'avions que cinq enfants. Nous pouvions pratiquement résoudre sur une base individuelle bien des situations qui auraient requis, dans des groupes plus larges et moins encadrés, des structures plus charpentées. En dépit de cela, nous avons bientôt compris que, même en excluant les avantages administratifs, un règlement pouvait accroître la sécurité de l'enfant appelé à faire face à des expériences nouvelles. Par exemple, l'existence d'un emploi du temps pour certaines tâches, la répétition de situations identiques durant la matinée, la soirée, le coucher, une nette définition de ce que serait la veillée, l'histoire racontée, le moment de l'extinction de la lumière avaient en eux-mêmes, une fois surmontées les premières résistances, un effet calmant. Ils devenaient des facteurs susceptibles de consolider leur Moi. Bien que l'effectif restreint de nos groupes et le personnel en nombre suffisant nous eussent permis une action individualisée, nous avons appris à exploiter la valeur des habitudes pour le bénéfice clinique des enfants.

Hygiène mentale et rôle des habitudes.

Si l'application d'un règlement devient inévitable en raison de la situation elle-même ou du peu de temps dont on dispose pour réaliser une tâche qui demande un personnel nombreux, il faut préciser quel sera l'aspect des habitudes imposées. Afin d'atteindre ce but, le critère d'hygiène mentale doit toujours passer avant les avantages administratifs. Nous illustrerons ce point par une observation tirée de notre expérience à Pioneer House.

Réveiller les enfants, les lever, les habiller et les envoyer à l'école exigent certaines règles, et le temps dont nous disposions pour réaliser ces tâches n'était pas illimité. Du simple point de vue administratif, il était fort simple de résoudre ces difficultés. Il suffisait, par exemple, de réveiller les enfants au son d'une cloche, de les encadrer par un personnel qui les active, de leur fournir des lavabos en nombre suffisant, de préparer leurs vêtements à l'avance, de les conduire à l'heure précise au petit déjeuner, dès qu'ils avaient terminé de s'habiller. Il est pourtant évident que si l'établissement a l'ambition de poursuivre un plan de traitement, il lui faut connaître les conséquences d'un tel règlement sur chacun des enfants.

En adoptant l'un ou l'autre de ces règlements, nous aurions sans doute économisé du temps et du personnel, mais nous aurions laissé partir les enfants avec une telle dose d'hostilité mutuelle, d'anxiété, d'agressivité, de conflits intérieurs collectifs et de méfiance à l'égard du travail scolaire que la personne les recevant après nous aurait été incapable d'entreprendre un travail valable. Pour établir un emploi du temps approprié, il nous fallait envisager les moyens de faire face aux difficultés émotionnelles soulevées par les situations créées. Pendant une période de notre traitement, Miss Mary Lee Nicholson, notre conseillère en group work, fit une analyse soigneuse du problème et nous aida à concevoir la procédure suivante qui fit alors la preuve de son efficacité.

> L'éducatrice monte dix minutes environ avant le réveil, se promène dans la salle de veillée et dans les chambres à coucher, sort les vêtements et accomplit toutes les tâches faites par une mère qui est déjà au travail dans la maison avant que les enfants soient prêts pour le petit déjeuner. Les sujets qui ne sont pas réveillés progressivement par ces activités le sont grâce à l'éducatrice qui fait fonctionner doucement la radio. La responsable s'approche amicalement des enfants réveillés et les rassure en leur disant qu'il n'est pas encore temps de se lever, qu'ils peuvent encore garder les yeux fermés et rester dans leur lit. « Je reviendrai tout à l'heure, dit-elle, et je vous dirai le moment du lever. » A l'heure du réveil, quelques jeunes sont prêts à sauter du lit sans manifester autant d'hostilité que s'ils avaient dû passer sans transition du monde du sommeil et du rêve à celui de la réalité. Les autres éducateurs arrivent alors. Il leur est possible de faire face individuellement et progressivement aux résistances des garçons qui n'ont pas bénéficié de la procédure. Ils peuvent de même résoudre plus facilement les frustrations déclenchées par les problèmes d'habillement.

En résumé, tandis qu'une telle manière d'agir est totalement inefficace du point de vue des avantages administratifs, elle est utile si l'on veut créer un climat psychologique et faire face aux réactions agressives ou anxieuses issues des frustrations ou des transitions.

COMPORTEMENT CLINIQUE FACE AU PROBLÈME DES HABITUDES.

Dans beaucoup d'établissements, ce ne sont pas tant les habitudes elles-mêmes qui sont sources de friction, ce sont les états de surexcitation manifestés par les adultes ou les enfants devant celles-ci. Les études de groupe révèlent que ces deux problèmes sont de nature entièrement différente. Par exemple, un groupe peut être organisé d'une façon relativement stricte, tout en manifestant en même temps une attitude individuelle tolérante et réfléchie à l'égard des jeunes qui ne sont pas capables de se conformer aux règlements institués. Inversement, un groupe peut fonctionner avec un minimum de règles, mais ces règles, une fois établies, sont une telle source de frictions entre adultes et enfants, sont appliquées avec tant d'incompréhension et de sévérité qu'elles sont à l'origine de conflits continuels. Il ne suffit pas d'organiser les habitudes en tenant compte des buts cliniques. Il faut encore que les réactions des adultes soient suffisamment souples. Il était par exemple évident que les allées et venues de la maison à l'école *via* la gare devaient être régies par des règles précises en raison des dangers qu'elles représentaient. Parallèlement, nous ne pouvions pas nous permettre de renforcer le règlement ou d'aider à son application par des menaces telles que l'expulsion ou toute autre punition dont l'effet eût été cliniquement destructeur.

En résumé, même lorsqu'un règlement est institué, il doit rester très souple afin de ne pas nuire à l'action individuelle. L'essentiel du travail est d'interpréter graduellement le sens des habitudes. Elles font partie d'un plan destiné à faciliter l'existence et non des facteurs amenant l'enfant à se comporter bien ou mal. Cette dernière conception conduirait le personnel à réagir par des récompenses, des punitions, des acceptations ou des rejets. Comme beaucoup d'enfants viennent à nous avec des modes de réaction déjà préparés à l'avance et comme ces attitudes apparues antérieurement sont souvent étroitement liées aux troubles présentés, ce détail prend souvent le pas sur d'autres tâches cliniques.

3. UN PROGRAMME QUI REND HEUREUX

La plupart des institutions qui veulent transformer la traditionnelle maison d'enfants en internat thérapeutique ambitionnent essentiellement de créer une consultation psychiatrique efficace, d'accroître en nombre et en valeur les travailleurs chargés du case work, de sélectionner le personnel afin qu'il accepte et comprenne les enfants en cours de traitement. Ces conditions sont, bien sûr, essentielles. Il arrive cependant qu'un tel plan clinique néglige entièrement l'étude détaillée du programme. L'idée sous-jacente semble être la suivante : si les jeunes sont entourés d'amour et d'affection, s'ils reçoivent une aide suffisante grâce aux techniques d'entretiens, le reste de leur vie n'est qu'un cadre dans lequel s'intégrera le traitement individuel. Pourvu qu'ils soient plus ou moins occupés et protégés des réactions trop violentes, tout ira bien.

Cette conception est basée sur un malentendu. Elle ne tient pas compte du rôle essentiel du programme et de son influence sur l'acquisition du contrôle des impulsions.

Nous renvoyons nos lecteurs au prochain chapitre qui étudie le rôle du programme dans le soutien du Moi.

Nous aimerions énumérer à présent la liste des critères principaux auxquels doit se conformer un programme établi dans un internat thérapeutique.

C'est par le biais des activités proposées que les enfants ressentent généralement les marques d'affection ou de rejet manifestées par les adultes. Ces derniers sont forcés d'intervenir fréquemment et les situations frustrantes qui en découlent risquent de détruire les marques d'amour qu'il peut donner. L'adulte le plus amical et le plus affectueux est souvent considéré durant la journée comme un être hostile et négatif. En particulier au début de son fonctionnement, un internat thérapeutique doit être capable de trouver des moyens de communiquer indirectement l'acceptation et l'amour. L'importance des gratifications reçues et la bonne volonté manifestée sont sans doute les moyens les plus sûrs pour y parvenir. En fait, il n'est pas suffisant que des enfants soient mêlés à des activités divertissantes. S'ils pensent que les adultes les regardent d'un air menaçant, ils interprètent ces activités non comme un symbole d'amour, mais comme une victoire contre eux-mêmes. Il est évidemment important que l'établissement dans son entier et chaque personne soient fermement décidés à procurer du plaisir aux enfants. Cela signifie que s'il faut intervenir au cours d'une activité récréative, les limites posées ne doivent concerner que celle-ci. L'adulte ne doit manifester aucune hostilité envers la joie issue de cette activité.

Un point est important à considérer. La notion de « plaisir » n'est pas la même pour les adultes qui vivent avec les jeunes, pour les cliniciens qui espèrent éventuellement améliorer le niveau de sublimation et pour les enfants eux-mêmes. Les maisons d'éducation sont tentées d'introduire très vite dans le régime des enfants des activités dont le niveau est de plus en plus élevé. Un internat thérapeutique ne peut pas se permettre d'aller aussi rapidement dans cette direction. Les expériences vécues doivent être suffisamment proches du « niveau naturel d'amusement » afin de ne pas dépasser les possibilités de sublimation et la tolérance aux frustrations des sujets. Le plan des activités récréatives de Pioneer House tenait soigneusement compte des modèles sociologiques habituels, évitait de pratiquer pendant longtemps des activités d'un niveau trop bas, restait très souple dans son choix afin de pouvoir combler un besoin momentané.

Le critère de base est donc le suivant : procurer des satisfactions qui tiennent compte du cadre de vie naturel de l'enfant et de ses expériences antérieures. Ce principe doit pouvoir, bien sûr, subir des changements. Au fur et à mesure que le Moi s'améliore, que les frustrations sont mieux tolérées et que le sujet s'identifie aux adultes, il est possible d'orienter vers des buts sublimés le contenu spécifique de ce qui apporte des satisfactions. Les enfants doivent cependant sentir constamment que les adultes veulent leur « faire plaisir ». Satisfactions et gratifications ne sont pas des cadeaux ou des récompenses accordés afin d'éviter de mal se comporter et de rester de « bons sujets ». C'est une part essentielle de leur vie, sur laquelle ils peuvent toujours compter, même en période de difficultés. Cette notion suppose que les internats thérapeutiques utilisent des critères cliniques pour établir le programme de leurs activités. Un personnel valable, du matériel et un équipement adéquats doivent pouvoir neutraliser les ennuis et les risques issus d'activités insuffisantes. L'adulte doit se rappeler que des confusions sont susceptibles d'apparaître dans l'esprit des enfants quant à sa réaction vis-à-vis de leurs plaisirs. Toute forme de cadeaux, tout chantage, toute récompense et punition doivent être soigneusement écartés·du programme. Il est difficile de montrer la différence énorme qui existe entre le programme d'un internat thérapeutique et celui d'une institution ordinaire, même de conception moderne. Nous aurons l'occasion de détailler ce point dans les chapitres suivants [5]. Nous voudrions souligner dès maintenant que stratégie et acceptation des plaisirs constituent les caractères essentiels d'un internat thérapeutique. Les enfants doivent le percevoir comme un établissement prêt à accepter de leur procurer des satisfactions. C'est l'une des conditions essentielles pour que l'enfant se sente accueilli, accepté et aimé.

4. ADULTES QUI PROTÈGENT

Nous avons souligné que l'un des buts fondamentaux d'un internat thérapeutique était de créer un climat amical et prêt à accepter l'enfant. S'il est vrai que les jeunes désirent par-dessus tout affection, amour et amitié, ils attendent autre chose des adultes qui ont charge de leurs vies. Pour leur équilibre intérieur, ils semblent avoir besoin de protection. Ce besoin est particulièrement net dans les secteurs suivants :

CRAINTE DES AUTRES ENFANTS.

Il est inévitable que la présence simultanée de différents enfants inadaptés crée des interactions nombreuses. Certaines d'entre elles ne concordent pas avec nos buts thérapeutiques. Il faut également que les enfants aient la possibilité de découvrir leurs réactions face aux autres. Pour cela, nous devons connaître jusqu'à quel point un sujet supportera une intervention étrangère, savoir comment il réagira alors. Il est nécessaire de permettre des décharges spontanées qui résolvent directement les conflits à travers coups et batailles (les enfants agissaient ainsi dans leur cadre de vie naturel). Mais il est vrai que l'apparition

5. Voir chapitre II : « Programme destiné à soutenir le Moi. »

de conduites nettement pathologiques telles que des colères extrêmes ou des actes destructeurs, commis par un sujet particulièrement irrité, suscite des sentiments de crainte et de détresse chez les autres enfants. Nos sujets doivent sentir que, s'ils sont grandement laissés à eux-mêmes, l'adulte peut cependant intervenir pour stopper une agression qui devient intolérable ou des taquineries qui dépassent leurs possibilités d'endurance. En ne montrant pas clairement les « limites d'intervention », on les plongerait dans un état d'insécurité. L'affection ressentie pour un adulte est étroitement liée à son rôle protecteur.

CRAINTE DE PERDRE SON PROPRE CONTRÔLE.

Même l'enfant atteint d'un trouble profond de son Moi réalise la nécessité d'un contrôle, mais il est incapable de maîtriser ses impulsions. Il escompte alors un soutien de la part de l'adulte. Il peut, sur le moment, combattre violemment une telle intervention, mais il attend une protection contre ses propres impulsions afin de garantir sa sécurité. Le jeune qui présente des accès extrêmes d'agressivité et de destruction ne se contente pas de savoir qu'un adulte l'aime et ne le punit pas sévèrement si les manifestations vont trop loin. Il lui faut une garantie intérieure : s'il dépasse ce qu'il peut lui-même contrôler, il doit pouvoir compter sur l'intervention protectrice de l'adulte. Toutes les fois que nous avons oublié de reconnaître ce facteur, les jeunes devenaient de plus en plus violents et irritables. Par la suite, ils rejetaient l'adulte qui n'avait pas rempli sa mission protectrice et qui les avait laissés ainsi sans aide, face à la crainte de leur propre impulsivité.

CRAINTE D'INTERVENTIONS EXTÉRIEURES.

Beaucoup de ces jeunes sont angoissés par leurs existences antérieures, par celles des gens qui vivent autour d'eux, par les conséquences que cela peut entraîner dans leurs vies : crainte que leurs parents reviennent brusquement, les punissent, leur adressent des reproches ou les emmènent au loin; peur que la police se venge de quelques sottises encore inconnues; crainte de voir réapparaître certaines personnes dangereuses de leur vie antérieure. Tous ces facteurs risquent de réduire la sécurité ressentie. Ils doivent avoir l'assurance directe et indirecte que l'internat les protégera à tous moments contre de pareilles interventions. Il y a des limites à cette puissance, mais ces dernières doivent être suffisamment précises pour épargner ces anxiétés irréelles. Cette notion est en opposition avec la théorie d'ouverture totale et d'accessibilité de l'établissement aux personnes de l'extérieur. Elle s'oppose également à l'idée de laisser les enfants quitter l'internat toutes les fois qu'ils le veulent. En fait, le docteur Bruno Bettelheim a montré de façon convaincante qu'une institution fermée et séparée de la communauté est une condition essentielle pour protéger certains types d'enfants contre les anxiétés mentionnées ci-dessus. Pour les autres, c'est un fascinant problème stratégique que d'associer au règlement suffisamment libéral des limites précises et des barrières de protection, tout en permettant d'entrer en conflit avec le monde extérieur.

CRAINTE DES SITUATIONS EXTRÊMES.

Le phénomène de la contagion psychique conduit souvent les enfants inadaptés à des degrés d'agressivité et d'insouciance qui dépassent ce que chaque individu aurait atteint par lui-même [6]. Savoir que l'adulte interviendra si tout le groupe perd son contrôle est l'une des conditions essentielles pour créer un minimum de sécurité en internat thérapeutique. Ainsi, bien qu'elle soit combattue et source d'irritation, l'intervention protectrice de l'éducateur en périodes difficiles constitue un élément de base sans lequel affection et amour ne peuvent pas être communiqués correctement.

Nous voyons que ce « rôle protecteur » de l'adulte rend bien discutable certaines des théories complaisamment répandues qui prônent la liberté totale. Notre conviction, qui est allée en se renforçant durant toute notre expérience, est la suivante : les enfants ne perçoivent pas toujours cette liberté totale comme un symbole d'affection et ce symbole ne constitue qu'une partie de ce dont ils ont besoin pour se sentir en sécurité. S'il faut parfois tolérer les symptômes

6. Voir *l'Enfant agressif*, tome 1 : *le Moi désorganisé*, p. 105.

en sachant ne pas intervenir, il nous paraît essentiel d'établir clairement le rôle protecteur de l'adulte sur les points cités plus haut. Nous tenterons de clarifier peu à peu ces notions capitales [7].

5. GARANTIR LA TOLÉRANCE DES SYMPTOMES. RESPECTER LES ANCIENS MODES DE SATISFACTIONS

La notion de la tolérance des symptômes permet de séparer nettement les établissements à but essentiellement éducatif et les internats thérapeutiques. Généralement, l'institution se propose le but suivant : amener l'enfant à une conduite aussi positive que possible en évitant les écarts grâce à des punitions variées ou en empêchant que ceux-ci n'apparaissent, grâce à un programme restrictif limitant les impulsions! Il est évident que cela ne peut pas être la stratégie de base d'un internat thérapeutique. Il ne s'agit pas d'éviter ou de supprimer les problèmes de comportement qui résultent des troubles des enfants. Il faut leur donner la chance de s'exprimer afin qu'ils puissent être maniés et utilisés. Cela signifie que les enfants doivent savoir que leurs difficultés peuvent être exprimées et vécues sans entraîner des conséquences trop graves ou sans provoquer le rejet de la part de l'adulte. Il est important, d'autre part, d'éviter qu'ils aient l'impression d'une liberté totale. S'ils pensaient en effet que non seulement nous tolérons leur conduite inadaptée mais que nous y prenons plaisir ou que nous ne nous en soucions pas, comment pourrions-nous espérer un changement?

Il nous paraît possible de résumer le climat d'un internat thérapeutique par ces mots : nous vous aimons, nous vous acceptons tels que vous êtes, mais nous espérons, bien sûr, que vous voudrez finalement changer. Nous décrirons les techniques utilisées pour parvenir à créer ce climat dans les chapitres suivants. Nous voulons seulement souligner ici quelques notions essentielles.

7. Voir chapitre III : « Techniques en rapport avec la manipulation du comportement extérieur. »

Plan destiné a permettre la libre expression des symptômes.

Les règlements, l'équipement, le programme dans sa totalité, l'effectif du personnel permettront à l'enfant d'avoir le comportement propre à son inadaptation, même s'il est gênant, indésirable ou s'il entraîne certains risques. Les conséquences de sa conduite seront maîtrisées ou annulées sans avoir recours à des interventions extrêmes. La vie de l'établissement autorisera donc la libre expression d'un comportement inadapté.

Manipulation antiseptique des incidents.

S'il devient nécessaire d'intervenir pour des raisons cliniques ou réalistes, les règles concernant l'adulte qui agit et l'établissement dans lequel il opère pourront éventuellement s'effacer. Si un comportement indésirable, mais en rapport avec les difficultés pour lesquelles l'enfant fut envoyé en internat, exige l'intervention de l'adulte, le jeune devra connaître les limites à ne pas dépasser. Il devra comprendre que sa conduite n'est pas acceptable, mais sentir en même temps qu'il n'est pas rejeté en tant que personne pour ses manifestations, qu'il demeure protégé des conséquences extrêmes de ses actes.

Interprétation des limites.

Il faut éviter soigneusement la confusion suivante : les enfants ne doivent pas pouvoir penser que nous considérons leurs difficultés avec indifférence ou même avec plaisir. Ce qui est momentanément admis comme un symptôme inévitable (par exemple un accès de colère) peut être considéré à une autre période du traitement d'une façon différente si ce type de conduite ne se rattache plus directement aux troubles profonds du sujet. Concevoir de façon réaliste et souple ce qui constitue ou non un « symptôme inévitable », juger le degré d'amélioration qu'il est possible d'espérer à un moment donné constituent l'une des plus grandes complexités du traitement. Malgré les nombreux problèmes issus d'une telle notion, la « tolérance du symptôme » est probablement la condition la plus importante pour créer un climat thérapeutique.

6. ASSURANCE D'AMOUR ET DE SATISFACTION

Rien ne semble plus naturel à l'éducateur que d'utiliser comme outil de marchandage le besoin d'affection d'un jeune ainsi que ses expériences heureuses ou plaisantes. Dans toutes les familles, dans les écoles ou dans les internats, il paraît normal d'attacher par des liens puissants les marques d'affection ou les sources de satisfaction dès que l'enfant manifeste son besoin d'amour et porte intérêt à certaines activités. L'affection de l'adulte est assurée tant que le jeune fait des efforts pour s'améliorer. Elle est retirée en cas de mauvaise conduite. Le privilège des activités intéressantes n'est accordé que si le comportement est satisfaisant. Il est réduit dans le cas contraire. Nous ne discutons pas ce principe, si l'on poursuit un but de culture, de socialisation et d'éducation. Il reste même partiellement valable dans notre conception, au moins dans les phases tardives du traitement. Ses applications sont pourtant très différentes. Pour commencer à se comporter correctement, les enfants dont le Moi est perturbé ont besoin d'une forte dose d'affection ainsi que d'expériences gratifiantes. Ces doses doivent être administrées en fonction du traitement et non être considérées comme des récompenses que l'on peut ôter. Afin que notre action puisse être efficace, il faut garantir amour et expériences heureuses comme des quantités inamovibles; qu'ils le méritent ou non, amour et affection doivent être assurés aux enfants. Il en est de même pour les activités récréatives. Elles ne doivent pas être des instruments de marchandage utilisés dans un but éducatif ou même thérapeutique. Ce sont des parties essentielles du traitement; elles demeurent indépendantes des questions de mérite.

Cette notion contredit les habitudes des éducateurs. Elle est difficile à maintenir même pour des adultes orientés cliniquement. Au fur et à mesure que l'enfant s'améliore, il est évidemment possible de doser satisfactions et sécurité ainsi que marques d'affection, mais nous sommes alors à la fin du traitement et non à une phase de début. Soulignons cependant qu'une telle notion soulève bien des problèmes avec les sujets agressifs. Nous avons décrit cette période confuse sous le terme de « choc thérapeutique ». Elle gaspilla environ trois mois de notre travail avec nos « Pionniers » [8]. Même à ce prix, en dépit des difficultés suscitées et des reculs temporaires mais inévitables, le respect de cette règle nous sembla constituer l'une des conditions les plus essentielles au bon fonctionnement d'un internat thérapeutique.

7. RÉGRESSION ET ÉVASION. MOYENS DE LES CANALISER

La nature même des troubles présentés par nos jeunes soulève deux problèmes.

Quels que soient la valeur du régime institué, la qualité du programme et de son application, le dosage des satisfactions et des interventions protectrices, de nombreux enfants ne seront pas capables d'en bénéficier au même moment. Prenons un problème aussi simple que celui de l'horaire. Quatre des sujets seront prêts à tirer profit d'une réunion organisée. Un cinquième ne le sera pas. La lecture d'une histoire au milieu d'un groupe bien soudé peut être valable pour la majorité des membres, mais ne pas être acceptée par l'un des jeunes qui est incapable de supporter sans marques intenses d'anxiété le climat d'affection ainsi créé.

Un internat thérapeutique doit prévoir ces difficultés. Il lui faut avoir à sa disposition des mesures d'urgence. Ce sont les « moyens d'évasion ».

> Durant une phase de notre travail, il nous parut utile que l'éducatrice principale ne participe pas directement au programme, mais qu'elle puisse rester dans *sa* pièce; elle était occupée à diverses activités telles que couture ou lectures qui pouvaient être interrompues sans trop de désagrément. Lorsque nous engagions nos enfants dans des activités plus complexes

---

8. Voir *l'Enfant agressif. Le Moi désorganisé*, p. 253 sv.

ou lorsque la situation devenait trop pesante, un garçon avait ainsi la possibilité de sortir du groupe pour se retrouver dans l'intimité d'une seule personne. De la même façon, il fallait nous demander si un jeune était capable de participer à un programme, par exemple, un jeu ou une visite d'usine, dont la situation impliquait certaines difficultés. Le plan général devait être suffisamment souple pour permettre de changer l'activité ou d'éviter les expériences trop menaçantes. Il n'est pas besoin de souligner qu'une telle notion suppose une grande souplesse dans l'application du programme, ainsi qu'un personnel nombreux. C'est l'une des raisons pour lesquelles un traitement en internat coûte si cher.

Nous savons bien que nos enfants passeront nécessairement à travers plusieurs phases de régression. Nous ne parlons pas seulement d'un retour à d'anciens troubles après une phase d'amélioration transitoire. Même les éducateurs non cliniquement formés ont appris à connaître ce phénomène. Nous pensons à des régressions plus sévères, nées de besoins et de conduites infantiles qui ont pu être réveillées par le traitement. L'enfant sans affection, par exemple, peut avoir masqué ses premiers désappointements sous une coquille faite de conduite agressive ou de rejet apparent. Après l'amélioration temporaire du début, il traverse une période où il retourne à un niveau très infantile de destruction avide. De telles régressions compliquent singulièrement l'organisation de la maison, mais elles sont une phase inévitable et essentielle du traitement. Dans un internat thérapeutique, il doit être à la fois possible de permettre le retour à des stades très infantiles, de faire face aux besoins ou aux demandes et de manier en même temps d'une façon réaliste les groupes entiers.

Nombreux sont les problèmes soulevés par le respect de tels principes. Y faire face demeure, cependant, la tâche d'un internat thérapeutique [9]. Quelle que puisse être l'importance d'une régression, elle doit pouvoir être possible sans que l'enfant perde son prestige et sans qu'il craigne d'être rejeté ou ridiculisé. Cette notion doit être clairement précisée dès le début. Si l'établissement remplaçait ce principe par un autre qui engendrerait rejet ou punition des comportements régressifs, il perdrait ses chances de traitement.

9. Voir à ce sujet le chapitre III.

8. PROTECTION CONTRE LES SITUATIONS TRAUMATISANTES

Une expérience peut traumatiser un organisme de deux façons. Celui-ci peut être troublé par le rappel d'expériences pénibles survenues récemment, ou il peut être tellement affaibli constitutionnellement qu'il ne lui est pas possible de supporter un choc. Précisons notre pensée par une image : si un cor est infecté, une légère pression réveille une grande douleur. Sur un orteil sain, il faudra laisser tomber un poids de 50 livres pour provoquer la même sensation. L'apparition et l'aspect des troubles dépendront :

a) des traumatismes subis dans les premières années de la vie, de leur nature spécifique;

b) des situations vitales auxquelles les enfants sont exposés et de l'influence de ces dernières sur une période déterminée du développement infantile.

Nous savons bien que tous les enfants sont fréquemment exposés à des situations traumatisantes, à des erreurs éducatives difficiles à éviter. Cela tient en partie aux conditions de la vie quotidienne, en partie aux imperfections des parents et des éducateurs. Il est également vrai que les jeunes possèdent des facultés étonnantes d'adaptation et que la plupart d'entre eux peuvent supporter une certaine quantité de situations mauvaises ou d'erreurs éducatives sans d'autres conséquences que des réactions temporaires à celles-ci. Mais quand un enfant est si malade que son entrée dans un internat thérapeutique semble indiquée, il nous faut définir très soigneusement ce qui peut ou non constituer une situation traumatisante ou une erreur éducative. Un internat thérapeutique se doit d'éviter au maximum tout ce qui risquerait d'exposer les jeunes à des situations susceptibles de provoquer un choc. Dans le cas des enfants inadaptés du type décrit ici, toute une variété de règles intérieures devra être étudiée et conçue par rapport à ce problème et non par rapport à des conventions ou d'autres considérations. Par exemple, compte tenu des phases du traitement, il faudra revoir continuellement des questions telles que celles-ci : quand l'enfant doit-il aller chez lui? Combien de temps durera son séjour? A quel moment les visiteurs doivent-ils être admis dans l'internat? Comment peut-on organiser des fêtes telles que Noël ou Halloween [10]? Quel règlement sera appliqué envers les visiteurs professionnels venus de l'extérieur? Des règles qui sont habituelles au sein de bonnes institutions et qui sont parfaitement adaptées au but recherché peuvent créer des traumatismes sévères à l'une ou l'autre phase d'existence d'un internat thérapeutique. Rien n'est plus dangereux que de s'enfermer dans des pratiques routinières sans étudier leurs effets négatifs sur la vie de chacun des enfants inadaptés.

Il n'est cependant pas possible d'éviter totalement les situations traumatisantes.

Un établissement aura bien de la chance si son programme, sa manière de diriger ou son organisation générale peuvent constituer une protection efficace. Même alors, les fêtes traditionnelles telles que Noël ou Halloween, par exemple, exposeront les enfants à des « orgies de problèmes émotionnels » qui risquent de s'opposer au but thérapeutique à ce moment précis, mais qui doivent être subis et utilisés en raison des exigences culturelles. Même en prenant de grandes précautions pour les visites, des contretemps seront inévitables. Ceux-ci constitueront pourtant des accidents que l'organisation de l'établissement pourra considérablement atténuer. S'ils se produisent, ils contraindront l'institution à délaisser entièrement les autres objectifs afin de consacrer toutes ses forces à dédramatiser la situation.

La caractéristique la plus importante d'un internat thérapeutique est que le personnel essaie d'éviter totalement les erreurs éducatives. On admet généralement que beaucoup des responsables travaillant dans un établissement de jeunes ne soient que médiocrement formés. On accepte que le personnel ait mauvais caractère ou qu'il satisfasse des besoins émotionnels extrêmes, s'il possède en revanche certains talents. On souligne l'importance de

---

10. Fête célébrée la veille de la Toussaint. Durant la nuit d'Halloween, les enfants costumés et masqués se rendent de maison en maison et mendient friandises ou menues pièces de monnaie. Ils se livrent fréquemment à de « légers » chahuts si les sommes versées leur paraissent insuffisantes. *(Note du traducteur.)*

l'action éducative sur les enfants au niveau spécialisé du psychiatre ou du travailleur social, mais on considère comme un risque normal d'employer un personnel incomplètement formé, peu qualifié, dévoué sans doute, mais sans grande valeur professionnelle. Les institutions qui poursuivent des buts cliniques et qui s'occupent d'enfants sévèrement inadaptés doivent absolument rejeter une telle politique. L'accepter serait se mettre dans la situation d'un hôpital qui s'attacherait les services du chirurgien le plus expérimenté, mais qui confierait les soins post-opératoires à des infirmières non entraînées, très dévouées à leurs malades, fières des sacrifices consentis, tout en méconnaissant par dédain, voire par hostilité, les règles les plus élémentaires de l'asepsie et de l'antisepsie. Nous pourrions dire que, dans un internat thérapeutique, l'hygiène totale possède la priorité à chaque moment de la vie d'un enfant. Il n'est pas toujours possible d'éviter qu'un jeune se heurte à des problèmes dus à la communauté, tels que la scène dramatique d'un voisin en colère. L'enfant peut réussir à duper un étranger en attirant ses bonnes grâces, ce qui risque de « nourrir sa pathologie ». Mais il est capital que *le personnel représentant l'établissement aux yeux de l'enfant* ne s'engage dans aucune attitude traumatisante. L'accès de colère du voisin irrité est un détail qui peut et doit être manié d'une façon réaliste et clinique. Mais un acte du même genre serait impardonnable s'il était dirigé contre l'enfant par toute personne représentant l'internat lui-même.

Ce principe, « éviter tout comportement traumatisant », impose aux maisons qui ont l'ambition de devenir des internats thérapeutiques les deux exigences fondamentales suivantes :

1. Le personnel doit absolument éviter toute attitude s'opposant aux buts cliniques. En aucun cas, un responsable de la maison ne peut s'autoriser à employer des techniques qui constituent par elles-mêmes des risques de traumatisme. C'est ainsi que doivent être exclues toutes les formes de châtiments physiques, les menaces ou les promesses en vue de favoriser un confort momentané de l'éducateur, les compétitions trop intenses. Doivent être bannies les situations où les adultes se débarrassent des

enfants au profit de leur propre intérêt, les discussions sans tact sur les difficultés d'un jeune en présence de ses camarades, les activités déterminant des sentiments de gêne, de ridicule ou d'anxiété. Il est inutile d'ajouter qu'il faut éviter les contradictions ouvertes sur les méthodes d'éducation ou sur le règlement, maîtriser les réactions maladroites envers un collègue avec lequel on n'est pas d'accord. Il faut se garder d'exploiter les sentiments des jeunes les uns contre les autres. Toute la gamme des comportements même légèrement suspects doit être ainsi éliminée. Le personnel en son entier, y compris le personnel administratif, le cuisinier, le concierge, etc., doivent suivre cette ligne de conduite. Un cuisinier favorisant certains sujets et rejetant ceux dont les besoins ne satisfont pas autant sa fierté personnelle détruit en un repas ce que l'ensemble du traitement a tenté de réaliser en plusieurs semaines.

2. Plus important encore que ce principe est celui de rester sensible à l'histoire des traumatismes antérieurs d'un enfant. Par exemple, l'éducateur répondra aux demandes d'affection exprimées par un jeune indépendamment de ses besoins affectifs actuels ou de son aversion envers tel ou tel enfant. La décision ne dépend que des conditions de vie antérieures du sujet et des critères cliniques établis à ce moment précis du traitement. Ainsi, la question de savoir si l'éducatrice principale acceptera de s'occuper d'un dommage corporel illusoire ou si elle écartera fermement mais amicalement une telle demande doit être exclusivement résolue par rapport aux problèmes antérieurs de l'enfant et des plans cliniques actuels. Des questions telles qu'horaire, disponibilité, fatigues, etc., ne doivent pas entrer en ligne de compte. Dans toutes les phases d'existence d'un internat, problèmes d'habillement, présents de Noël, genre d'activités, etc., nous devons considérer ces traumatismes passés ainsi que leurs influences sur la situation présente.

De par son organisation même, un internat thérapeutique évitera, dans la mesure du possible, d'exposer les sujets à des situations dangereuses. Si l'intervention de personnes extérieures ou les habitudes culturelles provoquent leur apparition, il faudra y faire face prudemment, en pensant aux conséquences que cela entraînera sur chaque sujet. Le personnel doit tout faire pour éviter les attitudes traumatisantes. Encore une fois, il est impossible d'entreprendre un traitement valable, s'il n'est pratiqué que par des gens dévoués, bien intentionnés et ne possédant que des qualités administratives ou des dons isolés. Il faut un minimum de notions théoriques assurées soit par une formation antérieure, soit par une participation actuelle à un enseignement théorique et pratique englobant chacun des responsables. Même la partie du personnel qui n'est pas formée professionnellement doit partager l'enthousiasme de ceux qui établissent les critères cliniques. On accepte trop fréquemment de nombreuses erreurs éducatives sous le prétexte d'une formation insuffisante du personnel, de difficultés dans le recrutement ou de problèmes financiers. C'est l'une des raisons pour lesquelles il sera probablement nécessaire de maintenir un effectif limité durant les prochaines décades. Même parmi les gens formés, il est difficile de trouver des adultes capables de rester des thérapeutes face à une trop grande variété de troubles. Par exemple, une institution s'occupant d'enfants timides et repliés sur eux-mêmes peut attirer des éducateurs qui feront un travail magnifique avec ce type de sujets mais qui ne pourront pas s'adapter à des délinquants en rébellion ouverte, dédaigneux des valeurs morales. Il nous semble qu'un établissement devrait tenir compte du personnel actuellement à sa disposition et de l'atmosphère créée pour traiter certains troubles spécifiques afin d'établir le rythme et les conditions d'entrée. Il est parfois possible d'intégrer des sujets présentant des troubles variés à l'intérieur de sous-groupes plus petits et de les inclure encore dans un ensemble thérapeutique équilibré. Quand les personnalités s'opposent trop fortement, il serait cependant plus sage de séparer les établissements, chacun d'eux ayant un plan précis de sélection pour le personnel ainsi que des règles thérapeutiques définies.

9. GRANDE SOUPLESSE.
AIDE APPORTÉE AUX CAS D'URGENCE

Dans un internat thérapeutique, il faut adapter chaque phase de l'existence aux besoins cliniques actuels. L'organisation générale de l'établissement doit tenir compte de toute une variété de demandes essentielles. Lorsque certaines situations sont préparées à l'avance et d'autres laissées à la décision du moment, les enfants doivent toujours conserver l'impression d'une vie organisée. Ils doivent savoir qu'ils ne seront pas laissés à l'abandon, mais recevront toute l'attention dont ils ont besoin, même si cela signifie inconfort, problèmes ou difficultés pour l'institution ou pour l'adulte. Ils doivent découvrir en même temps que leurs tentatives d'utiliser le règlement ou de s'y opposer afin de satisfaire leur pathologie sont efficacement contre-attaquées. Assurer les besoins des jeunes, lutter contre leurs défenses pathologiques seront les buts premiers d'un internat thérapeutique. Nous détaillerons plus loin ces différentes notions. Nous voulons seulement énumérer certains points qui nous paraissent constituer des exigences minimum, si nous avons l'ambition de faire un travail clinique.

Les groupes doivent rester petits. Les modes de groupement doivent demeurer souples.

En raison de la nature même des troubles présentés par les enfants, des groupes importants risquent de créer trop d'excitation, de confusion et d'anxiété. Il faut donc que l'internat thérapeutique puisse maintenir de très petites unités de base. Le regroupement doit dépendre entièrement de considérations cliniques et doit se libérer des autres contingences.

Règles d'entrée et de sortie cliniquement définies.

Une atmosphère « thérapeutique » ne peut pas être conservée intacte si elle risque d'être remise continuellement en question par des pressions extérieures issues de conseils d'administration ou de la communauté. Le personnel décide librement de l'entrée et de la sortie d'un enfant en s'appuyant exclusivement sur des critères cliniques et sur des notions de psychologie collective. Cela ne se fait pas sans soulever de nombreuses difficultés, car les agences qui confient les enfants ainsi que les parents ont des vues différentes sur ce qui devrait être ou non entrepris.

POSSIBILITÉS DE MODIFIER
IMMÉDIATEMENT LE PROGRAMME.

Quel que soit le programme établi, si les faits cliniques l'imposent, des changements doivent être possibles n'importe quand et dans n'importe quelles circonstances. Cela suppose bien des exigences telles que : disposer d'assez de personnel pour diviser les groupes en deux parties en cas de nécessité, passer d'une activité intérieure à une activité extérieure, transformer l'excursion projetée en une occupation dans la maison, changer les habitudes de la cuisine, trouver des moyens de substitution, disposer d'outils en nombre suffisant, d'un équipement aussi complet que possible, d'un matériel éducatif varié, afin de diminuer les causes d'incidents.

PERSONNEL EN NOMBRE SUFFISANT
AFIN DE FAIRE FACE A TOUTES LES URGENCES.

Seuls des critères cliniques nous permettent de décider si une personne suffit à réaliser le programme fixé pour un groupe, même si ce dernier n'est que de cinq membres. Dans certains cas, un éducateur peut parvenir à contrôler les enfants, mais, leurs besoins émotionnels exigeant des relations multiples avec les adultes, on utilisera deux ou trois personnes. La décision d'encadrer un groupe par une personne extérieure, telle qu'un bon moniteur de jeu, ne peut pas être prise pour des raisons d'économie, de temps ou d'argent. Il sera généralement nécessaire que l'éducateur habituel soit présent à l'activité, même si cela paraît à première vue un gaspillage de personnel.

DISTRIBUTION HIÉRARCHIQUE DES RÔLES
D'APRÈS UN PLAN PRÉVU A L'AVANCE.

Une hiérarchie préétablie détermine les fonctions que remplissent les différentes personnes travaillant dans une institution. Le responsable d'un groupe peut concevoir certaines tâches comme étant de son domaine et considérer l'arrivée du chef de l'établissement comme une marque spéciale d'intérêt ou comme une intervention ennuyeuse.

Le directeur se réserve souvent certains droits disciplinaires et certaines décisions, les règles étant généralement
fixées à l'avance. Cette hiérarchie doit être définie clairement dans un internat thérapeutique. Seuls les besoins cliniques doivent en guider sa constitution. Par exemple, le
directeur peut devoir assumer pendant un certain temps
le rôle négatif de celui qui interdit. Il attire ainsi sur lui-
même l'agressivité et la haine des enfants et décontamine
l'activité éducative dirigée par le responsable de groupe. A
d'autres moments, il peut être important de confier l'intervention à l'éducateur lui-même, le représentant de l'atmosphère générale de l'internat ayant alors la charge de diminuer l'anxiété. Quel rôle sera joué? Quand et comment le
sera-t-il? sont des décisions à évaluer et réévaluer constamment par toute l'équipe. Malgré ces changements, il est
important de donner aux enfants l'impression d'une conti-
nuité.

MATÉRIEL ET FOURNITURES EN QUANTITÉ SUFFISANTE.

Il est difficile de convaincre un conseil d'administration de la nécessité clinique d'avoir un matériel abondant
et de pouvoir le « gaspiller ». Pourtant, c'est de la présence
ou de l'absence de ce matériel destiné à remplacer les objets
perdus ou détruits que dépendront souvent le succès ou
l'échec du programme, le soutien apporté au Moi ou l'inverse. Les sommes d'argent à dépenser seront fonction des
phases du traitement. Problèmes d'argent de poche, cigarettes, bonbons, montant et moyens de les acquérir, présents et extras, financement des cadeaux utilisés pour réas-
surer symboliquement l'enfant lors des départs ou des
retours de vacances des éducateurs, tout ceci doit être
fonction des besoins cliniques et faire partie d'un plan
d'ensemble. Il nous semble qu'un établissement prétendant donner un traitement doit respecter fidèlement les
points mentionnés ci-dessus. Ne pas s'y conformer risque
de faire échec au but poursuivi.

10. MOYENS DE PROLONGER LES SENTIMENTS DE SÉCURITÉ QUI ÉMANENT D'UN GROUPE

La sécurité éprouvée par l'enfant ne provient pas seulement du comportement de l'adulte. Si la présence simultanée de nombreux sujets complique souvent nos buts cliniques, elle offre également de nombreux avantages, car elle permet de créer diverses relations émotionnelles entre les membres d'un groupe. Il est vrai que le fait de vivre dans une collectivité n'implique pas l'apparition immédiate de facteurs de groupe favorables au traitement. L'un des côtés les plus décevants de la « thérapie de groupe » est la difficulté de créer des sentiments véritables d'équipe, afin de les utiliser à des fins thérapeutiques. Dès le début, il s'établit, cependant, un certain nombre de liens entre les membres du groupe. Ces liens peuvent être utilisés comme des symboles de sécurité. Ils sont des éléments contribuant à créer une atmosphère d'amitié même si les relations individuelles sont encore chargées d'agressivité.

Voici un certain nombre de points que l'internat thérapeutique pourra exploiter en vue de « cultiver » les sentiments de sécurité issus du groupe.

CRÉER DES SITUATIONS AYANT UNE SIGNIFICATION ÉMOTIONNELLE POUR TOUT LE GROUPE.

De nombreuses situations semblent créer des conflits ou donner l'occasion de décharger ceux-ci. D'autres semblent atténuer automatiquement les sentiments de frustration ou d'agressivité et inciter le groupe à rester tranquille. Même dans les débuts de notre travail, nos jeunes pouvaient momentanément constituer une équipe plus soudée. Revêtus de leurs pyjamas, par exemple, les enfants prêtaient une oreille attentive à l'adulte qui lisait une histoire ou s'asseyaient près de la cheminée en écoutant un programme de radio. Par moment, la structure même du groupe stoppait les désorganisations individuelles, les enfants paraissant vivre « au-dessus de leurs moyens ». Il nous parut possible de susciter de telles situations. Il nous fallut évidemment faire preuve d'une grande prudence clinique, afin de ne pas imposer des facteurs émotionnels collectifs qui menaceraient le Moi au lieu de le soutenir. Mais nous pouvions capter les tendances naturelles des enfants afin de les exploiter dans le programme quotidien. (Accroître les situations capables de souder une équipe, faire participer les adultes à des activltés comme partie intégrante du groupe, favoriser la naissance du concept « Nous, le groupe », responsables inclus, etc.) C'était exactement le contraire de ce qui se produisait lorsqu'éclataient des troubles issus de la pathologie propre à chaque enfant.

Favoriser des liens entre les membres des sous-groupes, même si les actes sont dirigés contre l'adulte.

Loin d'être le résultat d'une sublimation, certains liens qui unissent les membres d'un groupe sont des défenses établies contre le monde adulte et contre les règles de l'institution. Par exemple, les relations étroites qui apparaissent temporairement entre plusieurs jeunes peuvent être seulement un moyen de se protéger contre les adultes et risquent de constituer un problème difficile à résoudre pour le personnel. Dans un internat thérapeutique, il est cependant très important d'admettre la valeur psychologique de tels sous-groupes pourtant hostiles. Il faut les protéger et les garder intacts, même s'il est nécessaire d'intervenir au cours de l'événement autour duquel se sont cristallisés les sentiments collectifs [11]. Il faut conserver les réactions de groupe, même si elles sont défensives et dirigées contre l'adulte. C'est un moyen clinique important qui n'est pas utilisable en traitement individuel. Il permet le développement ultérieur de situations collectives favorables à l'adulte.

Lier émotionnellement par des symboles de groupe.

L'internat où sont placés les jeunes n'est pas seulement un endroit où ils vivent. Il revêt parfois une signification symbolique. Compte tenu de notre but thérapeutique, il peut être le symbole de réalités négatives ou positives.

11. Voir exemple p. 161.

Parfois, il est l'oppresseur des désirs personnels, parfois le vengeur de fautes non découvertes, l'ennemi combattu avec succès ou la puissance ridiculisée de l'autorité extérieure. Quelle que soit sa signification première dans l'esprit des enfants, on peut créer, exploiter et orienter ce symbole grâce à l'organisation générale et grâce à l'action des responsables. Ainsi, pendant un certain temps, « Nous, les Pionniers » devint une image d'une puissance considérable, alors que nos jeunes ne s'étaient fixés individuellement aucun Moi idéal. Des sentiments de culpabilité pour des fautes telles que des vols apparaissaient dans le groupe si le prestige de l'établissement était compromis, alors que des discussions individuelles n'auraient guère eu de chances d'aboutir à ce résultat. Par de nombreux moyens, il est possible de suggérer, de simplifier et d'aider au développement de la notion « notre maison », « notre groupe ». Cette unité symbolique ainsi constituée favorise l'apparition de relations affectives indépendantes qui peuvent servir au traitement. Ce sera la charge d'un internat de susciter et d'exploiter les sentiments de sécurité de ce genre. Cette conception souligne la différence qui existe entre un lieu où vivent des enfants pour recevoir un traitement individuel et un internat thérapeutique.

RÉSUMÉ

Nous venons de décrire un certain nombre de techniques destinées à créer un climat thérapeutique. Nous avons souligné l'importance de l'équipement matériel, de l'organisation générale, des règles de base guidant la conduite des adultes et des enfants, du choix des situations auxquelles nous exposons les enfants et de la manière d'utiliser ces situations. Tout ceci constitue un élément essentiel du traitement qui nous paraît bien supérieur à la relation individuelle entre le thérapeute et son client. Nous sommes convaincus que ce climat atteint les sujets de deux manières : la première est évidente, elle est indirecte. Elle forme la base du plan clinique définissant le choix des expériences et l'attitude des adultes. A travers elle, sont communiqués affection et sécurité, acceptation et limites, exigences de la réalité et buts thérapeutiques. Si nous voulons que le traitement obtienne son plein effet, le plan clinique doit être clairement défini et doit se dérouler à travers toutes les phases de la vie en internat. Cette organisation présente d'énormes avantages si nous la comparons à des services psychiatriques excellents, mais construits dans ou près d'un établissement comme une unité distincte.

Le climat thérapeutique agit également d'une manière beaucoup plus directe. Nous croyons que les enfants « sentent » certains éléments d'un plan et y réagissent indépendamment des expériences ou de l'éducation reçue des adultes à titre individuel. Nous sommes actuellement incapables de décrire et d'expliquer cette réaction immédiate, préconceptuelle et préverbale des enfants. Mais nous avons toujours été impressionnés par la sensibilité qu'ils manifestent aux changements de structure d'un programme, à la disposition d'une pièce, à l'accessibilité ou non des jouets, aux règles déterminant une activité. Dans les moments de conflits aigus où les interventions devenaient de plus en plus nécessaires et durant les phases où l'attitude de l'adulte était interprétée d'une manière hostile, ce fut ce climat thérapeutique qui nous aida à contre-attaquer, nous permit de dissoudre des interprétations négatives issues d'incidents individuels, nous aida dans la tâche difficile de leur faire admettre la réalité. Définir clairement une telle notion serait un travail désespéré, puisqu'il ne nous a pas été possible de faire des recherches organisées à ce sujet. Nos lecteurs n'accepteront sans doute que la première conclusion, car sur ce point il n'existe aucun doute. C'est l'ensemble de la maison qui exerce une influence bénéfique et les meilleurs efforts des thérapeutes ou des éducateurs seront sérieusement remis en question s'il existe des déficiences dans ce domaine.

Nous consacrerons les chapitres suivants à l'influence du climat thérapeutique en étudiant certaines techniques utilisées pour le modifier.

Chapitre II

Programme destiné à soutenir le Moi

QU'EST-CE QU'UN BON PROGRAMME ?

Dans son sens le plus large, « programme » signifie presque tout ce que peuvent faire des enfants à un moment donné. Pour bien des gens, il est également synonyme de « jeu ».

Alors que nous écrivons ces lignes, nous apercevons par notre fenêtre un groupe de jeunes voisins qui se poursuivent à travers les ruines d'une maison en cours de démolition. Il n'y a aucun adulte avec eux et cette période de 17 heures à 19 heures est entièrement mise à leur disposition. Ils ne se bornent pourtant pas à errer çà et là. Leur activité paraît être du type « gendarmes et voleurs ». Autant que nous puissions voir, une certaine hiérarchie semble même s'être instituée. En tant que group workers, nous serions tentés de nous exclamer avec joie : regardez comme ces jeunes se sont remarquablement organisés par eux-mêmes!

L'éducateur, en particulier le moniteur de jeux et le group worker, aimerait réserver le terme « programme » à des activités qui requièrent une organisation précise, tant de la part des enfants que de la part des adultes. L'établissement d'un programme exige que soit pris un grand nombre de décisions importantes. Lorsque les adultes deviennent les principaux responsables de l'activité, de telles décisions entraînent beaucoup plus de conséquences que nous pourrions d'abord nous y attendre. Parfois, nous pensons en premier lieu aux objets nécessaires pour réaliser le programme. Nous nous demandons, par exemple, quels types de jeux devrait contenir une salle pour enfants de cinq ans dans une clinique orthopédique. A d'autres moments, nous nous préoccupons surtout d'organiser un emploi du temps qui ne perturbe pas des périodes telles que le sommeil, les heures de repas ou le travail scolaire. En d'autres occasions, le déroulement et l'horaire des activités auront la priorité dans nos esprits. Cette heure de lecture devrait-elle suivre ou précéder le snack? Est-il sage de prévoir cette réunion après une compétition sportive? Combien de temps les enfants peuvent-ils jouer au drapeau avant que l'enthousiasme dégénère en fatigue? D'autres fois, nous sommes préoccupés du contenu de l'activité et du degré de sublimation requis par elle. Dans un camp, nous pourrions trouver, par exemple, que le « travail du bois de 3 à 7 » aboutit à fabriquer des battes de base-ball parfaites mais réalisées dans un esprit fortement compétitif. Le lieu où ce travail se déroule nous rappellerait plus une salle de classe qu'une pièce consacrée aux loisirs. Dans un autre camp, la même salle de travaux manuels pourrait abriter une activité beaucoup plus détendue où les enfants tailleraient à leur guise des morceaux de bois, « qu'ils aient du plaisir et peu importe à quoi cela ressemble! » étant le simple but visé. Parfois l'objectif de celui qui établit le programme se résume à ceci : quels sujets faut-il rassembler pour le même type d'activités? Combien faut-il en prendre en même temps? Comment distribuer les rôles à chacun? Dans certaines circonstances, le problème essentiel à résoudre est de savoir comment partager des facilités limitées avec un nombre d'individus ou de groupes trop élevé? Comment amener les sujets à participer à l'établissement du programme peut être le principal sujet d'études. C'est alors que des problèmes tels que la participation de chacun des membres et du groupe dans sa totalité aux différentes décisions devront être évoqués. Le travail du responsable d'un programme ressemble plus à celui d'un diététicien qu'à celui d'un cuisinier. Il est responsable non seulement de toutes les décisions à prendre pour faire un repas spécial, mais du menu dans son entier et du genre de nourriture afin d'équilibrer convenablement son régime.

Le problème essentiel reste, bien sûr, de définir ce qui est réellement un bon programme pour les enfants. L'adulte moyen qui répond à cette question non comme un expert mais comme un parent, un membre de conseil d'administration ou un contribuable a des positions fermes et précises sur ce point. Ses opinions se fondent sur les expériences de sa propre enfance, sur ses goûts personnels et sur ses conceptions du confort. Il juge d'après ce qui, selon lui, devrait être ou non dépensé. Il s'identifie aux coutumes et aux mœurs du groupe dans lequel il se trouve. Invité à donner son avis, il admettrait probablement qu'il considère « bon » pour les enfants ce qu'il a lui-même aimé étant jeune, ce qu'il a appris à estimer ou ce que le système culturel dans lequel il se trouve regarde comme valable. Dans la plupart des communautés de l'Amérique contemporaine, par exemple, les sports de compétition, le football, le base-ball, etc., sont en eux-mêmes considérés comme « bons pour les gosses ».

Si nous interrogeons des experts non pour l'établissement d'un programme mais pour le développement de talents requis pour certains types d'activités, nous trouvons également des points de vue bien précis, quoique orientés différemment. Tout se passe comme si ces experts considéraient leurs intérêts personnels comme la base la plus sûre pour établir un bon programme. Le directeur d'un terrain d'athlétisme est convaincu que les jeunes devraient tous en bénéficier. Le professeur des Beaux-Arts pense que l'enseignement de l'art est une sauvegarde contre la délinquance juvénile. L'amateur de bonne musique déclare que l'audition des programmes classiques dans toutes les écoles serait le plus grand bienfait pour la jeunesse de la nation. Chaque été, des milliers d'enfants américains, dans des centaines de camps, frissonnent dans l'air froid du matin en attendant le petit déjeuner, bien qu'à notre connaissance aucune recherche n'ait jamais établi une connexion entre la chair de poule et la formation du caractère.

La question de savoir quel programme est bon pour les enfants est un « non-sens » en soi. Car les choses ne sont pas seulement « bonnes » ou « mauvaises » pour les gens. Elles ont un effet bien spécifique, lié à des conditions très précises. Il s'agit de connaître quelles sont ces conditions. Si nous supposons qu'un programme puisse être « bon », il faut nous demander immédiatement : bon pour quel but? De nombreux théoriciens défendent opiniâtrement leurs points de vue. Les éducateurs, les moniteurs de jeu, les group workers, les psychologues et les psychiatres y ont longuement réfléchi. Malheureusement, il y a encore peu de recherches organisées sur ce sujet. Bien des gens qui établissent, supervisent, encouragent ou modifient les programmes pour enfants ne sont pas nécessairement des spécialistes formés à un tel travail, des psychologues pour enfants ou des experts. De nombreux établissements n'ont pas de règle précisant l'organisation du programme. D'après ce que disent et d'après ce que font les responsables dans les homes d'enfants, dans les écoles, sur les terrains de jeu, dans les clubs, dans les internats, on retrouve cependant la recherche plus ou moins consciente des huit buts suivants [1].

BUTS HABITUELLEMENT RECHERCHÉS DANS L'ÉTABLISSEMENT D'UN PROGRAMME

LE PROGRAMME EST UN ANTIDOTE AUX TENDANCES AGRESSIVES ET SEXUELLES.

Beaucoup de parents et d'éducateurs espèrent que les enfants intéressés à des activités oublieront certaines des tendances essentielles de la nature humaine. Ils sont éga-

___

1. Dans le livre de Rudolph M. WITTENBERG, *So You Want To Help People* (New York, Association Press, 1947), le lecteur trouvera une discussion intéressante sur l'utilisation du programme et du groupe dans diverses communautés. Ce même sujet est développé dans le livre de S. R. SLAVSON, *Recreation and the Total Personality* (New York, Association Press, 1948).

lement convaincus que les enfants « laissés à eux-mêmes » risquent de se livrer à des actes destructeurs ou aux plaisirs sexuels. Bien que cette théorie soit rarement émise avec autant de rudesse, elle est facile à discerner dans les discussions du personnel et se trouve implicitement évoquée dans bien des suggestions faites pour définir le type de programme à donner aux jeunes d'une communauté. On retrouve particulièrement la marque de cette philosophie dans le programme récréatif proposé pour lutter contre la délinquance juvénile. On s'y réfère souvent et ouvertement pour « excuser » l'importance des loisirs dans une maison de correction ou pour se défendre contre l'accusation d'y dorloter ses habitants. En fait, c'est l'une des raisons pour lesquelles le contribuable le plus coriace est à moitié prêt à verser quelque somme d'argent.

Le programme est un moyen de discipline.

Certaines institutions (parmi elles, les maisons de correction et les centres de rééducation ordinaires) ont une autre raison de justifier l'attention accrue qu'elles portent au programme d'activités récréatives. Le fait qu'il leur faille « justifier » ceci est en lui-même un symptôme révélant beaucoup plus d'hostilité de la part des adultes que le « Siècle de l'enfant » aimerait l'admettre. Implicitement ou ouvertement, l'importance croissante du programme est souvent basée sur la notion suivante : ces activités aimées par les enfants peuvent être supprimées quand ils ne les méritent pas. Le programme est inséré dans leurs vies comme un appât et comme un facteur possible de punitions ou de menaces. Notre propre expérience nous a montré que les institutions ayant abandonné plus ou moins de bon cœur la cruauté et l'étroitesse de leur ancien système de punitions soulignent fièrement l'utilisation que l'on peut faire du « retrait des privilèges ». Dans tous les cas et quels que soient les buts éducatifs et cliniques théoriquement proposés, il devient douloureusement clair que le programme est devenu un moyen d'imposer une discipline.

LE PROGRAMME EST UNE CONCESSION AUX DROITS HUMAINS.

Certains éducateurs assurent qu'ils n'ont pas d'autres motifs lorsqu'ils accroissent les possibilités récréatives pour les enfants d'une communauté. Ils insistent sur le fait que la poursuite du bonheur constitue l'un des droits essentiels d'un individu. Une société démocratique, disent-ils, doit en faire l'un de ses buts pour tous les enfants. Ils soulignent que les jeunes devraient disposer de nombreuses activités, rien que « pour le plaisir qu'elles procurent. » L'éducateur « moderne » considère qu'il faut garantir aux enfants des expériences heureuses, car la joie de vivre et le bonheur demeurent en soi des valeurs sûres.

LE PROGRAMME EST UN OUTIL ÉDUCATIF.

On admet que le programme éducatif, s'il est agréable et bienfaisant en lui-même, peut être également utilisé comme véhicule de buts pédagogiques. Il peut ainsi constituer un facteur d'enseignement. Sur cette base, l'éducateur admet les valeurs des activités récréatives et des jeux, s'ils donnent à l'enfant une chance d'apprendre et d'améliorer des talents qui peuvent devenir en eux-mêmes une ressource importante dans sa vie future. Il approuve les jeux qui mettent le jeune en contact avec des milieux ou des gens susceptibles d'élargir son horizon. Il conseille des activités telles que : susciter l'amour de la musique et des voyages, provoquer des discussions, insister sur l'intérêt des jeux organisés, qu'ils soient manuels ou intellectuels. Dans tous ces cas, le programme est employé indirectement comme un outil pédagogique. Il contribue à l'amélioration des jeunes et les aide à acquérir leur maturité.

LE PROGRAMME EST UN MOYEN DE SOCIALISATION.

Les activités sont utilisées pour sortir les enfants de leur isolement, pour les mettre en contact avec d'autres personnes, pour les aider à accepter des frustrations personnelles afin de s'adapter à des groupes plus importants ou à des buts plus élevés [2]. Dans cette idée, on a souvent insisté sur la valeur de l'esprit d'équipe pour socialiser les enfants ou pour les rendre conscients d'appartenir à un groupe. Grâce au plaisir ressenti au milieu d'une atmosphère collective, on valorise des situations qui seraient frustrantes si elles étaient vécues individuellement. Par exemple, en acceptant de freiner son impulsion à frapper sans cesse sur la balle, le garçon se prépare à accepter un rôle plus précis dans un groupe. Il admet de subir une frustration temporaire en échange de la victoire de son équipe. On a également insisté sur le rôle du programme qui apprend à « fonctionner en démocratie ». Pratiquement, tous les « talents sociaux » nécessaires dans n'importe quelle collectivité peuvent être traduits en activités ludiques qui associent les valeurs culturelles et socialisatrices aux expériences plaisantes et heureuses.

LE PROGRAMME EST UNE BÉQUILLE POUR LE SUJET INADAPTÉ.

Le programme assume parfois une fonction similaire à celle de la nourriture artificielle. Quelques enfants ne sont pas capables de supporter un régime normal. Ils ne peuvent pas assimiler les « vitamines de certaines expériences vitales. » Par exemple, nous rencontrons des enfants trop « émotionnellement handicapés » pour supporter les stimulations intellectuelles provoquées par l'enseignement scolaire habituel. Ils ne supportent pas d'être exposés à l'attente, aux frustrations, au règlement qu'implique une école. Pour les group workers, ces sujets peuvent acquérir, grâce à des méthodes de jeu intelligemment conçues, ce que les autres absorberont par l'instruction formaliste. D'autres enfants sont tellement agressifs et turbulents qu'il n'est pas possible de les intégrer dans des clubs ou des mouvements de jeunesse. Les expériences collectives d'un club ou d'un camp leur sont pourtant aussi nécessaires qu'à n'importe quel autre sujet. Le but du programme est alors différent. Il ne s'agit pas de s'attaquer directement à leurs pathologies, mais de les faire profiter des mêmes possibilités qui sont offertes à leurs camarades du voisinage, bien

2. Voir à ce sujet le livre de Grace COYLE, *Group Work With american Youth* (New York, Harper and Bros., 1948).

qu'ils soient encore inadaptés ou momentanément troublés. Ce rôle du programme est depuis longtemps connu pour l'enfant physiquement handicapé. Pour le jeune inadapté émotionnellement, l'expérience est beaucoup plus récente et s'est traduite jusqu'ici par le « group work spécialisé ».

LE PROGRAMME EST UN ANTIDOTE AUX SITUATIONS DE VIE DANGEREUSES.

Les enfants sont fréquemment exposés à des situations qu'un régime normal d'existence devrait pouvoir leur éviter. L'influence de tels milieux risque d'être néfaste. Par exemple, le jeune a été maintenu dans des conditions d'existence déplorables jusqu'à ce que le tribunal ait réussi à trouver une meilleure solution. Un séjour en hôpital est devenu nécessaire, malgré le danger évident que cela représente pour l'évolution affective. Dans ce cas, le programme constitue un antidote aux effets néfastes dont ces situations furent responsables. Un programme d'activités organisées en salles d'hôpital pour les enfants alités peut ainsi diminuer l'ennui et l'impression d'isolement. Il aide l'organisme en lui permettant de « tenir » malgré la vie artificielle et mauvaise dans laquelle il se trouve plongé. De nombreux responsabes de foyers d'accueil ou de détention ont déjà demandé que les enfants en attente d'une solution (déchéance familiale, par exemple) et ceux qui sont enfermés à cause des actes agressifs ou destructeurs qu'ils ont pu commettre ne soient plus exposés aux dangers de l'ennui et à l'anxiété issue d'une telle situation. Autant que les autres enfants, sans doute plus qu'eux, ils ont besoin d'un programme adapté à leurs conditions de vie. Ils doivent pouvoir bénéficier de relations interhumaines, s'engager dans des activités valables, décharger leurs tensions, etc. Avant même de soulever la question d'un traitement, de tels enfants ont besoin d'un programme qui puisse les protéger des effets destructeurs d'une existence aussi médiocre.

LE PROGRAMME EST UN MOYEN
DE DIAGNOSTIC ET DE CATHARSIS.

Depuis que les psychiatres et les psychanalystes travaillent directement avec les enfants, ils ont souligné la nécessité d'utiliser les jeux comme moyens de communiquer. Un thérapeute d'enfants doit prendre des décisions qui sont souvent identiques à celles qu'un group worker appellerait « l'établissement d'un programme », même si ce terme n'est guère employé dans les milieux cliniques. Il se pose ainsi un certain nombre de questions : quel type de jouets doit-on ou non acheter pour une salle de jeux d'une clinique moderne? Doit-on proposer à l'enfant certains jeux ou certaines activités? Faut-il exposer les jouets sur des étagères ou ne présenter à la fois qu'un matériel présélectionné? Certains jouets ou jeux ont-ils un pouvoir séducteur et plus stimulant que d'autres? Qu'ils en soient ou non conscients, le psychiatre ou le clinicien d'aujourd'hui doivent également établir un programme.

La valeur diagnostique de nombreuses activités récréatives est admise à présent et nous n'avons guère besoin d'essayer de la justifier. Nous voudrions cependant encourager des recherches plus organisées, afin de préciser ce que recèle une activité particulière pour un âge donné, pour un type de troubles et dans un contexte sociologique défini.

L'autre but du jeu, dans la thérapie des enfants, est la catharsis. De nombreux thérapeutes la considèrent comme sa fonction principale. Certaines activités récréatives renferment des possibilités d'expression qui sont utilisées comme traitement car elles permettent la décharge de fantasmes ou d'impulsions. L'école psychanalytique a longtemps essayé de montrer que cette théorie n'était qu'une illusion naïve. L'analyste d'enfants reconnaît qu'un certain soulagement peut être tiré de jeux. Il insiste cependant sur le fait que le déroulement du traitement est beaucoup plus complexe et qu'une décharge isolée ne suffit pas [3]. Il est malgré tout étonnant que le thérapeute reje-

___
3. Ce point de vue est clairement exprimé dans l'ouvrage d'Anna FREUD le *Traitement psychanalytique des enfants* (P. U. F.).

tant la simple notion de catharsis puisse l'admettre dès qu'il ne parle plus de son propre travail avec l'enfant, mais qu'il fait allusion aux programmes où cet enfant joue avec quelqu'un d'autre. Quand on lui demande de participer à l'établissement d'un programme dans une maison d'enfants, il refuse la théorie pour son propre usage, mais la considère valable pour ceux qui s'occupent des jeunes « seulement comme éducateurs ou moniteurs. » A Pioneer House, par exemple, nous avons connu plusieurs fois des silences embarrassés, quand un psychiatre ou un visiteur occasionnel nous demandait, étonné, pourquoi nous ne centrions pas nos activités récréatives autour d'un punching-ball, « afin de libérer l'agressivité des enfants. » Après de telles déclarations, on nous demandait généralement si notre thérapie de groupe avait lieu le matin ou l'après-midi [4]...

LE PROGRAMME EST UN OUTIL THÉRAPEUTIQUE COMPLET

Les huit types de buts décrits peuvent évidemment s'associer. Il n'est pas dans notre intention de passer en détail leurs mérites et leurs faiblesses respectives. Plus encore que le but lui-même, l'esprit dans lequel il est poursuivi est important. Dans ce domaine, les quelques dernières décades ont vu se réaliser des progrès certains. Ce que nous voulons traiter ici peut sommairement se résumer sous le titre : *hygiène mentale et effets du programme.* Quel que soit le but poursuivi, la valeur du programme dépend essentiellement de la réponse à la question suivante : atteint-il son objectif sans causer de dommages à l'individu ou au groupe?

En guise d'introduction au problème, nous présenterons quelques exemples grossiers. Un programme peut être « bon », du point de vue de l'efficacité pour une compétition athlétique, tout en étant mal adapté à certains membres d'une équipe. Si on insiste trop fortement sur les victoires athlétiques, les participants peuvent se sentir en

---

4. Dans *Childhood and Society* (New York, W. W. Norton Inc., 1950), chapitre 6 : « Toys and reason », Erik H. ERIKSON présente de manière fascinante les aspects diagnostiques et thérapeutiques du jeu. — Traduit chez Delachaux et Niestlé, sous le titre *Enfance et société. (Fin de note du traducteur.)*

état d'infériorité ou craindre le rejet de leur propre groupe s'ils ne répondent pas aux standards requis. Les équipes insuffisamment préparées à une compétition peuvent afficher des prétentions démesurées, manifester une hostilité réelle à l'égard de l'adversaire au lieu de garder un esprit de fair play, plonger dans un état d'apathie ou de découragement après une défaite. Concevoir cliniquement un programme exige de ne pas remplacer le but premier par d'autres buts, de ne pas préférer ceux-ci aux spéculations thérapeutiques. Il s'agit d'étudier ce qui est réalisé sous le titre de programme du point de vue de son effet sur l'hygiène mentale. Si nous voulons, par exemple, utiliser les phases d'un programme, afin de socialiser les jeunes, nous sélectionnerons différents jeux, mais la manière dont nous dirigerons les enfants variera suivant le déroulement de l'activité. En matière de group work, il ne s'agit pas de nier la valeur des buts atteints grâce à un programme conçu à l'avance, mais de limiter les critères du « bon » programme à la connaissance de son effet sur les gens auxquels il s'adresse. Cette nouvelle notion s'oppose au concept quelque peu naïf d'autrefois. L'important est de savoir si le programme convient aux besoins des enfants et si ces derniers sont prêts à en profiter; il ne s'agit pas de les exposer systématiquement à des activités considérées comme bonnes [5].

Il n'y a qu'un pas entre cette conception clinique du programme et son usage en vue de buts thérapeutiques.

Débarrassé de l'enthousiasme naïf et quelque peu idéaliste du « novice », le psychiatre a déjà évalué les possibilités que pourrait lui offrir un programme plus étudié des activités. Bien que sa formation ne l'ait guère préparé à un tel travail, il admet la valeur d'un programme collectif comme adjuvant à son traitement.

Nous voulons pourtant dépasser ce stade. Pour des raisons que nous préciserons plus loin, nous sommes convaincus que cette conception est trop étroite. Nous pensons que le programme peut être en lui-même un élément thérapeu-

5. Voir l'ouvrage de Gertrude WILSON et Gladys RYLAND, *Social Group Work Practice* (New York, Houghton Mifflin Company, 1949), qui présente de nombreux détails techniques et d'excellents exemples concernant l'établissement d'un programme avec des enfants normaux.

tique valable pour les enfants dont nous parlons. L'étude théorique et pratique du programme utilisé comme outil thérapeutique mériterait à elle seule d'y consacrer un volume [6]. Dans les pages suivantes, nous devrons nous contenter de décrire une fraction restreinte de ce sujet. Nous limiterons nos recherches à un secteur particulier, celui du soutien au Moi, tout en sachant combien ces notions mériteraient d'être élargies. Nous ne sous-estimons pas pour autant l'importance du programme en tant que soutien de thérapie individuelle. Même ainsi limitée, notre étude sera forcément incomplète et nous nous en excusons par avance auprès de nos lecteurs.

1. DRAINAGE DES IMPULSIONS.

Les enfants inadaptés sont incapables de contenir l'énergie impulsive accumulée. Même s'il y a eu stimulation intense des besoins et des désirs, le Moi normal possède assez de jugement et de force pour les contrôler. Le Moi inadapté se révèle incapable de faire face à de telles situations qui déclenchent des décharges brutales et désorganisées. Il est donc important de lui apporter une aide. Il peut même devenir essentiel d'éviter de l'exposer à des pressions qu'il ne peut pas endurer.

Grâce à un drainage préventif des impulsions, il est possible d'aider l'enfant à maintenir un contrôle satisfaisant de ses tendances. Ce sera précisément la tâche du programme. Par exemple, un séjour prolongé en classe créait souvent chez nos jeunes des sentiments de frustration associés à des états d'anxiété et d'irritation qu'il fallait maîtriser temporairement. Les Pionniers accumulaient alors une étonnante tension agressive qu'ils pouvaient à peine contenir. Si nous les avions exposés durant ces périodes à des activités qui auraient comporté de semblables exigences, une explosion de leur énergie agressive serait devenue inévitable. Nous essayions, au contraire, d'aider leur Moi à maîtriser la situation en créant, grâce au programme, des structures et un cadre qui puissent leur permettre de décharger leurs impulsions. Il nous était pos-

6. Le lecteur trouvera dans l'ouvrage de Gisela KONOPKA, *Therapeutic Group Work With Children* (Minneapolis, University of Minnesota Press, 1949), de précieux renseignements sur l'utilisation du programme avec des enfants inadaptés.

sible de drainer cette énergie accumulée par des jeux variés tels que des courses, des parties de cache-cache, des culbutes qui devenaient supportables dans le cadre de notre propre maison. Si nous avions choisi des activités passives telles que regarder un match de football, nous aurions inévitablement abouti à un désastre. Il nous semble que le contrôle des impulsions puisse être accrue en drainant ces dernières à l'aide d'un programme bien adapté aux circonstances. Ce programme constitue une aide, car il offre des moyens de décharger sans mal les énergies accumulées chaque fois que le Moi ne possède plus assez de jugement pour les découvrir seul ou chaque fois qu'il ne possède plus assez de contrôle pour les utiliser. Il est évident qu'un programme destiné à drainer les impulsions sera bien différent de celui qui vise à un enseignement ou à des réalisations techniques. Un internat thérapeutique doit pouvoir offrir toutes ces possibilités.

> Mike est obscène durant tout le dîner. Chaque aliment devient un symbole sexuel (choucroute = poils pubiens, saucisse = pénis, etc.). Après l'avoir averti plusieurs fois, il est nécessaire de l'éloigner du réfectoire et de l'emmener manger dans une autre pièce avec un éducateur. Son expulsion est arrivée cependant trop tard; le reste du groupe est contaminé par son attitude et la fin du repas se déroule dans une atmosphère impossible. Andy reprend les clowneries obscènes et s'arrête juste à temps pour éviter d'être expulsé à son tour. Bill ricane dans son coin, se contente d'apporter à Andy toute l'attention dont il a besoin et de lui fournir d'autres sujets de plaisanteries dès que le spectacle traîne en longueur. Danny, dont les préoccupations sont anales, convertit la sexualité des autres en équivalents anaux. A l'exception de quelques gros rires bruyants et rauques, Larry semble se retirer dans son propre monde autistique face aux stimuli de ses camarades. Je n'ai chassé aucun autre enfant, car ils ne sont pas allés jusqu'aux manifestations extrêmes de Mike; ils ont même essayé de répondre à mes demandes de retour au calme, tout en répétant leurs comportements deux minutes après. Les éducateurs du soir terminent rapidement leurs repas afin de monter préparer le matériel de jeu dans la salle de veillée. Ils ont prévu de la peinture aux doigts et ont déposé stratégiquement le matériel autour de la pièce. Un équipement sportif est tout prêt à être utilisé si la peinture ne suscite aucun intérêt. Dès que les enfants arrivent dans la salle de veillée, ils se pré-

cipitent sur les tubes de peintures et Danny commence à barbouiller vigoureusement sa feuille de papier. Les autres se mettent également à peindre. Danny glousse soudain et déclare : « Regardez, les gars, regardez-moi! » Il a recouvert entièrement son bras de peinture orange. Une telle trouvaille contamine immédiatement les autres. Mike arrache sa chemise et peint sa poitrine. Andy soumet l'idée de se décorer comme les Indiens. Tout le groupe accepte cette suggestion avec enthousiasme, sublimant ainsi les impulsions érotiques qui s'accumulaient en eux depuis le début du dîner. Ils passent la plus grande partie de leur soirée à hurler à travers les escaliers leurs fantasmes indiens, aussi facilement constitués que rapidement défaits. Tous vont ensuite se coucher joyeusement (Réf. : 25.5.47, David WINEMAN).

Cette observation nous permet de localiser un certain nombre de types d'impulsions. Schématiquement, on peut les classer en deux groupes.

a) Fantasmes liés aux préoccupations corporelles.

b) Manifestations collectives issues d'une contagion mutuelle.

Le matériel préparé pour le programme de la soirée contient en soi beaucoup plus de possibilités constructives qu'il n'en fut exploité ici. Les éducateurs étaient au courant des besoins immédiats soulignés plus haut et ils se limitèrent sagement au simple but de drainer les impulsions. Il est bien évident que du matériel inerte ne pouvait pas réaliser tout le travail par lui-même. L'important fut l'attitude des éducateurs entreprenant une expérience collective brutale mais plaisante et qui aurait dégénéré sans eux.

Durant tout l'après-midi, le groupe a joué au ballon dans le gymnase et les enfants sont énervés. Ils deviennent très grossiers, en particulier à mon égard. Je dois écarter Danny parce qu'il s'amuse à jeter un canif sur Andy. Il monte au premier étage et refuse de manger quand je lui apporte son assiette dans la salle de séjour. Après le dîner, le groupe demeure encore excité, spécialement Mike. Les allusions sexuelles, les jurons, les insultes et les bagarres se répètent. Nous avions prévu des jeux de cartes pour la soirée, activité qui n'a guère de chances de réussir, compte tenu de l'état d'esprit actuel. Nous proposons alors un autre programme. Les éducateurs apportent des ustensiles en fer-blanc et divers récipients qu'ils présentent comme des « instruments de musique ». Ils sont accueillis avec des cris de joie et le bruit ne tarde pas à devenir terrifiant. Le phonographe hurle sa musique, le groupe prétend être un orchestre de jazz et à la radio, mise à pleine puissance, Lone Ranger (chanteur américain célèbre) tente de surmonter tout ce vacarme. Andy présentant quelques tours aux enfants réunis, Emily (directrice du cottage) parvient à orienter le groupe vers un radio-crochet. Le reste de la soirée est ainsi occupé. Les gosses font un concours de costumes et se présentent chacun à leur tour sur la scène (Réf. : 21.2.47, Fritz REDL).

Nous devons souligner la différence entre ce que nous essayons de faire dans ces périodes et la notion habituelle de traitement par simple « catharsis » ou « abréaction » des impulsions et des émotions. Au point de vue des résultats sur les comportements, les deux choses paraissent être semblables. Le but poursuivi n'est cependant pas le même. Lorsque nous organisons une activité afin d'amener nos jeunes à libérer l'impulsivité accumulée, nous n'avons pas la naïveté de croire qu'une telle décharge émotionnelle puisse changer la quantité et la nature des impulsions. En réalité, bien des pulsions déchargées dans ces conditions sont en elles-mêmes « normales » et ne demandent pas un traitement particulier. D'autres sont pathologiques et ne seront pas modifiées par un simple drainage. Le drainage des impulsions ne vise pas à changer le contenu des désirs et des besoins. Il veut simplement soutenir le Moi dans sa tâche écrasante. Il l'aide de deux façons :

Il réduit le montant d'impulsivité qui doit être contrôlé à un moment donné, ce qui, pour un Moi faible, est un gain considérable.

Il apporte un soutien extérieur, des structures et des modèles qui permettent la décharge des impulsions à un niveau de sublimation suffisant, alors que le Moi n'aurait pas pu créer seul de tels moyens d'expression.

Pour des Moi aussi perturbés dans leurs fonctions que ceux de nos enfants, cela fait toute la différence entre un désordre raisonnablement contrôlé et la destruction totale ou la menace d'une suppression des contrôles.

2. Éviter et limiter les frustrations.

Les enfants inadaptés sont incapables de faire face aux frustrations, leur niveau de tolérance à celles-ci étant très bas. Une activité pourtant désirable et plaisante peut ainsi devenir inaccessible à un enfant, l'intolérance aux frustrations étant si marquée qu'elle constitue un handicap insurmontable. Le programme peut avoir le but d'insérer des activités de telles façons que les frustrations puissent être évitées ou limitées. Par exemple, durant une phase du traitement, nos enfants étaient prêts à participer à de petites compétitions telles que faire tomber des épingles dans le goulot d'une bouteille, abattre des objets, faire une course de relais à cloche-pied, etc. Certains éléments de ces jeux avaient déjà été employés avec succès et nos jeunes les aimaient beaucoup. La faible tolérance aux frustrations pouvait cependant rendre de semblables activités impossibles dans certaines conditions : s'il fallait attendre trop longtemps son tour, si l'activité ne pouvait pas être immédiatement entreprise, s'il fallait lutter pour prendre sa place, si les aiguilles perdues ne pouvaient pas être remplacées rapidement. Dans cet exemple, le but du programme est net : il faut organiser les activités de telle sorte que les frustrations soient réduites au minimum. Voici quelques moyens de le faire : en faisant démarrer simultanément plusieurs activités, on permet à chaque jeune d'être toujours occupé et de ne pas avoir à attendre impatiemment que son voisin ait fini. En mettant en réserve une quantité suffisante de matériel, on évite à l'enfant de rechercher dans l'énervement les outils perdus. En mettant à la disposition des jeunes un personnel nombreux, les attentes sont évitées et les risques d'interruption par un accès de colère de l'un des garçons peuvent être entièrement supprimés. Nous pensons qu'un programme éliminant ainsi les principales possibilités de frustration peut aider le Moi de nos enfants.

> Durant les premiers temps du traitement, les situations compétitives et frustrantes déclenchent chez Larry des manifestations très infantiles de colère. Aux dames, il doit gagner. Pour ce faire, il demande à jouer « à la manière des bébés », l'adulte finissant

par lui accorder tous les coups. Après quelques expériences de ce genre, nous lui proposons l'arrangement suivant : nous jouerons d'abord une partie à la manière des bébés, puis une autre de façon régulière. « Tu apprendras ainsi à jouer correctement, ajoutons-nous. Nous savons d'ailleurs que c'est ton propre désir. » Cette proposition est acceptée par Larry, les frustrations imposées par le jeu accompli de façon régulière étant compensées par les satisfactions tirées de l'autre manière. Grâce à cette procédure, l'élément de réalité est préservé, tout notre but visant à le faire jouer de plus en plus correctement.

Pendant un certain temps, il nous parut désirable que nos jeunes puissent avoir l'occasion de fabriquer eux-mêmes des objets utilisables après une courte période de travail. Connaissant les risques inhérents à une telle tâche, nos éducateurs essayèrent de simplifier au maximum le programme proposé.

Le programme prévoit pour aujourd'hui la fabrication de mocassins. Vera (aide-éducatrice) et moi-même, nous découpons les semelles à l'avance et nous cousons les étoffes avant que le groupe revienne de classe avec Dave (sous-directeur). Le travail des enfants se résume ainsi à une seule opération : coudre les semelles (déjà découpées) à l'étoffe (déjà cousue) (Réf. : 19.2.47, Pearl BRUCE).

Même ainsi, la tâche était souvent au-dessus de leurs moyens et le personnel devait être continuellement en alerte pour sauvegarder le succès de l'activité. La suite de l'observation le montre amplement.

En dépit de cette préparation soigneuse, les garçons se heurtent très vite à des difficultés. Mike est le seul à utiliser le type de points que nous lui avons montré. Danny abandonne le modèle, serre trop la couture, le remarque, nous en rend responsable et prétend que nous ne voulons pas l'aider, alors qu'il a refusé notre aide quelques instants auparavant. Larry fait des points énormes afin de battre les autres. Il éprouve une difficulté extrême à percer la semelle avec son aiguille et demande secours pratiquement à chaque point. Quand j'essaie de lui montrer une façon très simple de tenir l'aiguille pour l'enfoncer, il refuse de m'écouter. Mike et Andy mêlent leurs travaux, chacun prenant par mégarde la semelle du mauvais côté. Le résultat ne se fait pas attendre. Andy se met en colère.

Il jette par terre sa pantoufle, puis la reprend vivement quelques minutes plus tard. Il demeure très irritable, refuse toute aide, et fait exprès des points très larges et désordonnés. Quand son aiguille se brise, je lui conseille de ne pas l'enfoncer si brusquement. Il laisse alors tomber son travail, sort fièrement de la pièce et crie que personne ne veut le laisser travailler comme il le désire. Durant toute la soirée, il avait pourtant été fâché de la manière dont il s'y prenait! (Réf. : 19.2.47, Pearl BRUCE).

3. FAIRE DES CONCESSIONS AUX ANCIENS MODES DE VIE.

Nos jeunes ne parviennent pas à profiter pleinement des activités qu'ils ne connaissent pas depuis longtemps. Alors que des enfants plus normaux ou plus organisés profiteraient des expériences nouvelles, leurs Moi ne supportent pas une situation dont l'étrangeté et la nouveauté sont perçues comme menaçantes [7]. Ce fait doit inspirer nos programmes.

Il nous faut débuter par des activités qui soient familières et proches du cadre de vie dont sont issus les garçons. Elles ne doivent pas contenir trop d'éléments nouveaux ou trop de satisfactions jusque-là inconnues.

Durant une certaine période du traitement, nous estimions que nos jeunes pouvaient remplacer leurs clowneries habituelles par des pantomimes plus structurées ou par de courtes représentations dramatiques. Une telle activité, pourtant normale dans les classes moyennes de notre société, constituait une grande nouveauté pour nos jeunes. Elle risquait de les embarrasser ou de dégénérer en petits rires niais, en confusion ou en refus directs. Nous eûmes l'idée de rattacher cette activité à un type de jeu auquel ils avaient joué bien souvent dans leur milieu naturel. Nous débutâmes notre jeu dramatique par une course au trésor dont l'aspect était très proche des activités qu'ils engageaient eux-mêmes. Nous cachâmes différents gages à travers toute la maison, la ruelle, la cour, le tas de charbon. Pour les retrouver, les enfants devaient errer à travers la ruelle et inspecter les boîtes à cendre du voisinage. Le gage le plus important consistait à mimer un chant connu par tout le monde. Ce fut grâce à cet artifice que les résistances et l'anxiété créées par la nouveauté du jeu purent être considérablement réduites.

7. Voir à ce sujet : *l'Enfant agressif. Le Moi désorganisé :* « Panique devant la nouveauté », p. 116.

Avant d'arriver à ce stade, il nous fallut faire des concessions plus larges aux habitudes culturelles, tout élément nouveau, même minime, risquant de réveiller leurs suspicions et de provoquer un blocage anxieux. Ce ne fut que très progressivement, après les avoir suivis dans leurs propres activités, qu'il nous parut possible d'accroître la fréquence des expériences nouvelles, sans que les Moi ne risquent de se trouver submergés par l'étrangeté de la situation.

La peur due à la nouveauté peut ne pas être directement rattachée à l'activité elle-même. Elle est seulement la conséquence du comportement qu'elle implique ou du « climat social » qui s'en dégage. Il nous était ainsi possible de les exposer à une situation pourtant angoissante, telle qu'une visite à des amis dont le style de vie était différent, si nous étions sûrs que ces amis ne s'opposeraient pas à ce qu'ils se comportent à leur façon habituelle. Si nous leur avions demandé en même temps de faire attention à leur vocabulaire ou à leurs gestes, leur Moi se serait très vite trouvé submergé. Il nous fallut parfois imiter leur propre style de vie afin de supprimer le caractère d'étrangeté présenté par une situation ou par une demande.

La directrice de l'une de nos agences est venue rendre visite à Pioneer House. Nous pouvions nous le permettre sans risque, car elle savait ce que nous faisions et nous n'avions pas à trembler pour ce qui pourrait arriver. Le drame de cette soirée constitue en lui-même une histoire et j'avais de sérieuses raisons pour reparler aujourd'hui avec eux du problème des jurons. Je leur rappelais que nous n'avions pas l'habitude de nous formaliser des gros mots, mais qu'ils avaient tout de même dépassé les bornes récemment, en particulier au cours de la visite de la veille. Dans de telles situations, expliquais-je, il leur fallait désormais contrôler leur langage. J'ajoutais qu'il ne s'agissait pas d'être hypocrite, puisque cette visiteuse était notre amie et puisqu'elle nous comprenait, mais que nos invités devaient rencontrer chez nous une certaine courtoisie. Je voulus illustrer ma remarque par un exemple pris directement dans leur milieu de vie. Je pus me faire comprendre de la façon suivante. Je savais qu'ils s'amusaient fréquemment à vesser entre eux et qu'ils en tiraient une grande joie. « Cela, dis-je, vous ne le faites pas devant un visiteur. » Ils admirent aisément cette idée (Réf. : 14.12.47, Fritz REDL).

L'essentiel, parfois, n'est pas tant de rattacher les nouvelles activités à des habitudes anciennes que de respecter les attitudes accompagnant ces activités. L'exemple siuvant est une bonne illustration de ce point.

> Quand nous jouions aux cartes avec eux, ils étaient généralement de bonne humeur et ne se disputaient pas. S'ils gagnaient, ils frappaient violemment sur la table et criaient des mots tels que : « fils de p..., un vrai bâtard, etc. ». Lorsque Joe perdait, il employait d'ailleurs le même mélange de blasphèmes et de rires. Dans ces circonstances, il ne fallait pas interpréter de tels jurons comme des insultes ou des marques d'hostilité. C'était leur manière habituelle d'exprimer leur contentement. Notre attitude face à ces termes tels que « bâtard, putain, etc. » variait donc selon le contexte. Chaque fois que le directeur donnait une bourrade à Joe, celui-ci s'exclamait : « Ce bâtard de Fritz a encore recommencé! » Le jour où il lui déclara, alors qu'il avait été interdit à tout le groupe de monter les jouets au premier étage : « Espèce de bâtard, je monterai quand même mon pistolet! », le problème était évidemment très différent.

Nous devions tenir compte de ces notions pour décider si nous pouvions permettre ou non à nos enfants de s'engager dans telle ou telle activité. Faute de considérer le contexte sociologique, certains films, certains spectacles de télévision ou certains journaux illustrés risquent d'être violemment critiqués. Dans plusieurs banlieues de notre pays, par exemple, c'est presque un « devoir » que d'aller au cinéma le samedi. La même chose est vraie pour la « permission » de lire, de posséder et d'échanger des journaux illustrés. Nos enfants ne pourraient pas s'imaginer qu'un adulte prétendant les aimer puisse s'opposer brusquement à de pareils plaisirs. Tout en essayant de contrôler la quantité, la durée et la répartition de telles activités, nous devions faire bien des concessions et réprimer nos dégoûts personnels.

Que le lecteur nous permette de glisser ici deux remarques pourtant hors du sujet traité.

Le samedi après-midi, nous laissions nos enfants aller au cinéma, mais, fait caractéristique, ils étaient capables de demeurer sans surveillance dans une salle de spectacle ordinaire. Alors qu'il eût été impensable au début du traitement de les abandonner à la maison ou en excursion sans contrôle, nous pouvions sans difficulté les conduire au cinéma, les y laisser et les reprendre à la fin de la séance. Leur conduite n'y était pas plus mauvaise que celle des autres enfants. Après le spectacle, ils étaient généralement à l'heure au rendez-vous fixé.

La deuxième remarque concerne le choix des films et les réactions des enfants. Nous savons combien ce sujet mériterait une étude clinique détaillée. Rappelons seulement que nos jeunes avaient une préférence marquée pour les Westerns. Les images violentes semblaient les aider à canaliser leur propre agressivité. Elles créaient certains effets angoissants, mais les garçons trouvaient des éléments de sécurité dans les symboles ou les scènes tels que fusils, évasions victorieuses à cheval, force musculaire des « bons » héros, etc. Nous avons par contre observé des manifestations sévères d'anxiété, difficiles à maîtriser, après avoir présenté des productions qui étaient artistiquement plus valables. Ce fut le cas, par exemple, au cours de la projection de *Blanche-Neige* de Walt Disney. Ils étaient impressionnés par la présentation de certains états anxieux nettement psychotiques, tels que l'enfant frappée de panique et attaquée par les arbres ou la sorcière. Des films de ce genre ne nous semblaient pas aussi constructifs que les Westerns. Il nous faut ajouter un point important qui est en contradiction avec les opinions couramment admises sur les Westerns ou films de ce genre. Nous n'avons jamais remarqué que ces projections aient accru ou libéré une agressivité particulière ou des tendances à la délinquance. C'est étrange quand on pense à la facilité avec laquelle ces enfants s'abandonnaient aux tentations. Il semblait même que ces images stéréotypées pouvaient aider leur Moi. Dès le début, l'enfant savait en effet que le héros se tirerait rapidement des situations difficiles et que le méchant serait puni. Quels que soient les actes de délinquance antérieurs, il s'identifiait toujours au héros et méprisait le bandit. Nous devons également rappeler que nos jeunes se trouvaient dans la phase préadolescente de leur développement, aussi mûrs sexuellement et aussi structurés qu'ils paraissaient être. Ils étaient soulagés par le fait que, dans tous ces Westerns, le côté libidinal était totalement absent. La fille n'était que la récompense désirable d'un combat agressif mâle. Les scènes d'amour ne visaient qu'un but : aider l'enfant à se représenter comme un futur homme et comme un « type régulier ». Il ne fallait jamais trop attendre pour connaître l'issue douteuse d'un combat ou d'un danger, ce qui était bien en rapport avec leurs faibles possibilités de supporter les frustrations.

4. ANTISEPSIE INDIVIDUELLE.

Même si le programme est excellent, un enfant peut être allergique à certains de ses éléments. Ce programme est alors contre-indiqué. Une activité est traumatisante, pour un jeune, si elle atteint un secteur de sa personnalité déjà blessé antérieurement. Si tel est le cas, l'enfant refuse de participer et perd le profit de l'activité.

Par exemple, un sujet éprouve du plaisir à peindre avec ses doigts parce qu'il exprime ainsi certains de ses fantasmes, mais il a pu être déjà traumatisé par les réactions antérieures d'un adulte à ses dessins. La peur de faire mieux ou pire que ses camarades, la crainte de voir le responsable réagir à ses créations l'empêchent d'utiliser ce moyen pour décharger ses émotions. Dans une situation semblable, tous les éducateurs d'un internat thérapeutique doivent soigneusement éviter de le forcer. Il leur faut supprimer les rivalités et bannir les compétitions. S'ils réussissent à plonger l'activité dans un milieu antiseptique, ils permettent à l'enfant de réaliser son travail sans créer de situations conflictuelles et sans provoquer de réactions d'angoisse.

Un autre enfant peut, au contraire, avoir besoin de rivaliser dans certains jeux tels que les dames. De nombreux sujets tirent bénéfice de situations où se glissent la chance et l'adresse. Malheureusement, il nous faut penser simultanément à l'enfant qui, du fait de ses traumatismes antérieurs, ne peut pas supporter des jeux de ce genre. La crainte de l'échec ou l'anxiété de la victoire sont trop fortement teintées d'hostilité et deviennent si puissantes que l'activité est entièrement rejetée. Il est alors souvent possible de la commencer entre l'enfant seul et l'adulte et de manipuler sagement les gains et les pertes afin d'éviter la répétition des expériences traumatisantes anciennes.

Si l'adulte est tout proche et prêt à porter secours, on peut également tenter de confronter l'enfant avec l'un de ses camarades. Il peut, enfin, être plus prudent d'éviter momentanément tout jeu de ce genre. Un sujet peut bénéficier d'une activité exigeant certains dons physiques tout en n'étant guère capable de contrôler les surexcitations qu'elle entraîne. Dans ce cas, un personnel en nombre suffisant doit être prêt à lui porter secours s'il atteint son niveau limite. Peut-être est-il plus sage d'éviter pour l'instant une activité de ce genre et nous devrons alors organiser le programme de telle façon que le jeune puisse être écarté du jeu sans risquer de perdre la face.

Nous pouvons donner au terme « antisepsie individuelle » la définition suivante : c'est une attitude envers le programme visant à considérer soigneusement les effets secondaires et cachés qui peuvent découler de la participation d'un enfant à une activité. Cette évaluation doit être faite indépendamment de notions culturelles ou de toutes autres raisons de ce genre. Il s'agit d'un principe guidant, modifiant et parfois contredisant les décisions à prendre dans les domaines éducatif et récréatif. Il est essentiel pour tout internat ayant la prétention d'être thérapeutique. Il constitue, cependant, l'un des obstacles les plus sérieux à l'amélioration des maisons pour enfants. La plupart des gens n'admettent pas qu'une activité désignée traditionnellement comme bonne puisse être mauvaise pour un sujet particulier. Un tel principe diminue invariablement l'ardeur des volontaires et du personnel non formé. Il détruit l'enthousiasme de ceux qui veulent que leurs réalisations soient traduites en formes d'activités dont ils peuvent être fiers.

Le contenu d'un « programme antiseptique » diffère évidemment suivant chaque enfant. Cela soulève le problème du choix des activités où tout un groupe se trouve engagé et souligne l'importance de la composition de ce dernier [8]. Le plus difficile est d'associer l'initiative et l'enthousiasme de l'éducateur à la sagesse et au contrôle

---

8. Voir chapitre III : « Techniques en rapport avec la manipulation du comportement extérieur », p. 141.

du clinicien. Il nous faudra faire encore de nombreuses recherches pour pouvoir élargir ce concept à un nombre de plus en plus grand de techniciens. Nous illustrerons ce principe par quelques exemples tirés de nos observations.

Larry est un chanteur épouvantable, atone, bégayant. A chaque excursion, il essaie pourtant de chanter, ce qui déclenche les protestations de ses camarades et l'amène à bouder dans son coin. Le chant constitue une agréable activité collective tant dans les promenades que dans les veillées et nous aimerions que Larry puisse en bénéficier. L'un de nos éducateurs imagine finalement le stratagème suivant. Il fixe l'attention des enfants sur une rengaine où l'accent n'est pas mis essentiellement sur la mélodie, mais sur les variations des couplets improvisés par chaque participant. Ce chant possède un refrain : « On the dummy line, on the dummy line... », suivi d'un couplet fabriqué par l'un des assistants. Lorsque vient son tour, Larry brille dans les improvisations et fabrique de jolis couplets. Il participe ainsi au chant.

Surtout au début du traitement, Andy avait une fausse conception de la chance et du destin. Quand il perdait dans un jeu de hasard, il interprétait cet échec comme une attaque personnelle du destin. Il avait alors de violentes réactions de rage où la responsabilité de l'échec était rejetée sur son adversaire ou sur un éducateur. Les cartes ou le matériel de jeu volaient fréquemment en l'air et il accusait les autres de tricher. Un jour, après avoir perdu à Blackjack, il sortit de la pièce en proférant ses accusations habituelles, puis revint dix minutes plus tard, rôda autour des joueurs, morose et replié sur lui-même, redoutant de recommencer à jouer. Le sous-directeur, qui avait observé toute la scène, bavarda quelques minutes avec lui sur un sujet quelconque, puis l'intéressa à un jeu de dominos qui se trouvait là. Au lieu de faire une partie avec lui, il se contenta de lui montrer que si l'on disposait les dominos côte à côte et si l'on bousculait le premier, il se produisait une réaction en chaîne, tous les pions finissant par s'écrouler les uns sur les autres. Après son expérience malheureuse aux cartes, Andy fut enchanté de cette occasion qui lui était donnée de maîtriser totalement une activité. Fasciné par le jeu, il arrangeait les dominos de manières différentes, sur une seule ligne, en cercle, en arc et jouissait de sa nouvelle puissance : faire tomber *tous* les dominos en en poussant juste *un*. Cela l'apaisa tellement qu'il put se joindre à un dernier tour de cartes et qu'il en éprouva un grand plaisir.

5. Hygiène psychologique de groupe.

La majorité de nos activités se déroule en groupe et nous connaissons les avantages que cette psychologie collective offre généralement au thérapeute. Ce serait cependant une lourde faute que d'oublier certaines règles inhérentes à cette technique de « thérapie par le groupe ». La vie en internat est une vie collective, avec ses retours de flamme et ses variables qu'il nous faut bien connaître. Le facteur que nous désignons par le terme « hygiène psychologique du groupe » est facile à définir. Il est proche du principe d'antisepsie individuelle que nous venons de décrire, le groupe étant considéré comme un organisme. En un mot, certaines activités ou certains éléments du programme peuvent être valables en eux-mêmes et convenir parfaitement à la plupart des enfants. Cependant, durant une période déterminée de son développement, un groupe donné peut ne pas être capable de digérer ce que l' « estomac » d'un autre groupe avalerait facilement. Exposé à un tel programme, il montrerait des signes de désorganisation. Les conséquences de ce principe sont immenses. Elles signifient que nous devons tenir compte non seulement de l'antisepsie individuelle, mais de l'hygiène psychologique de groupe dans toutes les phases de notre travail.

L'observation suivante révèle les difficultés auxquelles doit faire face notre personnel afin d'organiser les différents éléments du programme.

Compte tenu de leur tolérance actuelle aux frustrations et de leur niveau d'activité, nous sentions parfois que nos jeunes étaient prêts à supporter la structure d'une activité plus difficile. Ils pouvaient, par exemple, participer « réellement » à un jeu d'équipe où il fallait désigner les deux camps, poursuivre et attraper l'adversaire; un tel jeu leur permettait de satisfaire par la course leur besoin de motilité; il leur donnait l'occasion de libérer sans danger leur agressivité en attrapant puis en tirant leurs adversaires (des règles précises supprimaient les risques de bagarres); il engageait le groupe dans une légère compétition, l'une ou l'autre équipe devant finalement gagner, sans que cet élément compétitif soit au-dessus de leurs forces ou sans que le but final soit trop éloigné. Nous étions sûrs que nos enfants étaient suffisamment améliorés pour supporter une défaite, sans sombrer dans de graves accès de colère comme cela aurait été le cas quelques semaines auparavant. Ils pouvaient même accepter de commencer le jeu à un signal donné sans manifestations violentes. Nous avions donc une situation qui semblait parfaitement convenir au type de jeu que nous avions choisi. Tous les critères « d'antisepsie individuelle » paraissaient respectés.

Il restait cependant un problème. La règle du jeu impliquait le choix des camps. A certaines périodes du développement d'un groupe, un seul élément de jeu peut être suffisant pour le contre-indiquer ou pour exiger des modifications sérieuses et une grande prudence de la part de l'adulte. Dans notre cas, le simple fait de choisir les camps aurait jeté notre groupe dans un état de confusion totale. Désigner les équipes aurait contribué à cristalliser les sous-groupes déjà établis; le jeu aurait renforcé l'hostilité de chacun. Quelle que soit sa valeur intrinsèque, il serait devenu un dangereux entrepôt de dynamite pour tout le groupe. Bien que parfaitement adaptée sur de nombreux points, l'activité devait donc être momentanément abandonnée pour des raisons « d'hygiène psychologique de groupe. »

Dans une autre circonstance, il était possible de jouer la partie si l'adulte responsable réussissait à demeurer populaire vis-à-vis de tous les éléments du groupe, s'il désignait les camps, s'il agissait si vite et avec tant d'enthousiasme que les équipes acceptaient le fait accompli et si le jeu se terminait assez rapidement pour ne pas laisser le temps aux enfants de réorganiser leurs défenses.

Le personnel tire parfois profit du fait de participer à un jeu afin de contrôler les conflits naissants. Grâce à la bonne humeur et grâce à la joie ainsi répandues, il apaise les tensions des sous-groupes.

Il est évidemment impossible d'indiquer à l'avance laquelle de ces solutions est la meilleure. L'important est d'avoir toujours présent à l'esprit cette notion « d'hygiène psychologique du groupe. » On doit particulièrement en tenir compte dans certaines situations. En voici plusieurs exemples : le groupe quitte son cadre de vie habituel (visites d'usines, de musées, excursions dans d'autres villes). Il se mêle à d'autres collectivités (« pouvons-nous accepter l'idée de jouer un match avec les gosses d'une autre école? »); d'autres groupes viennent en visite (« qui sera le bouc émissaire à Pioneer House si nous invitons un professeur ou des élèves à passer la soirée avec nous? » ou « pouvons-nous prendre le risque d'inviter toutes les fillettes de la classe de gym. à une réunion dansante? »).

L'observation que nous allons présenter pour préciser notre pensée développe principalement le problème de « l'hostilité des sous-groupes ». Les critères à observer sont cependant beaucoup plus nombreux; citons entre autres : la résistance des groupes à la fatigue, le danger de la contagion psychique, l'aptitude aux compétitions, etc.

> Jamais le groupe n'a été plus difficile qu'aujourd'hui, 17e jour de notre expérience. La cause de cette excitation est l'approche de Noël, car nous avons ce soir l'arbre de Noël de Pioneer House. Bagarres de tous genres et de toutes dimensions se répètent par douzaines! Dave (sous-directeur) et moi-même, nous les conduisons en excursion à Rouge Park pour les sortir de la maison. Nous nous arrêtons à plusieurs reprises dans un snack-bar pour prendre le lunch ou pour boire une tasse de café et nous rencontrons à chaque fois le Père Noël. Dès qu'ils le voient, les obscénités fusent de tous côtés. « Nom de D..., regardez ce bâtard de Père Noël qui a perdu sa perruque! Je le tuerai. Laissez-moi seulement le toucher et vous verrez », s'écrie Joe, immédiatement relayé par Danny qui le traite de « sale boucher » et des autres enfants qui ajoutent leur grain de sel. Il est évident que de tous les enfants trompés, les nôtres sont les moins aptes à supporter le joli mythe du Père Noël qui réactive leurs anciennes souffrances. Il a été prévu que je devais venir à la réunion de ce soir costumé en Père Noël porteur d'une belle barbe blanche. Je crains des « troubles » pour la nuit et je décide de modifier le programme.
> Épilogue : durant la soirée, je portais seulement un chapeau de Père Noël et c'était déjà presque trop. Leurs manifestations d'agressivité furent incroyables. Imaginez la scène si je m'étais réellement costumé! (Réf. : 16.12.46, Fritz REDL).

La plupart des activités qui se déroulaient avec notre éducatrice principale étaient particulièrement chargées de difficultés, l'influence évidente de son rôle maternel provoquant de violentes réactions de jalousie. Dès qu'elle était la figure centrale d'une activité collective, nous nous trouvions tous sur des charbons ardents.

Les garçons étant revenus de l'école, elle se mit un jour à leur lire une histoire. Elle était assise sur le divan et le groupe était réuni autour d'elle. Une dispute éclata brusquement pour savoir qui avait le droit de s'asseoir « le plus près d'Emmy ». Larry qui se trouvait à sa droite fut violemment frappé par Danny. Il tourna sa colère contre Mike, Andy et Bill. Une bagarre eût été fatale si Emmy n'avait pas interpellé le groupe en ces termes : « Attendez une minute, garçons, j'ai une idée. Je vous lirai comme si nous étions à un feu de camp. » « Comme dans un feu de camp ? qu'est-ce que cela veut dire ? » interrogea Danny, tandis que tout le groupe s'arrêtait momentanément de se chamailler. « Je serai au centre et vous ferez un cercle autour de moi. Cela fera un feu de camp, chacun de vous étant à la même distance. » Ce stratagème réussit à les divertir et la lecture de l'histoire put-être continuée.

Après plusieurs mois de traitement, Andy interrogeait souvent le directeur à ses retours de course en ville. Il lui demandait pourquoi il n'organisait pas une excursion avec tous les Pionniers durant les vacances scolaires ou les congés d'été. Le personnel discuta cette suggestion au cours de plusieurs réunions. Les enfants pouvaient être emmenés, par exemple, à Ann Arbor, Michigan ou même à Chicago. Après tout, ils n'étaient que 5 ; ce n'était pas comme si nous avions eu affaire à un effectif de 75 ou 100 garçons. Du point de vue des conditions matérielles, c'était très facile à réaliser. En dépit de cela nous étions obligés d'aboutir aux mêmes conclusions à chaque réunion où nous discutions de ce sujet. A l'exception d'Andy, aucun des enfants n'aurait pu participer à une telle activité. Toutes les fois, par exemple, que nous conduisions Mike à un restaurant pour une demi-heure seulement, il se montrait incapable de tolérer des frustrations telles que celle d'attendre la serveuse qui devait s'occuper d'autres clients avant de prendre notre commande. La serveuse était-elle venue, il fallait patienter pour avoir le premier plat et Mike l'insultait en termes fort désobligeants, comme si elle était responsable de cette attente. Danny avait le même comportement et tous les autres, à leur manière, se révélaient incapables d'accepter les exigences que supposait une excursion de deux ou trois jours hors de la ville, malgré des progrès certains par rapport à ce qu'ils étaient antérieurement. Andy, seul, pouvait se comporter parfaitement. Pour une multitude de raisons, il semblait même qu'une telle expérience serait profitable à l'enfant, mais nous ne pouvions pas projeter de l'emmener seul avec le directeur. Cette préférence n'aurait été ni comprise ni pardonnée par les autres. Ils n'auraient pas été capables d'admettre le fait et nous auraient accusés de faire du favoritisme.

Ce principe d'hygiène psychologique de groupe ne doit cependant pas faire considérer que toute action individualisée soit désastreuse pour l'esprit du groupe. Loin de là; il existe de nombreuses situations où nous pouvons manier de façon différente chaque membre du groupe, sans provoquer de perturbations collectives. Il est vrai, par exemple, qu'il nous fallut abandonner le projet de la promenade avec Andy; il est également vrai que l'éducatrice principale dut utiliser un stratagème pour réduire les rivalités entre enfants dans l'épisode de la lecture cité ci-dessus; mais cette même éducatrice put trouver bien des occasions de s'occuper individuellement de chaque membre du groupe; tandis que certains garçons participaient à une activité, il était souvent possible qu'un enfant demeurât dans sa chambre pour écouter une histoire, sans réveiller des sentiments d'hostilité ou de jalousie.

6. Organisation. Dosage des sublimations.

Toute méthode d'éducation essaie de faire accepter par les enfants des situations qui exigent un contrôle de leur impulsivité et de les amener à sublimer leurs tendances agressives. Cela devient extrêmement difficile avec nos enfants. Nous savons que nous ne parviendrons pas à nos buts en les exposant simplement à un bon environnement ou en leur offrant des moyens d'exprimer leurs tensions. Toute tentative de cette sorte provoque une désorganisation totale de leur Moi et un éclatement du groupe. Il est d'autre part évident que des enfants inadaptés n'ont pas la capacité de profiter d'activités dont les exigences et les niveaux de sublimation sont de plus en plus élevés [9]. Les règles à suivre pour organiser un programme doivent aller dans deux directions :

9. Voir *l'Enfant agressif. Le Moi désorganisé :* « Surdité à la sublimation », p. 109.

99

1. Il faut éviter de les exposer à des « niveaux de structuration » situés au-dessus de leurs possibilités, à des frustrations qui dépassent leurs niveaux actuels de contrôle.

2. Il est essentiel de trouver les moyens d'accroître progressivement les exigences, tout en leur donnant une aide suffisante pour qu'ils parviennent à supporter ces efforts.

Par « niveaux de structuration », nous voulons parler des règles, restrictions, complexités, conditions, tabous collectifs, etc., que peut impliquer une activité, ainsi que de l'organisation préalable, des limites dictées par les nécessités matérielles et par les considérations de lieu, des lois à suivre pour protéger les droits et les propriétés des gens. Notons en passant la distinction habituelle faite par les éducateurs, les instituteurs et les travailleurs de groupe entre des termes tels que « jeux très organisés » (base-ball, etc.) et « jeux peu structurés » (comme keep-away : jeu de ballon où il faut faire circuler la balle tout en empêchant l'un des joueurs de la capturer, ou simple partie de balle au chasseur).

Par « niveaux de sublimation », nous nous référons au terme décrit par Freud, sans pouvoir le détailler ici [10]. Nous voulons marquer la différence qui existe entre les moyens « primitifs » d'obtenir une satisfaction des tendances et les moyens plus « cultivés » de le faire. Illustrons ce point par un exemple : d'un côté, deux enfants se griffent sauvagement, se mordent, échangent des coups de poing et se défient mutuellement. D'un autre côté, deux sujets font une partie d'échecs [11]. On retrouve les mêmes désirs de puissance et de triomphe sur son adversaire dans le deuxième cas, mais le but n'est atteint qu'après avoir suivi des règles beaucoup plus strictes.

Il est bien évident que le niveau d'organisation auquel nous pouvons soumettre nos jeunes, les satisfactions dont ils peuvent bénéficier et les sublimations que nous pouvons leur demander varieront grandement. Il est simple

10. Durant ces trois dernières décades, de nombreux psychanalystes ont étudié le mécanisme de la sublimation. Otto FENICHEL a condensé ces notions dans son livre : *The Psychoanalitic Theory of Libido* (New York, W. W. Norton and Company, 1945).
11. Voir Karl MENNINGER, « Chess », chapitre VI de « Recreation and Moral » (vol. 6 n° 3, 1942, p. 83 du *Menninger Clinic Bulletin*).

de résumer le problème que doit résoudre un responsable de groupe décidé à suivre ce principe : ce sont les plus hauts niveaux d'organisation ainsi que les moyens les moins primitifs d'obtenir une satisfaction que nous considérons comme valables éducativement. Mais l'essentiel n'est pas de séduire les enfants afin qu'ils acceptent de participer à de telles activités. Il faut qu'ils puissent en bénéficier réellement. L'éducateur espère les faire progresser de plus en plus vite. Le clinicien veut d'abord connaître ce que le Moi peut supporter sans être écrasé par le poids trop lourd des frustrations et de l'anxiété qui en découle. Il exige que deux critères soient respectés en organisant un programme :

1. Être réaliste, afin de ne pas exposer les jeunes à des activités qu'ils ne peuvent pas accepter sans s'exposer à des pertes de contrôle.

2. Aider les enfants à progresser en leur fournissant des soutiens qui leur permettent de faire face à des exigences de plus en plus grandes. Dans les premières phases du traitement, le « réalisme clinique » restait notre règle de base. L'observation suivante montrera au lecteur qu'il nous fallait sacrifier bien des exigences si nous voulions rendre possibles certaines activités. Puissent les fervents du jeu royal du golf nous pardonner!

> Ce soir, je remplace Bob Case qui doit assister à une réunion. Après le dîner, j'emmène le groupe à Palmer Park, afin de faire une partie de golf. A Pionner House, le golf est entièrement dépouillé de ses subtilités de jeu aristocratique. Nous avons acheté dix vieux clubs à l'Armée du Salut et nous avons offert un à chaque enfant. Nous n'essayons pas d'établir un score. Nous nous promenons simplement de-ci de-là. Ce soir, les enfants ont arpenté longuement les prés de Palmer Park. Ils poussent des cris perçants après chaque coup. Après avoir découvert de vieux piquets, ils ont ramassé des balles perdues, les ont fourrées dans leurs poches ou les ont rejetées au gré de leurs inspirations. Mike et Andy ont essayé de jouer plus sérieusement, mais ils sont un peu déçus car le jour tombe et il ne leur est plus possible de distinguer exactement ce qu'ils font. Ils sont de bonne humeur, trouvent là tout l'espace et toute la liberté qu'ils désirent. A l'heure du retour, je lance mon signal, deux coups de klaxon, et ils reviennent aussitôt. Nous mangeons quelques sand-

wichs et nous retournons tranquillement à la maison
(Réf. : 2.5.48, David WINEMAN).

Les activités et les jeux les plus complexes sont souvent composés de différentes parties qui, par elles-mêmes, sont trop difficiles à supporter pour des enfants seuls. Il est parfois possible de les insérer graduellement dans leurs existences, préparant ainsi le chemin à des réalisations plus structurées. Nos jeux de pirouettes, qui tinrent une grande place dans la vie des Pionniers, illustrent ce point.

> Joel organise ce soir une séance de culbutes avec le groupe. Il transforme la salle de veillée du premier étage en salle de gymnastique, empile ingénieusement tables et chaises et utilise de vieux matelas comme tapis de lutte. Les enfants s'étaient comportés comme de véritables hyènes sauvages durant le dîner et juste après, mais ils sont assez calmés, spécialement Joe et Andy, pour l'aider à préparer le local. Ils acceptent d'attendre patiemment leur tour, coopèrent de bonne grâce à cette activité, bien qu'ils désirent vivement montrer leurs talents au public (Fritz, le directeur, et moi-même). Joe est particulièrement doué. Il est le plus rapide à apprendre les culbutes difficiles et ne tarde pas à devenir la vedette du groupe. Larry est par contre le plus mauvais et Sam est franchement médiocre. Fait pourtant miraculeux, ils ne semblent pas ressentir ces différences et passent une bonne heure un quart à se livrer à cette activité. A l'exception de Joe, les performances moyennes consistent à rouler par-dessus une perche et à retomber sur les matelas. Ils sont tellement émerveillés de leur puissance, tellement enchantés par leurs propres mouvements, qu'ils ne semblent pas se soucier de la complexité ou de la simplicité de leurs actes. Ce qu'ils veulent, c'est monter le plus haut possible, planer dans les airs puis atterrir sur les tapis (Réf. : 13.1.47, David WINEMAN).

En raison du faible niveau de sublimation requis par ce jeu, les enfants peuvent supporter une activité fortement organisée : attendre en ligne pour sauter à leur tour, contribuer à l'arrangement de la salle puis nettoyer la pièce, participer à la direction.

La complexité d'une activité organisée ne dépend pas seulement des interactions qu'elle détermine. Il faut tenir compte des interrelations sociales. Les problèmes soulevés par la remise des cadeaux illustrent bien ces deux points. Il n'est pas dans notre intention de traiter en détail cette question. Disons seulement qu'il nous a fallu faire preuve de beaucoup de prudence. Chaque fois que nous offrions des cadeaux, nous devions créer des situations qui puissent contrôler les sentiments de frustration issus de ces dons. Il nous fallait faire face à des rivalités, à des sentiments d'hostilité, d'anxiété, à des états d'ambivalence et nous devions trouver les moyens de les contrôler. Pendant longtemps, il nous fut impossible de leur offrir un objet qu'ils auraient dû partager. Cela les aurait conduits à une désorganisation totale. Tout au plus, pouvions-nous espérer qu'ils puissent supporter une situation où chacun d'entre eux recevrait des objets de couleur, de poids, de taille et d'aspect identiques. Cela fut toute une histoire le jour où nous nous risquâmes à transgresser une règle semblable :

> Revenant d'une tournée de conférences dans l'Ouest, j'offre, pour la première fois dans la vie du groupe, un seul cadeau, un magnifique lasso. J'ai cependant donné un autre cadeau à chacun des enfants, un coquillage en forme de conque. Depuis l'ouverture de la maison, je me suis déjà absenté une bonne douzaine de fois et j'ai toujours utilisé la règle suivante à mon retour : remise d'un gros cadeau, de même type pour tout le monde, tel qu'un couteau ou une lampe électrique « grand modèle », et d'un objet plus petit et d'aspect différent, tel qu'un peigne de poche ou un crayon. Ils sont enthousiasmés par le lasso. Il n'y a aucune dispute et il n'est même pas nécessaire d'organiser un tour d'utilisation. Chaque enfant essaye de faire quelque chose de drôle et Danny les entraîne à ficeler M. Wineman (sous-directeur) sur sa chaise. Ayant épuisé ce jeu, ils s'en vont dans la cour où ils s'amusent une bonne demi-heure avant de réclamer l'activité projetée : un pique-nique au bord de la rivière (Réf. : 4.4.48, Fritz REDL).

7. CONTRÔLES DÉPERSONNALISÉS.

Certains aspects du programme nous parurent longtemps inapplicables avec nos enfants. Trois facteurs, en particulier, semblaient s'additionner l'un à l'autre pour constituer un obstacle presque insurmontable.

Par définition même, nos enfants, hyperagressifs et destructeurs, avaient besoin d'activités qui puissent décharger et détourner leur agressivité. Ils accumulaient dans le même temps des sentiments de haine et de colère qu'ils contrôlaient difficilement. Si nous les exposions à des situations qui impliquaient une certaine dose de mouvement et d'agressivité, nous étions généralement obligés d'intervenir afin de permettre la continuation de l'activité et d'éviter le pire. Mais c'était bien là où résidait le problème. Il s'agissait en effet d'enfants agressifs. Loin d'être considérée comme une aide charitable, l'intervention de l'adulte était rejetée avec des réactions de haine et des contre-attaques. Même la simple tentative de favoriser un jeu était habituellement interprétée comme un acte commis par un ennemi. C'est alors que nous avons senti toute la valeur des « contrôles dépersonnalisés ». Voici ce que nous voulons dire :

Dans presque tous les milieux, certaines règles, bien que non écrites, sous-tendent les activités, les coutumes et les jeux. Elles sont connues et acceptées par chacun. Même nos sujets pouvaient les admettre. Il nous semblait parfois que c'étaient les seuls secteurs où leur conscience demeurait intacte. Bien que difficilement capables de juger ce qui était raisonnable ou non, dangereux ou audacieux, décent ou méprisable, ils étaient plus disposés à accepter d'être dirigés si les règles à suivre avaient trait à des situations liées par un code collectif. Toute conduite associée à des activités de ce genre était ainsi mieux contrôlée que si l'adulte avait fixé de lui-même le règlement. Pour nos enfants, par exemple, une partie de cache-cache était régie par des règles et des tabous clairement définis. Un seul garçon pouvait encore tricher, mais le groupe le contraignait à respecter le code sous peine d'exclusion. Dans ce cas, les enfants acceptaient de jouer correctement, même si le règlement semblait provenir d'un adulte considéré encore comme un ennemi.

Quelle aide splendide nous était ainsi offerte! Il nous suffisait de trouver des activités naturellement définies par la collectivité pour qu'elles puissent être acceptées. Tout au plus, l'adulte se bornait-il à rappeler certaines règles oubliées sans devenir le rabat-joie ou le représentant d'un monde hostile. Quel gain stratégique ferions-nous, si nous pouvions organiser des recherches dans ce domaine! Il nous

104

suffirait d'analyser les activités, compte tenu des habitudes collectives des communautés. Nos découvertes demeurent encore terriblement limitées et nous les avons insuffisamment exploitées.

La plupart des jeux favorisent en eux-mêmes la décharge des impulsions, mais ont également un rôle limitatif par leurs règles et par leurs tabous qui garantissent le maximum de plaisir.

Voici, par exemple, un jeu fréquemment pratiqué par les enfants. Il se déroule à peu près ainsi :

> Le groupe se divise en deux parties égales, chacune d'elles se tenant derrière une ligne tracée à la craie. Le but du jeu est d'entraîner dans son camp la personne située en face de soi. Au signal, les joueurs commencent à entrer en lutte. Si l'on bouscule un adversaire, le combat s'arrête. Le joueur touché est considéré comme capturé et doit alors combattre dans l'autre camp. Le jeu renferme donc deux règles essentielles : ne pas dépasser la ligne pour attraper l'adversaire, s'arrêter de combattre dès que l'ennemi est attiré. En cas de transgression des règles, un gage est donné.

Ce jeu procure un certain nombre de satisfactions. Il permet de légers actes agressifs. Il est constructif grâce à ses limites qui sont déterminées par le groupe lui-même et qui assurent une protection contre les abus. Nous pouvons trouver de nombreux jeux de ce genre. Leur avantage stratégique est évident. Bien que complexes, ils peuvent être réalisés sous le propre contrôle des enfants en évitant au maximum les interventions des adultes. C'est une chance offerte à ces jeunes qui éprouvent tant le besoin de combattre réellement ou fictivement le monde adulte. Si un conflit devient inévitable, si les limites du jeu sont insuffisantes pour maintenir l'exubérance de nos garçons, si la pathologie d'un enfant est trop sérieuse pour être domestiquée par le code collectif, l'adulte intervient, mais il se trouve dans une situation beaucoup plus avantageuse. Aider le groupe à jouer correctement devient une tâche qui vous élève au rôle du serviteur de l'équipe, sans risquer de devenir le représentant haï d'une société hostile.

Il est fascinant de constater que non seulement les jeux chargés de tradition sont facilement acceptés, mais que les jeunes eux-mêmes créent spontanément leurs propres activités, les règles qui les régissent devenant aussi puissantes que celles imposées par la société sur un enfant normal.

> ... Pendant ce temps-là, Bill, Andy et Larry jouaient aux cartes. Bill était policier. Il tenait dans sa main un rouleau de trois illustrés et frappait sur la tête de toute personne qui trichait. Cela continua ainsi pendant plus d'une demi-heure. Les différents membres du groupe acceptèrent même sans discussion que tout tricheur reçut 10 coups sur la tête. Ils étaient très amusés par le manège, se dénonçaient mutuellement et trichaient volontairement. Bill n'avait pas de préférence, bien qu'Andy reçût probablement plus de coups que les autres, peut-être 75 chocs sur le crâne. Fait surprenant, personne ne s'énerva. Le jeu s'apaisa progressivement et les enfants se groupèrent autour d'Emily qui leur lut des histoires pendant une demi-heure environ (Réf. : 2.11.47, Bob CASE).

Nous pouvons parfois observer que si un code de groupe est déjà formé, l'adulte est étonnamment bien accepté s'il contribue à renforcer ce code. Si les ordres poursuivaient un autre but, les enfants réagiraient de façon bien différente.

> Nous montons au premier étage et nous trouvons Mike assis sur le chevalet. Il essaie de prendre au lasso les chenets. J'organise immédiatement un jeu, Bill et Andy se joignant à lui pour faire une merveilleuse partie de rodéo, tandis que je deviens un reporter présentant la scène à la radio. Chacun a le droit de faire trois jets. Les enfants sont d'abord des cow-boys valeureux puis des Indiens. Ils capturent des buffles, puis des cobras et des tigres. Quelques obscénités se glissent dans le choix des noms et Bill fait des avances sexuelles au « cheval » afin de faire rire les autres. Comme je lui demande d'arrêter, non seulement les autres ne se rebellent pas mais limitent eux-mêmes le garçon. « Si quelqu'un est sale, dit Mike, il devra cesser de jouer. » Cette intervention est suffisante pour apaiser Bill et pour permettre la continuation de la partie sans trop d'interruptions (Réf. : 26.11.47, Paul DEUTSCHBERGER).

Il est possible de combiner l'influence des « contrôles dépersonnalisés » et celle de l'adulte intervenant secondairement. Celui-ci doit cependant suivre les exigences collectives; il crée ainsi des moyens de contrôle qui permettent de réaliser une activité beaucoup plus complexe que ce que chaque jeune pourrait supporter individuellement.

Les enfants commencent une partie de Monopoly avant le souper et la continuent jusqu'à 20 heures 15. Danny abandonne le jeu vers 19 heures 50 pour écouter la radio, réaliser un nouveau puzzle et lire quelques illustrés. C'est le tour de Larry vers 20 heures, car, dit-il, il est trop fatigué. Ils ont simplifié le jeu à plusieurs reprises, ont fermé les yeux sur plusieurs règles, mais ils font encore très correctement de nombreuses transactions, des achats, des prêts, des ventes. Je suis appelé à plusieurs reprises pour trancher certains différends au sujet des comptes ou des tours, bien qu'ils résolvent la plupart des difficultés par eux-mêmes. Il est évident qu'Andy domine le jeu. En plus d'être joueur, il tient la banque, prend de nombreuses décisions, interprète les règles. Certaines d'entre elles sont discutées par l'un ou par l'autre des membres du groupe, mais il passe outre et ne reconnaît pas fréquemment ses erreurs. Il naît bien quelques conflits et tout ne va pas sans cris et sans colères, mais la partie continue malgré tout, les deux joueurs abandonnant le groupe non par bouderie mais par fatigue. Danny, bien sûr, réagit à ce qu'il considère comme des « coups montés contre lui » et traite les autres de « sales menteurs ». Je dois même intervenir car, dans une dispute particulièrement violente avec Bill, il se penche sur le jeu et frappe le garçon à la mâchoire. Je m'isole un moment avec lui. Je lui explique qu'une telle action est inexcusable et qu'il ne peut pas continuer à jouer s'il se comporte aussi mal que cela. J'adoucis ensuite le ton, en lui disant qu'il peut retourner à la salle s'il est prêt à se contrôler et si Bill le veut bien. Bill accepte son retour dans ces conditions et le jeu reprend. Trois ou quatre fois durant la partie, Bill se lève, part en colère, parfois en larmes, sous prétexte de tricheries et de taquineries incessantes de la part de Mike. Mike s'excuse à chaque fois, promet à Bill de ne pas recommencer ce qui apaise ce dernier. Après le départ de Mike et d'Andy, le jeu est plié et, sur ma demande un peu pressante, les quatre enfants ramassent les différentes pièces. L'irritation semble avoir disparu (Réf. : 15.1.48, Bob CASE).

En insérant ainsi dans l'existence de ces jeunes des activités où l'intervention de l'adulte peut être évitée au maximum, nous avons constaté que nous améliorions considérablement nos relations avec l'enfant. Puisque le Moi de ces sujets pouvait alors fonctionner sans difficultés particulières, nous pouvions considérer ces activités comme des auxiliaires précieux. Lorsque nous ne pouvions pas trouver naturellement des jeux de ce genre, il nous fallait les susciter, les insérer ou créer un cadre de vie qui puisse correspondre à leurs conceptions antérieures. Une fois établies ces structures traditionnelles (nous employions certaines des techniques que nous présenterons dans les chapitres suivants), nous pouvions utiliser les « contrôles dépersonnalisés » à la fois pour apaiser les conflits et pour consolider le Moi. Les codes collectifs étaient diversement acceptés selon les modes de présentation et selon la répartition des sujets. Par exemple, si l'adulte intervenait pour s'opposer à l'utilisation dangereuse d'un couteau ou d'un poignard, il était invariablement considéré comme hostile, mesquin, incompréhensif, quelle que soit la manière dont il présentait la situation. Cette incapacité de « faire le point » était étonnante, que cela se passe dans la salle de jeu, dans la chambre ou au cours d'une excursion.

Ces mêmes sujets, pris dans une phase identique de traitement, montraient plus de compréhension et se révélaient plus réalistes si l'intervention avait lieu dans les ateliers pour des questions d'outils. En fait, certains détails devinrent très vite essentiels, la présence ou l'absence de l'adulte important peu : règlement concernant l'utilisation des outils — conséquences pour la vie de l'atelier — rangement des outils à des places clairement définies sur les murs — fierté d'un code qui « sacrait bon ouvrier ». Puisque ces jeunes ne pouvaient pas manifester autant de réalisme et de jugement dans les autres périodes de l'existence avec le même responsable, il devenait clair que les « contrôles dépersonnalisés » exerçaient une influence puissante sur nos enfants. Techniquement, cette constatation est importante. Elle montre que nous pouvons accroître le réalisme, faire accepter les limites, les tabous et les exigences grâce à des situations nettement définies et marquées par un code collectif, au moins dans certains secteurs de leurs vies, alors que l'amélioration n'est pourtant pas visible.

8. Réglage protecteur.

Les possibilités de contrôle ne paraissent pas seulement dépendre de l'intensité et de la quantité des tendances instinctives. Il semble y avoir un lien quelque peu étonnant et mystérieux entre elles et la durée des activités. Tous les éducateurs et moniteurs de jeu savent combien il est difficile de déterminer si une partie traîne en longueur ou si elle devient tellement excitante qu'il faille craindre des manifestations de désarroi. Cette règle de la durée optima joue un rôle important dans les activités des adultes ou des enfants normaux ainsi que des sujets inadaptés. Avec ces derniers, cependant, elle occupe une place capitale. Les exposer à une légère compétition pendant quelques minutes peut créer un état d'excitation aisément contrôlable, susceptible de faire éprouver des satisfactions qu'il sera possible d'utiliser par la suite. Au delà d'un certain point, les frustrations et les difficultés rencontrées par le Moi pour contrôler l'anxiété ou l'agressivité produites par le jeu peuvent devenir si nombreuses que les morales collective et individuelle finissent par s'effondrer. L'activité, convenablement débutée, dégénère. Il est donc essentiel de juger la durée optima de chaque type d'activités, en étudiant leurs différentes séquences.

Ce facteur joue un rôle important dans toutes les périodes de la vie des jeunes. L'observation des enfants normaux nous apprend, par exemple, que l'exclusion momentanée d'un jeu en punition d'une mauvaise conduite peut avoir un excellent effet. Si elle dure trop longtemps, l'ennui ressenti et la jalousie éprouvée à l'égard des autres risquent de faire naître des sentiments d'abandon et d'agressivité. Même avec les sujets normaux, une erreur dans la durée de la punition peut avoir des effets désastreux. L'appréciation repose sur deux prévisions : combien de temps le Moi peut-il garder son contrôle? Quand aura-t-il besoin de l'intervention de l'adulte?

Non seulement ce facteur temps doit être considéré en fonction de l'activité actuelle, mais en fonction de l'équilibre entre l'expérience présente et la satisfaction future. Afin de fortifier le Moi, l'éducateur peut créer des situations qui seront sources de plaisirs futurs, à condition que l'enfant accepte d'attendre. Si cette attente est trop longue, le projet aboutit à des conséquences opposées au but fixé. Les enfants inadaptés n'ayant souvent qu'une vague notion du temps, l'adulte doit souvent intervenir artificiellement afin de déterminer les séquences ou le contenu des activités au lieu de les laisser décider par eux-mêmes. La plupart de nos jeunes interrompaient les activités à la première frustration, bien avant qu'ils aient pu juger de leur intérêt. Ils risquaient parfois de persévérer dans des situations qui excitaient et renforçaient leurs tendances instinctives, ce qui les conduisait finalement à une perte totale du contrôle de soi.

Si ce facteur temps doit être considéré sur une base individuelle, il faut tenir compte également du groupe dans sa totalité. Pendant combien de temps un groupe est-il capable de supporter une activité sans de trop fortes frustrations? à quel moment deviendra-t-il surexcité? sont autant de problèmes fascinants sur lesquels il faudrait longuement se pencher. Fort heureusement, avec un peu d'habitude, les éducateurs peuvent généralement prévoir à l'avance la durée optima d'une activité. Il est évidemment nécessaire de tenir compte de ce facteur si l'on veut éviter des accès de colère ou des replis sur soi-même, si l'on veut déterminer le meilleur moment pour discuter avec un enfant des problèmes de discipline. Ceci nous amène à des techniques de traitement plus spécifiques que nous discuterons dans les chapitres suivants [12]. Bien des adultes ont tendance à laisser traîner en longueur les activités. Ce fait est bien connu en group work. Avec des enfants inadaptés, il nous faut parfois consacrer autant d'efforts pour organiser antiseptiquement une activité de trois minutes que pour préparer un concert, un programme de jeux dans un club ou une réunion de la matinée dans une école.

> Certains objets inoffensifs, tels que des éponges utilisées pour nettoyer les murs, nous servaient de projectiles. Nous organisions des « guerres » où les enfants employaient ces matériaux en guise de munitions. Ces jeux exigeaient une grande prudence et une grande habileté clinique de la part des éducateurs afin qu'ils ne dégénèrent pas en combats rangés.
>
> Quatre garçons se livrent aujourd'hui à une bataille de ce genre. Ils sont divisés en deux équipes, Larry et Andy contre Bill et Mike. Danny, qui est resté jusque-là dans une pièce à lire des illustrés et à écouter la radio, sort dans la cour où le combat fait rage. C'est le souffre-douleur de la maison et les deux groupes

12. Voir chapitre IV.

se liguent immédiatement contre lui. L'activité devrait être stoppée à ce moment-là, mais elle ne l'est pas. Il en résulte une véritable attaque de gang où des pierres, des morceaux de bois, des branches sont utilisés comme projectiles contre Danny. Il est profondément marqué par cet incident et il perd tout contrôle pendant plus de trente minutes.

Un jeu de cache-cache se déroulait généralement après le dîner. Il devait être surveillé attentivement, afin d'éviter des états de surexcitation qui n'auraient plus permis de préparer l'heure du coucher. Durant les mois d'hiver, les enfants y jouaient dans la salle de veillée du premier étage et dans les chambres à coucher. Si une éducatrice était de service, il fallait arrêter le jeu trente minutes avant de commencer le coucher. Sinon, ils étaient érotiquement submergés par la recherche excitante de l'éducatrice dans le noir ou par leurs tentatives de se faire attraper par elle. La séance de lecture qui suivait, pendant laquelle la même éducatrice leur lisait une histoire dans leurs chambres à coucher, était interrompue par des acting out sexuels. Il était possible de supprimer totalement cette réaction en arrêtant assez tôt le jeu de cache-cache et en intercalant entre lui et le coucher une activité «tampon», telle qu'un chant de groupe autour du piano.

Il est parfois nécessaire de diviser une activité en petites unités de temps pour faciliter l'adaptation des enfants. L'organisation de chaque unité doit cependant rester suffisamment souple pour s'adapter aux besoins des jeunes. C'est ce que nous avons réalisé dans le programme suivant, trois éducateurs étant simultanément en service par mesure de protection supplémentaire.

Larry et Mike sont allés dans la chambre de Vera (éducatrice stagiaire) afin de voir ce qui se prépare pour la soirée. Lorsque Mary Baker (éducatrice stagiaire), Vera et moi-même nous entrons dans la salle de séjour, Larry nous suit. Andy et Danny sont occupés à lire et ne répondent pas immédiatement à la question de Mary : « qui veut participer à une course d'obstacles ? » La curiosité aidant, les garçons nous accompagnent. Comme nous montons l'escalier, Mike essaie d'attraper à chaque marche les objets que je tiens fermement. Arrivé au premier étage, il ramasse chaque objet, les regarde attentivement, puis aide à les disposer dans la pièce. Andy et Mike ont déjà délimité la piste des obstacles avec des noisettes avant

111

que Danny arrive. Mary annonce qu'il y aura une course et que chacun aura droit à deux essais.

N° 1. Course d'obstacles. Andy la fait avec rapidité et avec agilité. Mike renverse un obstacle et jure qu'il ne jouera plus, mais personne ne fait attention à lui. Au tour suivant, Mike bat le record d'Andy qui bouscule un objet, chose qu'il refuse d'admettre. Il boude pendant une minute ou deux, puis demande une course supplémentaire, ce que tout le monde accepte. Les résultats de Danny sont variables. Larry court doucement et soigneusement, chaque fois un peu plus vite.

N° 2. Lancer de javelots. But : lancer au loin des pailles en papier. Danny et Mike ayant eu approximativement les mêmes résultats, une dispute éclate. Danny ramasse sa paille afin de rendre tout contrôle impossible et prétend avoir gagné. Il se fâche, tempête et déclare qu'il ne jouera plus. Mary, Vera et moi, nous vérifions le score et, après une minute, je lui demande s'il veut rejouer. Oui! il accepte. La chance est avec nous, car chaque joueur gagne quelques points au cours des différents essais.

N°s 3 et 4. (J'ai oublié le nom du jeu.) L'épreuve consiste à mesurer la longueur des bras et des jambes des enfants. Danny, bien sûr, arrive en tête. Il est fier de sa victoire. Andy proteste, accuse Mary de ne pas mesurer de la même façon sur lui, ce qui n'est pas vrai. « Non, répond calmement Mary, c'est le même endroit, sur votre épaule. » Elle recommence la mesure. Il grogne mais ne fait pas d'autres commentaires.

N° 5. The 50 yard dash. But : coudre une pièce d'étoffe de 10 centimètres de côté en faisant au moins 20 points. Avant même le signal de début, Mike se met en colère et déclare qu'il ne jouera plus. « On ne peut même pas piquer son aiguille dans ce sale truc! », dit-il. Au signal, cependant, il commence son travail et le finit avec les 20 points demandés. Les autres travaillent sérieusement. Larry et Danny oublient même la compétition et tentent de savoir combien de points ils peuvent faire, alors qu'Andy est arrivé second et Larry troisième. Mike serre trop le fil et me présente une sorte de capuchon.

N° 6. Concours de tir. But : jeter des assiettes en carton aussi loin que possible. Quelques difficultés surgissent, car l'une des assiettes frappe le mur, rebondit puis atterrit plus loin que les autres. Mary déclare que le coup est bon, ce qui est accepté par tout le monde.

N° 7. Pêche de cure-dents. But : pêcher trente cure-dents déposés au fond d'une bassine pleine d'eau en ne se servant que de la bouche. Ce jeu se déroule au milieu des cris de joie à cause des possibilités d'éclabousser. Larry est enthousiasmé et finit par répandre de l'eau partout.

N° 8. La dernière épreuve est une *course de tortues.* Mike se fâche tout d'abord, car il pense que sa tortue est morte ou mourante. Danny émet les mêmes craintes. En les plongeant dans l'eau, ils constatent qu'elles bougent et la course peut commencer. Les tortues sont placées dans un petit cercle et doivent rejoindre au signal donné un plus grand cercle. La tortue de Mike fait des prouesses et traverse la ligne d'arrivée la première. Celle de Larry arrive ensuite, suivie par celle d'Andy. Seule, celle de Danny reste au centre, mais il accepte bien l'événement.

A la course suivante, la tortue d'Andy atteint la ligne d'arrivée, mais au lieu de la traverser, elle la suit. Tout le monde en est fort amusé. Les rires redoublent lorsque Danny montre que la tortue le suit toutes les fois qu'il claque avec ses doigts devant son museau.

Les enfants redescendent au rez-de-chaussée afin de prendre une collation. On soulève la question des prix. Vera promet de faire des rubans si chacun lui donne le nom de sa tortue. Mary fait une courte lecture avant d'aller au lit (Réf. : 15.2.47, Barbara SMITH).

Durant toute cette activité, le personnel dut montrer beaucoup d'ingéniosité pour contrôler les disputes et les conflits. Il dut tenir également grand compte de la durée de chacune des épreuves. Si l'une d'elles avait continué trop longtemps ou si elle s'était achevée à l'occasion d'un incident frustrant, le programme en entier aurait échoué et le groupe se serait trouvé désorganisé.

9. MANIPULATION DES EFFETS QUI PERSISTENT ET DES CONFUSIONS DUES AUX TRANSITIONS.

Il serait naïf de penser que les effets produits par une activité disparaissent en même temps qu'elle. En fait, toute activité influence profondément les modes de contrôle et modifie la quantité d'impulsions mises en jeu. Les effets se prolongent durant un certain temps et il faut parfois les atténuer avant de passer à l'activité suivante. Par exemple, un groupe de jeunes jouant au chat agit selon des règles précises. Le jeu permet même de triompher un peu agressivement de l'adversaire. D'un autre côté, toute tendance plus agressive ou tout désir d'exploiter la victoire en jetant par terre un camarade ou en lui donnant des coups de poing sont nettement exclus par la règle même du jeu. Les tendances à se laisser aller aux rêves éveillés ou à vouloir être choyé sont de même supprimées. Il n'est plus possible de bénéficier de l'intimité d'une seule personne ou de s'amuser avec son jouet préféré. L'activité une fois stoppée, les enfants doivent passer à une autre occupation. Cela suppose une modification non seulement des besoins satisfaits ou frustrés, mais des conditions dans lesquelles les événements précédents se sont déroulés. Par exemple, c'est un grand changement pour des enfants que de passer d'un jeu de chat à un feu de camp où il faut écouter une histoire. On donne la possibilité de transformer une activité personnelle en une période de repos, mais on demande en même temps de supprimer les besoins de courir, d'attraper et de vaincre qui peuvent encore exister. Ce nouveau plaisir a priorité sur les autres intérêts qui peuvent être ainsi frustrés, car l'enfant peut désirer s'amuser avec ses jouets préférés ou avec les cadeaux qu'il vient de recevoir. L'expérience pratique nous a montré que le passage d'une activité à une autre soulevait parfois des problèmes difficiles à résoudre. Nos programmes exigent fréquemment des transitions trop rapides et le comportement présenté dans la seconde activité ne traduit plus que la recherche des besoins créés par la première. La nouvelle séquence peut terminer ce qui n'avait pas été achevé dans la précédente. Elle peut fournir l'occasion de satisfaire des besoins frustrés antérieurement. Tel est le cas lorsqu'un groupe de jeunes se met à faire une partie de chat après avoir tranquillement écouté une histoire. L'allure à laquelle des enfants peuvent effectuer de telles transitions ainsi que les problèmes liés à leurs réalisations soulèvent en eux-mêmes de sérieuses difficultés.

Ce que nous appelons la « manipulation des effets qui persistent et des confusions dues aux transitions » devient particulièrement délicat avec des sujets dont le Moi est déficient. Le premier rôle de l'adulte n'est pas de prévoir la prochaine activité, mais de s'organiser afin de faire face aux impulsions libérées par la précédente et aux frustrations renforcées par les événements antérieurs. Si, un jour pluvieux, la dernière heure de classe se passe à jouer au ballon dans le gymnase, les enfants sont dans une humeur bien différente que s'ils étaient restés devant leurs pupitres à faire un exercice d'orthographe.

Il faut s'attendre à ce que les enfants inadaptés aient particulièrement des difficultés à s'adapter aux transitions, et l'organisation du programme devra tenir compte de ce fait. Non seulement le type des activités, mais les moyens de passer de l'une à l'autre, ainsi que leur contenu, doivent faire l'objet d'études approfondies. Nous regrettons de ne pas pouvoir nous étendre sur ce point.

Même avec des enfants normaux, des erreurs d'évaluation dans ce domaine créent de sévères problèmes de discipline qui ne sont pas fonction de la personnalité des sujets en cause. S'il est déjà important d'en tenir compte dans l'organisation de tout programme éducatif, cela devient essentiel avec des enfants qui, par suite de traumatismes antérieurs, s'adaptent mal à ce programme.

Lorsque nous savons, par exemple, combien le réveil d'un sujet inadapté et son passage du sommeil et du monde du rêve à une réalité pénible telle que le séjour en classe représentent d'anxiété, de frustrations et d'agressivité consécutive, nous comprenons que l'utilisation des transitions à des fins thérapeutiques devient fort délicate[13]. Si nous réalisons, d'autre part, qu'il est dur pour un enfant d'abandonner les jeux auxquels il se livrait pour obéir à l'ordre d'aller au lit nous pouvons rechercher des moyens d'utiliser les transitions afin qu'elles préparent l'enfant à l'activité suivante au lieu d'être source de conflits. Nous avons soulevé cette question en parlant du règlement. Prenons un exemple précis : dans certaines conditions, la résistance qu'opposaient nos jeunes à l'invitation d'aller au lit n'était pas un acte de rébellion contre l'adulte, mais traduisait leurs hésitations à délaisser une activité agréable telle qu'une discussion amicale autour de la cheminée. Le problème est bien différent de celui que posent un épisode agressif, une révolte ou un accès de colère. L'opposition provient de la crainte de perdre la présence rassurante de l'adulte et l'activité qui était source de satisfactions. Dans un cas semblable, il faut apporter des éléments de transition

13. Voir Bruno BETTELHEIM, *op. cit.*

qui se réfèrent aux deux précédentes situations. Par exemple, l'adulte transforme en jeu le départ au lit, porte les enfants sur son dos, reste près d'eux afin qu'ils puissent s'apaiser, lit une histoire après une partie bruyante, entame une discussion ou laisse parler les enfants pendant un certain temps.

Il peut devenir nécessaire de s'entourer de plus grandes précautions. Par exemple, les garçons désirent abandonner une course effrénée dans la salle de jeux au profit d'un travail de décoration destiné à préparer l'arbre de Noël. La transition est cependant très difficile. Arrêter la course créera frustration et agressivité à l'égard de l'adute responsable. Les travaux manuels ne pourront pas canaliser les tendances impulsives ainsi libérées. Dans un pareil cas, il sera prudent de lier ensemble les deux activités. Les enfants décoreront la salle puis seront invités à courir jusqu'à ce qu'ils soient à nouveau prêts à continuer leur travail tranquille. On peut également préparer à l'avance l'équipement nécessaire à l'activité suivante avant d'interrompre la première. Dans les cas cités, le jeu continuera dans la salle, tandis qu'un autre adulte disposera des objets utiles aux travaux manuels ainsi que des modèles déjà réalisés. Les jeunes seront attirés par le cadre ainsi créé. Ils trouveront assez de sujets de satisfactions pour réprimer le désappointement causé par l'interruption de la première activité.

Il existe d'autres sources d'effets secondaires. Elles sont dues à des activités déterminant une fatigue physiologique intense, telle qu'une marche de nuit, une excursion de toute une journée, etc. De retour à la maison après un tel programme et dans les quelques heures précédant le lit, les enfants se libèrent souvent de l'état de tension dû à la fatigue par des comportements particulièrement violents. Un cercle vicieux ne tarde pas à s'installer puisque les difficultés proviennent de la fatigue s'accentuant au fur et à mesure que leur conduite devient plus agressive. La solution du problème nous paraît résider dans un programme « tranquille » mais très organisé. Absorbés par l'activité qui ne demande aucun mouvement, les enfants bénéficient d'un véritable repos physiologique. Nous avons constaté que le programme suivant fonctionnait particulièrement bien : douches chaudes, mise en pyjamas (une heure environ avant d'aller au lit) puis jeux de société tels que dames, bingo, etc., ou puzzle, lectures d'illustrés.

Certaines transitions sont particulièrement à surveiller : entre la toilette du soir et le moment de se coucher, entre le petit déjeuner et le départ à l'école, entre l'activité intérieure et la sortie à l'extérieur, telle qu'une excursion en voiture. Il nous faut alors disposer d'activités susceptibles de combler ces intervalles de temps. En voici quelques exemples :

1. *Chant de groupe*. L'éducateur se met au piano et joue un air connu par la majorité du groupe. Généralement, les enfants se réunissent autour de lui et restent là quelque temps avant de passer à l'activité suivante. Le groupe ne participe pas toujours en entier. L'un des joueurs peut rester dans son coin à lire un illustré, mais il existe une situation collective centrée autour du personnage de l'adulte assis devant le piano. Cela suffit souvent pour être efficace.

2. *Récits d'histoires ou lecture de journaux*. Ce sont toujours des moyens sûrs de transition.

3. *Travail sur un projet non achevé*. Les enfants retournent volontiers à des travaux manuels en cours d'achèvement. C'était le cas chez nous dans l'intervalle qui s'étendait entre le petit déjeuner et le départ à l'école. Nous les conduisions même parfois à l'atelier afin qu'ils puissent continuer la construction de leur bateau ou de leur avion.

4. *Utilisation des jeux calmes*. Les périodes de transition peuvent être remplies par des jeux tranquilles tels que dames ou cartes. L'esprit de compétition est généralement faible, car les enfants savent que le jeu ne fait que combler l'attente. Pour la même raison, ils acceptent facilement de l'abandonner avant qu'il soit terminé.

5. *Emploi des installations extérieures*. Ces installations sont fort utiles durant ces périodes. Nous avions ainsi résolu une grande quantité de difficultés en suspendant une corde à nœuds au-dessus du porche d'entrée. Nous pouvions observer que les jeunes utilisaient cette corde après le petit déjeuner, avant d'aller au cinéma le dimanche (entre le dîner et l'heure de se rendre au film), après le dîner les jours de semaine, avant de commencer le programme de la soirée, etc. On peut utiliser de la même façon d'autre matériel à grimper.

Ces quelques illustrations montrent combien il est important de prévoir à l'avance les problèmes suscités par les périodes de transition et de déterminer les satisfactions ou les frustrations issues de l'activité précédente afin d'aider l'enfant à surmonter toutes ces difficultés.

10. Interventions protectrices et préventives.

Les enfants inadaptés sont parfois capables de bénéficier d'une activité, tout en n'étant pas prêts à faire face aux frustrations et aux tentations qu'elle implique. Il est alors important d'entourer cette activité d'une série d'interventions à la fois protectrices et préventives. Par exemple, un groupe de jeunes peut aimer réaliser des objets en terre glaise. Mais cette terre est en elle-même une invitation à être utilisée comme projectile. Même si l'activité a été choisie soigneusement, il faut prévoir les moyens de lutter contre les conséquences de son caractère séducteur. Afin d'empêcher certains joueurs de succomber à la tentation de jeter de la terre à leurs camarades, il faut une supervision attentive par les adultes, leur action pouvant d'ailleurs être plus collective qu'individuelle. Par exemple, un groupe travaille avec intérêt la terre glaise, mais l'un de ses membres, loin de suivre ses camarades, commence à la jeter dans toutes les directions. Il est à craindre qu'un tel comportement n'entraîne bien vite le reste de l'équipe, transformant l'activité en une bataille incontrôlable. Le seul moyen de sauver le programme est alors de stopper les actes contagieux dès qu'ils apparaissent. L'intervention peut revêtir diverses formes. S'il est possible de découvrir des techniques d'intervention préventive et protectrice qui puissent ne pas susciter un supplément de problèmes individuels, des conflits et des réactions agressives, on offrira aux enfants des activités d'un niveau supérieur à ce qu'ils sont normalement prêts à supporter.

Si les interventions préventives et protectrices deviennent trop fréquentes, c'est le signe d'une activité mal adaptée aux possibilités actuelles des jeunes. Dans bien des cas, nous sommes en contradiction avec les concepts traditionnels régissant les programmes des groupes d'enfants. Il est parfois intéressant d'offrir une activité légèrement supérieure au niveau moyen du groupe. Même avec un petit nombre de sujets, la réussite dépend d'un certain nombre de facteurs : effectif accru du personnel afin d'éviter les interventions brutales, reconnaissance rapide des premiers signes de désorganisation, précocité de l'intervention afin d'éviter un conflit entre le groupe et les impulsions de chacun de ses membres. De cette façon, il est possible d'exposer les jeunes à des situations, du matériel ou des outils que leur Moi seul ne pourrait pas contrôler. En fait, cette technique n'est que l'un des moyens d'apporter une aide directe au Moi. En raison des faibles possibilités verbales de nos sujets, l'intervention protectrice et préventive nous paraît supérieure aux interprétations des troubles, telles que nous pourrions les donner au cours d'entretiens ultérieurs. Les différentes techniques utilisables pour intervenir dans le comportement des sujets seront présentées dans le chapitre suivant [14]. Nous donnons seulement ici quelques exemples.

Au début du traitement, il nous fallait stopper immédiatement toute tricherie au cours des jeux de cartes. Sans cette précaution, le jeu, valable en lui-même en raison de sa signification sociologique, dégénérait en disputes ou en bagarres. Les enfants ne pouvaient pas se contrôler mutuellement. Si Mike trichait, Andy entrait dans une véritable rage, lui jetait les objets à la tête ou quittait la pièce, sans avoir l'idée de lui dire simplement : « Hé, Mike, c'est contre les règles. Si tu veux continuer à jouer, arrête ton manège. » Parfois, il trichait à son tour et, s'il gagnait, Mike, oubliant sa propre conduite, se mettait lui aussi en colère. L'intervention immédiate de l'adulte pouvait empêcher une scène de ce genre. Son action protectrice interdisait au moins que le groupe ne se tournât contre le tricheur.

L'une des meilleures techniques préventives et protectrices est d'avoir à sa disposition un nombre suffisant d'éducateurs lorsqu'une activité comporte en elle-même plusieurs risques. Il nous arrivait ainsi d'utiliser trois ou quatre moniteurs au lieu de deux. Une visite à une foire foraine, par exemple, représentait bien des possibilités d'excitation : choix des manèges, responsabilité de l'argent, achat de nourriture, etc. Il nous fallait alors presque un adulte par enfant. La même chose était vraie pour des marches de nuit, pour des activités particulières telles que des réunions communes, etc.

Face à la fête d'Halloween [15], nous étions comme l'équipage d'un bateau chargé de dynamite approchant des eaux ennemies. Même pour des enfants normaux, l'attirance de cette nuit exige la supervision vigilante des adultes. En dépit d'un programme

14. Voir chapitre III.
15. Voir note de la p. 59.

soigneusement préparé à l'avance, nous ne pouvions pas espérer éviter des ennuis.

Nos enfants avaient évidemment leurs propres plans, moitié insinués, moitié annoncés à l'avance par des phrases telles que celles-ci : « Vous savez ce vieux bâtard qui a une boutique de confiserie au coin de la rue? (tout le groupe approuve bruyamment). Combien de carreaux pensez-vous que nous lui laisserons intacts? » Après plusieurs déclarations de ce genre, il nous fallut discuter de la soirée avec les garçons et prévoir un programme. Malgré leurs affirmations antérieures, ils l'acceptèrent étonnamment bien. Notre suggestion était d'aller en camping pendant 24 heures, tout en participant aux activités d'Halloween. L'université de Michigan nous avait proposé l'usage de son lieu de camp, situé à 20 milles environ de la petite ville universitaire d'Ann Harbor. Nous irions d'abord au camp pour nous habiller, puis nous partirions pour Ann Harbor. Là, nous ferions un arrêt chez 4 amis différents pour « mendier ». Les garçons connaissaient bien ces amis et éprouvaient pour eux de l'affection. Ils furent enchantés de savoir qu'ils avaient accueilli chaleureusement le directeur lorsqu'il était allé les trouver la semaine précédente pour préparer la soirée d'Halloween. Ils étaient d'accord avec le plan, mais ils voulaient savoir s'ils pourraient également mendier de maison en maison. Assurance leur fut donnée qu'ils pourraient le faire après les premières visites. Ensuite, leur dit-on, nous retournerions passer la nuit au camp et resterions là le jour suivant pour revenir à la maison le lendemain soir. L'idée qu'il serait possible d'associer les plaisirs d'une excursion avec ceux d'Halloween fit accepter aisément le projet.

Le jour venu, la soirée fut délicieuse. Tout le personnel participait à l'excursion, y compris le directeur et l'éducatrice principale. Il était cependant évident qu'une supervision continuelle était nécessaire. Par exemple, Danny qui était habillé comme une «dame» avec des chaussures à talons hauts et une robe à volants empruntées à notre cuisinière brisa l'un de ses talons. Il se mit immédiatement en colère : « Espèce de sales bâtards, réparez-moi *tout de suite* ce sale truc! » déclara-t-il aux éducateurs. Nous n'avions que de faibles dispositions en cordonnerie et la réparation fut un peu lente et maladroite. La patience de Danny étant ce qu'elle était, il s'engouffra dans le salon de la maison particulière où nous rendions visite. Son agressivité et son obscénité étaient telles qu'il nous fallut le ramener dans la voiture du directeur. L'un de nous dut s'asseoir près de lui pendant une vingtaine de minutes, essayant alternativement de réparer le talon en utilisant le bord du trottoir comme établi, de l'empêcher de quitter la voiture où il ne voulait pas rester et d'essayer de lui parler pour apaiser un peu sa colère. Malgré ces incidents et grâce à la vigilance du personnel, la soirée se passa avec succès. Le jour suivant fut sans histoire. Il nous permit d'apaiser les esprits excités par la fête d'Halloween, ce qui aurait été très difficile à réaliser si nous étions revenus le jour même à Detroit.

11. ÉDIFICATION D'IMAGES PROCURANT DES SATISFACTIONS.

Nous avons déjà souligné (dans *le Moi désorganisé* [16]) que l'un des problèmes posés par ces enfants était le désarroi total qu'ils manifestaient dans les moments difficiles. Lorsque l'enfant normal est contraint d'attendre ou de rester à la maison au lieu de participer à une excursion envisagée, il est capable de rechercher d'autres satisfactions malgré sa déception. Il comble le vide ainsi créé en découvrant de nouveaux sujets de contentement ou en se servant de ses expériences plaisantes antérieures. Nos jeunes ne peuvent pas réaliser cela. Ils sont incapables d'utiliser les images de satisfactions passées et ne parviennent pas à réorganiser la situation actuelle. Il nous est cependant possible de les aider à surmonter ces difficultés par le programme.

De quelle façon l'éducateur procédera-t-il?

En soulignant le côté fascinant d'une activité, en profitant de toutes les occasions propices pour faire sentir au groupe qu'il a été intéressé par une activité lorsque celle-ci vient de se terminer. Ceci crée une « image » que l'on pourra exploiter plus tard, en trouvant des moyens de leur faire voir beaucoup plus clairement la promesse de gratifications que renferme une activité, en augmentant son pouvoir de séduction pour avoir raison de leur apathie, de leur dégoût, de leur hostilité ou de leur manque d'intérêt.

Voici une liste de quelques techniques utilisables dans ce but :

1. Donner un nom. Toutes les fois que cela s'avère possible, nous donnons un nom aux jeux et aux activités, afin qu'il soit plus facile de les rappeler par la suite.

16. Voir *l'Enfant agressif. Le Moi désorganisé*, p. 131.

2. *Employer des objets qui rappellent l'activité.* A un moment donné, les jeunes étaient intéressés par l'organisation de petits spectacles d'acrobatie sur une scène employée antérieurement pour des présentations de marionnettes. Montrer cette scène devenait suffisant, sans qu'il soit nécessaire de la nommer. Ils se rappelaient les bons moments qu'ils y avaient passé et cela les remettait d'aplomb.

3. *Embellir les souvenirs.* Nous pouvons accroître la valeur d'une expérience antérieure en la rappelant aux enfants aussi souvent que possible. Par exemple, on évoquera au cours de la conversation le souvenir de travaux manuels qui procurèrent particulièrement de plaisir. De nouveaux éducateurs pénétrant dans la pièce manifesteront un grand intérêt pour des objets réalisés il y a quelque temps par l'un des jeunes. En fait, tout revient à garder vivantes les images qui ont procuré des satisfactions et à conserver leur signification émotionnelle.

4. *Support structural.* Même si elles n'étaient pas assez fortes pour être utilisées spontanément, il nous apparut que l'enfant pouvait revivre des images plaisantes d'activités antérieures à son entrée dans notre maison. Dans les moments d'attente ou d'ennui, par exemple, l'adulte avait alors pour tâche de les mentionner ou de commencer seul une activité en espérant raviver ainsi les traces laissées.

Nous avons déjà illustré indirectement ce dernier point dans la plupart de nos observations. Nous présentons cependant quelques exemples précis :

> Je prépare mon sac à dos avant le réveil des enfants. J'espère que sa vue les excitera en leur rappelant qu'ils doivent partir après le lunch en excursion d'une journée au Parc d'Island Lake. Ils se réveillent facilement et Mike arrive, comme d'habitude, le premier aux douches. En apercevant mon sac dans la salle de veillée, il me demande ce que c'est et je lui rappelle notre projet d'excursion. Sa joie explose et il court dans sa chambre à coucher pour y prendre couvertures et draps. Attirés par ce manège, les autres garçons galopent jusqu'aux douches sous lesquelles ils se mettent immédiatement, à l'exception de Danny. La moitié des sacs est déjà prête avant le petit déjeuner et le groupe est d'excellente humeur (Réf. : 13.8.47, Henry MAIER).
>
> Aujourd'hui, nous avons prévu des jeux avec des

cerfs-volants à Palmer Park. Avant le retour de l'école, j'ai préparé entièrement chaque cerf-volant. Je les ai disposés dans la salle de veillée où les enfants ont l'habitude de se réunir pour le goûter. Il ne fut pas nécessaire d'annoncer le programme à l'avance. La bouche encore pleine de gâteaux et leur verre de lait inachevé, presque tous les garçons saisirent leur cerf-volant et se ruèrent au-dehors. Bill, qui restait le plus hostile durant cette période, essaya bien de lancer une autre idée : « descendons à Wayne et brisons des carreaux », mais il ne fut pas suivi. Même son meilleur copain, Andy, refusa de l'écouter. « Allons ailleurs, lui cria-t-il, là où il y a plus de place. » Voyant que son projet n'était pas écouté, Bill subit la contagion du groupe et saisissant son cerf-volant, il suivit les autres (Réf. : 2.4.47, Barbara SMITH).

Ce soir, les garçons travaillent avec de l'osier. Ils manifestent un plaisir certain et je lance la conversation sur les réalisations qu'ils aimeraient faire par la suite. La discussion démarre facilement sans que le travail soit interrompu. Je leur rappelle un certain nombre d'activités auxquelles ils avaient pu prendre particulièrement plaisir. « Oh oui, j'aimerai bien recommencer à faire un feu de camp! » s'exclame Danny comme je lui parle du bon moment que nous avions alors passé. Larry désire sculpter du plâtre, Andy veut travailler avec du plastique, Mike aimerait recommencer ce que nous faisons ce soir. Certaines des idées exprimées étaient nouvelles et ne constituaient pas un simple répétition d'un programme antérieur. Andy finit par déclarer : « Votons pour savoir l'activité que nous recommencerons. » L'état d'esprit me paraît excellent et j'accepte la suggestion du vote qui se déroule fort sérieusement (Réf. : 11.3.46, Vera KARE).

12. FAVORISER LA CONTAGION DES INTÉRÊTS.

Les enfants dont nous nous occupons ont bien des difficultés à s'intéresser de façon profonde et soutenue aux activités dans lesquelles ils sont engagés. Si l'intérêt apparaît, nous recherchons tous les moyens pour l'encourager. Nous pouvons y parvenir de deux façons.

L'une est l'effet de contagion que produit parfois un jeune sur les autres ou le groupe sur un individu.

Il est évidemment difficile de susciter de telles occasions, mais, lorsqu'elles apparaissent, nous pouvons essayer de les soutenir et de les développer. Le seul problème, c'est que la contagion des intérêts naît généralement pour des raisons que nous ne pouvons pas autoriser. Il faut la supprimer parce qu'il apparaît des phénomènes d'intoxication collective impossibles à contrôler ou parce qu'elle renforce la délinquance et les troubles des enfants plutôt que de les modifier. Nous devons donc nous résigner à perdre souvent les occasions susceptibles de créer des intérêts, même s'il faut tolérer des comportements apparemment pathologiques. C'est, sans aucun doute, l'un des points où le clinicien et l'éducateur ont le plus de mal à trouver un terrain d'entente. Dans les premiers mois de notre travail, les moments où nos enfants s'intéressaient vraiment à quelque chose étaient si rares qu'il nous fallait fermer les yeux sur bien des conduites. Nous devions prendre de nombreux risques, laisser intacts les comportements pathologiques ou même les encourager, malgré les énormes problèmes auxquels nous devions alors faire face, afin de ne pas supprimer les rares moments où nos jeunes éprouvaient un intérêt. Nous illustrerons ce point en décrivant de façon détaillée le développement de notre premier club :

Leur club les occupe à nouveau avant le dîner. Il offre un attrait de plus en plus grand.

Sam est le créateur et le meneur de tout ce qui arrive. Il modifie continuellement les plans et les projets. Nous connaissons encore fort mal ce qui se trame. L'éducateur est souvent renvoyé amicalement mais fermement sous le prétexte qu'ils « ont du travail à faire. » Sam organise actuellement un véritable trafic. Les garçons lui donnent leur argent qu'il redistribue pour le cinéma.

Quelques faits sont déjà apparents :

1. Le club est un sous-groupe qui constitue un moyen de résister à la pression du monde adulte.

2. Il aide chacun des membres à s'isoler de nous, à refuser l'affection qu'ils éprouvent individuellement pour l'un ou pour l'autre d'entre nous.

3. C'est un monde irréel qui permet sans doute de préparer secrètement certains actes de délinquance.

a) Argent, cachettes, recel. Nous connaissons le petit trafic qu'ils réalisent avec l'argent; nous savons qu'ils ont caché des couvertures, mais nous ignorons si les vols commis ont été une entreprise collective.

b) Nous ne sommes pas sûrs que les plaisanteries et les jeux sexuels constatés soient dûs au groupe. Il est souvent difficile de savoir ce que ferait chaque membre s'il était seul.

c) Résistance opposée à l'adulte, particulièrement à l'heure du coucher. Ce fait est nettement révélé par leur insistance à prétendre le contraire. Toutes les fois que nous demandions à Sam quel but poursuivait le club, il nous répondait : « Il veut nous rendre meilleurs, nous aider à suivre les règlements et nous empêcher d'avoir des ennuis. »

4. Il permet à Sam de jouer mon rôle ainsi que celui de David Wineman (sous-directeur). Il fait ce que nous faisons. Il a son « bureau » (c'est ainsi que cela a commencé); il y interroge les gens; il dirige les membres et leur dicte le comportement à suivre. (Seul, son pouvoir agit.)

A la question : « devrions-nous laisser se développer le club ou devrions-nous conseiller à Joel (l'éducateur) d'en démarrer un autre ou de s'immiscer dans celui qui est déjà créé », les avis diffèrent. Nous ne pouvons pas encore donner une réponse précise.

Tandis que j'écris cette phrase, un autre épisode est en train de se dérouler. Danny vient de frapper Sam à l'épaule. Ce dernier le fait monter au premier étage, le chasse du club et insiste pour qu'il rende son insigne. Danny répond qu'il l'a payé 25 cents. « De toute façon, déclare-t-il, je ne peux pas l'enlever sans risquer d'abîmer mes vêtements. » Comme une bagarre à coups de poings éclate, je les sépare et maintiens Sam pendant un certain temps. Il se calme, mais insiste pour récupérer l'insigne, propose même de lui rembourser ses 25 cents. Ils s'assoient un moment dans un coin différent de la pièce. Sur un geste de Sam, Larry se dirige vers son bureau et en ressort avec un autre insigne. A-t-il été promu? Il paie une dîme et quelques cents (Réf. : 29.12.46, Fritz REDL).

Depuis la dernière observation, le club s'est modifié bien des fois. Plusieurs enfants ont été acceptés puis chassés! Sam est encore le chef. Les gosses ont rassemblé tous les vieux matelas et les couvertures usagées qui se trouvaient dans le grenier et ont monté une sorte de tente dans la salle de veillée pour les activités du club. Ils l'utilisent pour des raisons illégales : cacher le butin volé ou se tapir quand ils quittent leur lit en cachette. Nous les y trouvons seuls ou par deux, pelotonnés dans la position fœtale, feignant de dormir en attendant notre arrivée. Le fait étonnant est qu'ils finissent toujours par s'y réfugier après nous avoir forcé à les chercher à travers la maison. C'est leur lieu de reddition, où ils deviennent passifs et sans force. Il symbolise l'utérus du groupe. Certains caractères négatifs, tels que les difficultés d'organisation et le refus de suivre le règlement, nous invitent à briser le club. Ce n'est pourtant pas un facteur négligeable dans la formation du groupe. Il nous aide parfois dans la réalisation de notre programme, si bien que nous le gardons et que nous lui fournissons même des maté-

riaux tels que des couvertures et des draps (Réf. :
30.12.46, David WINEMAN).

Le problème n'est parfois pas tant de tolérer les manifestations pathologiques et les actes délinquants que de
trouver le moment où les désappointements, les colères et
les frustrations des enfants sont utilisables cliniquement
afin de leur montrer les limites de leurs projets.

> Ce soir, les garçons sont très excités par notre projet
> de jardinage que nous venons juste de commencer
> après le dîner. Nous avons délimité les carrés de terre
> et les enfants ont tous accepté les limites données. Mike
> a particulièrement bien retourné son terrain. Je lui
> explique que nous allons acheter des graines et je lui
> demande ce qu'il aimerait planter. « Des New Jerseys »
> me répond-il. Je finis par comprendre qu'il s'agit de
> capucines, le garçon m'en ayant parlé quelque temps
> auparavant. C'est un jardinier enthousiaste et il fait
> des plans grandioses pour l'avenir. Sur ces entrefaites,
> ses camarades nous rejoignent pour réclamer pelles,
> râteaux et pioches. Ils se mettent tous à creuser éner-
> giquement. Larry imagine déjà les bénéfices qu'il
> pourra tirer en vendant ses produits sur le marché.
> Cela frappe l'imagination du reste du groupe qui tra-
> vaille de plus belle. Le soir tombé, les huit sont encore
> à la tâche et il n'est pas facile de leur faire quitter
> les lieux pour mettre leurs pyjamas et prendre leurs
> sandwichs. A l'heure du coucher, ils discutent encore
> pour déterminer les associations à faire en vue de la
> vente des fleurs. Une douzaine de projets voient ainsi
> le jour puis s'évanouissent, car les opinions divergent
> sur les bénéfices à faire. Tout ceci à cause de cinq
> petits carrés de terre qui ne sont même pas bêchés!...
> (Réf. : 9.5.47, Emily KENER).

Le matin suivant...

> Quand j'arrive à 7 heures 45, je trouve une véri-
> table ruche en activité. Dès l'aube, les gosses ont
> chipé tous les morceaux de charpente qu'ils ont pu
> trouver. Au garage, ils ont découvert un tas de planches
> datant des derniers travaux dans la maison. Ils ont
> même « écumé » les allées derrière les magasins Kroger
> pour y découvrir de vieilles boîtes. Ils construisent
> des boutiques de fleuristes! Dès qu'ils m'aperçoivent,
> ils m'assaillent de suggestions, me demandent des
> conseils pour les constructions. Ils veulent davan-
> tage de clous, de marteaux, etc. L'ampleur de leur
> projet me décourage un peu, car les jardins ne sont

pas encore semés et ils ne paraissent pas vouloir attendre que cela pousse. Durant trois heures, je me lance cependant avec eux dans des travaux de menuiserie et, jusqu'au lunch, ils dépensent une énergie inhabituelle pour réaliser leurs boutiques. Comme la nuit dernière, les tractations et les combinaisons se créent et se dissolvent. Des sous-groupes hostiles ainsi que les disputes individuelles commencent à apparaître, mais l'état d'esprit demeure excellent à l'heure du déjeuner. Personne n'a encore réalisé qu'une affaire ne peut pas démarrer sans marchandise à vendre! (Réf. : 10.5.47, David WINEMAN).

Le manque de réalisme de ces enfants les conduit inévitablement à des frustrations et à des réactions hostiles. Le lecteur se demande sans doute comment nous pouvons faire pour les contrôler. Dans notre observation, les stands étant montés et l'enthousiasme étant aussi débordant, il nous est facile de restructurer la situation afin de leur faire vendre de la limonade au lieu de fleurs. Si nous l'avions suggéré durant la réalisation du projet, nous aurions risqué de supprimer l'intérêt. Ils nous auraient sans doute accusé de les empêcher de s'amuser. Il est beaucoup plus astucieux d'attendre la fin des chantiers puis d'orienter leurs activités.

Les concours, très populaires, avaient particulièrement la faveur de notre groupe. Un soir, au dîner, Larry, dont les fantasmes étaient toujours centrés sur l'idée d'accumuler de grandes richesses, nous parla du concours que Pepsi-Cola avait alors lancé. Il l'avait entendu dire à l'école et son imagination était enflammée. Les autres enfants n'étaient pas aussi enthousiastes, mais ils finirent par subir la contagion de Larry et réclamèrent des imprimés pour réaliser ce concours. Comme Larry nous expliqua qu'on pouvait s'en procurer chez n'importe quel vendeur de Pepsi, il fut décidé que nous irions en chercher après le dîner avec la voiture. Le vendeur une fois trouvé, il nous fallut aller d'établissement en établissement pour collecter des capsules de bouteilles. L'épreuve consistait en effet à composer quelques vers sur le Pepsi-Cola, puis à les envoyer dans une capsule. Cela occupa valablement plusieurs de nos soirées.

Nous savions qu'une telle activité allait soulever bien des problèmes. Des conflits entre sous-groupes seraient inévitables, des disputes éclateraient à propos de questions d'argent. En nommant certains enfants responsables, nous risquions d'en écarter d'autres. Fatigues, désappointements, ennuis ne pourraient pas toujours être évités. Nous nous trouvions cependant dans l'un des cas où le clinicien doit prendre sa décision en tenant compte de l'ensemble du traitement. Cette entreprise était une expérience collective qui avait soulevé enthousiasme et intérêt mutuels. C'était alors si dur à faire naître que cela valait toutes les peines et toutes les angoisses subies.

La deuxième technique susceptible de créer un intérêt vient plus directement de l'adulte. Dans les périodes de bonnes relations, l'humeur et le comportement du responsable ont un pouvoir de contagion sur le groupe. Même s'il existe des sentiments hostiles entre l'adulte et le groupe, des manifestations d'enthousiasme de la part du responsable peuvent devenir si contagieuses qu'elles suppriment l'agressivité ou la crainte et relancent l'activité en cours. Certains éducateurs sont plus doués que d'autres dans ce domaine, et c'était vrai pour notre personnel. Plutôt que d'essayer de rivaliser, chaque adulte doit connaître ses possibilités et ses limites dans le programme d'un groupe donné et se faire aider par ses collègues. L'une de nos éducatrices, Barbara Smith, exerçait, par exemple, une influence presque magique sur les enfants par son amour étonnamment contagieux de la musique. C'était sans doute le résultat du plaisir qu'elle éprouvait elle-même, de l'enthousiasme avec lequel elle mettait les disques, de ses efforts conscients pour utiliser les techniques que nous avons précédemment mentionnées. C'est ainsi qu'elle « cultivait » soigneusement le souvenir des chansons entendues, en les nommant, en les chantonnant sur le chemin de l'école, durant les repas et à de nombreuses autres occasions. C'était à travers sa « contagion des intérêts » que nos Pionniers parvenaient à un comportement qui n'était pas conforme à l'ensemble de leurs vies chaotiques. La description de leur visite à la loge de Burl Ives (célèbre chanteur américain) nous paraît encore incroyable, si nous comparons ces enfants à ce qu'ils étaient alors le reste de la journée.

Nous eûmes quelques difficultés à trouver l'entrée de la loge. Il nous fallut patienter quelques minutes, mais les gosses acceptèrent étonnamment bien cette frustration. Ives était assis dans sa loge et nous accueillit jovialement. Ils l'entourèrent et lui dirent combien ils avaient aimé ses chants. Andy lui offrit une carte où Emily avait écrit : « de la part d'Andy à Burl Ives. » Ives l'accepta avec plaisir. Bill et Larry lui remirent immédiatement leurs Roy Rogers et leurs boutons de Trigger, Mike un buvard parfumé. Ives reçut tout cela avec amabilité et reconnaissance. Il les remercia tous et, comme il ne connaissait pas leurs noms, Danny présenta tous ses camarades. Ives leur proposa quelques grappes de raisin. Larry commença à refuser puis finit par accepter trois ou quatre grains. Mike, me semble-t-il, en prit aussi quelques-uns mais tous les autres déclinèrent l'offre poliment. Barbara Smith avait été retardée; elle arriva alors avec le recueil des disques d'Ives. Ils lui demandèrent de le dédicacer. Il demanda ce qu'ils voulaient qu'il écrivît et ils lui répondirent : « aux Pionniers, de la part de Burl Ives. » Après qu'il eut inscrit cela, ils le prièrent d'ajouter « Hello à Emily Kener », ce qu'il fit. D'autres personnes envahissaient la pièce et il nous fallut partir (Réf. : 17.4.48, Bob CASE).

Il est essentiel de comprendre qu'aucune de ces techniques n'a de valeur prise isolément. Il faut généralement les associer. L'un de nos éducateurs, Joel Vernick, était particulièrement doué pour créer par lui-même une contagion des intérêts. En combinant ce don avec des techniques telles que « stimulation par les objets », « préparation des intérêts », il lui était possible d'amener les enfants à s'enthousiasmer pour des activités qui ne pouvaient pas être organisées par les autres membres du personnel. Il faut, bien sûr, être prudent dans l'utilisation de semblables techniques. Il ne serait pas raisonnable de vouloir tromper les enfants grâce à des « trucs » ou grâce à son charme personnel, afin de les amener à se « dépasser ». Dans certains cas, cependant, il est possible de stimuler ainsi leur Moi.

Ces derniers jours, j'ai lancé toute une propagande au sujet des voitures à réaction que nous sommes en train de faire. J'ai prévenu les enfants que cela serait dur à construire, mais je les ai assurés de la réussite. Je les ai avertis également qu'ils ne pourraient pas les fabriquer en une journée. « La mienne est toute faite, leur ai-je dit, vous la verrez ce soir. » Ils me demandent sans cesse quand je la leur apporterai et je leur promets de la montrer au moment du snack. Après qu'ils aient mis leurs pyjamas, je me décide à leur faire voir la voiture. Je la mets dans une boîte en carton, j'attache une carte sur laquelle j'écris le mot « LE PIONNIER » au crayon rouge, puis recouvre le tout d'un mouchoir coloré. Je demande à Bob Case d'assister au spectacle. Il entonne un air de fanfare pour préparer mon entrée, puis Barbara commence à jouer une marche nuptiale. J'avance très lentement en tenant en l'air la boîte de carton. Les garçons se précipitent tous vers moi, impatients de voir la voiture. Ma mise en scène a manifestement réussi. Je dépose la boîte sur le sol, puis, d'une manière très solennelle, je réclame le silence. Quand ils sont tous tranquilles, je fais la déclaration suivante : « Mesdemoiselles et Messieurs, j'ai le grand plaisir de vous présenter « LE PIONNIER », puis j'enlève le mouchoir. Les minutes qui suivent sont bien difficiles à décrire. Ils sont figés d'étonnement. L'objet ne ressemble cependant pas à ce qu'ils avaient prévu. « Quel petit truc! » dit Andy soutenu par Danny. Je leur explique que cela peut réellement marcher, puis je leur laisse tenir la voiture pendant quelques secondes. Ce sont des gloussements de joie lorsque je la fais rouler à travers la pièce (Réf. : 15.11.47, Joel VERNICK).

Durant le dîner, Paul et moi nous demandons aux garçons s'ils désirent commencer la fabrication des voitures. Nous les avertissons qu'ils devront tailler leurs propres modèles à partir de celui que j'ai réalisé. Ils acceptent tous avec joie. Après le souper, je leur explique que, s'ils sont prêts à travailler, ils peuvent descendre à l'atelier où je leur apporterai immédiatement le matériel nécessaire. Mike, Danny et Andy travaillent presque tout seuls. C'est Mike qui révèle le plus de capacités. Il n'arrête pas de bricoler, alors qu'Andy déclare très vite en avoir assez. Danny doit aller se faire soigner la jambe par Emily et quitte le local. Quand il est l'heure de partir, il est presque temps de mettre les pyjamas.

Andy semble maintenant capable de faire des fautes sans en rejeter la responsabilité sur le matériel et sans tout lancer aux alentours. Ce soir, à plusieurs reprises, je lui ai dit qu'il fallait recommencer et il a simplement demandé où était le bois. Ils sont tous excités par ce projet qui marque une nouvelle étape dans la réalisation du programme. Nous n'avions jamais encore essayé de commencer un travail qui ne pouvait pas être terminé dans la même soirée. Je les ai prévenus que rien ne pourrait être fini ce soir mais je m'attends à des résistances au moment de stopper l'activité. Rien de tout cela ne se produit (Réf. : 17.11.47, Joel VERNICK).

13. Élargissement des cadres de l'expérience.

Dès le début de notre chapitre, nous avons souligné combien il était important de commencer là où en sont les enfants, d'éviter les situations ou les tâches trop compliquées pour être acceptées par eux. Nous pensons en particulier aux activités qui exigent un contrôle des impulsions, qui stimulent au-delà de ce que leur Moi peut supporter. Notre ligne de conduite est en fait entièrement axée par rapport à cette direction. L'hypothèse qui sous-tend cette façon de voir est la suivante : lorsque le Moi est confronté avec des situations et des tâches connues et maîtrisables, il peut acquérir une capacité de contrôle qui renforce par elle-même ses possibilités futures. Le lecteur peut penser que nous avons surestimé cette partie du problème, au moins dans les premières observations de ce chapitre. Ce point n'est évidemment pas le seul dont nous devons tenir compte. En fait, l'usage exclusif de techniques destinées à soutenir le Moi limiterait notre champ d'action. Nous aimerions souligner que le Moi peut être aidé d'une façon tout à fait différente : en le confrontant avec des stimulations réelles qui ne dépassent pas trop ses possibilités de contrôle et en lui offrant parallèlement notre appui. En réalité, c'est grâce à nos pires erreurs que nous avons découvert l'effet bienfaisant de la « technique du défi ». Il nous est arrivé, par exemple, d'exposer nos jeunes à une portion du programme manifestement trop difficile, ce qui ne tardait pas à provoquer des réactions hostiles. Malgré les énormes difficultés auxquelles il nous fallait alors faire face, nous avons eu la surprise de constater des résultats étonnants : l'expérience apparemment catastrophique, sauvée tant bien que mal grâce à des efforts acrobatiques, devenait l'une des choses dont les gosses « se rappelaient ». Son simple souvenir avait un effet positif, contribuait à souder le groupe, renforçait la morale collective. Notre tâche ne se limite donc pas à la recherche de ce qui peut être offert au Moi en toute sécurité. Il faut découvrir la « marge de tolérance » qu'il peut supporter, compte tenu de l'aide apportée.

Dans certaines conditions, réussir à vaincre un « défi »

peut avoir plus de valeur que parvenir à réaliser correctement une tâche.

Très empiriquement, grâce à des situations qui étaient dues davantage à la chance qu'à nos propres efforts, nous avons été amenés à élargir les cadres de l'expérience. Nous avons lancé une série d'activités dont le niveau était nettement au-dessus des possibilités actuelles des enfants, mais qui pouvaient être supportées en les organisant soigneusement. Parfois même, impressionnés par les potentialités contenues dans l'expérience, nous prenions simplement nos risques.

Nous sentions que nos jeunes avaient besoin d'être engagés dans certains types d'activités que toutes les communautés et tous les peuples offrent aux gens sur une grande échelle. Nous savions que cela pouvait nous fournir des moyens de mieux structurer les journées, en particulier les longs week-ends et les jours de congé. Nous pensions que des sports tels que le hockey, activité chargée d'agressivité et exigeant une grande rapidité, combleraient ce besoin. L'observation suivante en est une illustration :

Durant l'heure du breakfast, j'essaie de les décider à assister à une partie de hockey, mais j'ai peu de succès. Ils veulent faire du patin à roulettes et je n'insiste pas. Dans la soirée, Henry est le seul qui refuse de s'y rendre. Nous lui expliquons que la maison sera fermée ce soir et il accepte de nous suivre à la condition de ne pas être obligé d'entrer. Le reste du groupe manifeste son intérêt durant le spectacle. Larry est assis près de moi. Il est sorti de la maison à la dernière minute. Sa figure est toute barbouillée; avec sa chemise à demi sortie et son pantalon déchiré il ressemble à l'un des personnages des romans de Dickens. Il ne comprend guère le jeu, mais il l'interprète selon ses fantaisies. Il acclame d'abord le drapeau rouge, mais, l'équipe de New York marquant un point, il lui accorde très vite sa faveur pour applaudir finalement la première équipe « qu'il a toujours préférée ». Son principal intérêt est de balancer sa chaise ou de ramper autour d'elle. Comme les autres crient, il se met brusquement à hurler et ressemble de plus en plus à un petit voyou. Confronté avec tant de choses qu'il ne comprend pas, il semble régresser à son niveau le plus infantile. Par amitié pour Joel, Sam est avec New York dès le début. A une ou deux reprises, il devient difficile, court à travers le stade, va fumer aux toilettes, mais reste la plupart du temps fasciné par le jeu. Sa préférence va à l'un des joueurs. Danny insiste pour avoir immédiatement un cornet de maïs grillé (il n'a pas soupé). Tout en mâchonnant son maïs, il fixe intensément du regard comme s'il était proche de la colère ou profondément intéressé. Henry observe le jeu, erre de-ci de-là, se fait rappeler à l'ordre à plusieurs reprises pour s'être traîné par terre, mais n'insiste pas lorsque j'élève la voix. Joe est assis près d'Emily. Excepté les moments où il court à travers le stade, il regarde avec attention et applaudit particulièrement un joueur. Le comportement d'Andy ne présente rien de spécial. Après la partie, les garçons se précipitent pour voir les joueurs. Joe est le seul qui reste près d'Emily. Il semble avoir peur de se perdre. Ils retournent finalement tous ensemble au parking (Réf. : 28.12.46, Fritz REDL).

L'une des tâches les plus importantes d'un programme est évidemment d'aider les jeunes à élargir leurs propres objectifs. Individuellement et en équipe, il faut qu'ils soient finalement capables de se mêler à d'autres groupes ou même de « recevoir » dans leur propre maison. Voici un exemple montrant comment nous sommes parvenus à mener à bien de tels projets.

Les garçons ont organisé durant toute la semaine notre réunion d'aujourd'hui. Pendant les préparatifs, la conduite du groupe fut irréprochable. Ils aidèrent à nettoyer et à décorer la salle de veillée et n'insistèrent pas pour se charger des tâches qu'ils ne pouvaient pas encore assumer, par exemple faire le punch. Nous avons dix invités au total. La moitié d'entre eux est constituée par les parents des Pionniers, l'autre moitié par des amis d'école ou de camp. Bien que les différences d'âge et de connaissances ne permettent pas de véritables interactions, l'atmosphère devient tout de suite agréable. Bob Case et Joel Vernick (éducateurs) facilitent les entrées en contact en lançant quelques jeux tels que le « ramassage de bâtons » et les cartes. Bob organise ensuite des jeux plus structurés tels que les « chaises musicales ». Les Pionniers sont merveilleux. Sauvagerie, grossièretés et gestes obscènes sont totalement absentes. On pouvait s'attendre à ce qu'Andy soit difficile, sa girl friend l'ayant laissé tomber, mais il contrôle son désappointement. Nous pensions que Larry se replierait sur lui-même, mais il reste au contraire présent, participe activement aux différentes phases de la réunion. Bill se précipite vers la fillette qu'il a invitée, la promène à travers la maison, mais il n'y a rien à redire sur son comportement. Après les jeux intérieurs et les rafraîchissements, quelques compétitions athlétiques sont organisées. Nos Pionniers, habituellement si agressifs, rentrent leurs griffes, dès qu'un problème se présente. C'est vrai non seulement pour les disputes entre invités et Pionniers mais entre les garçons eux-mêmes. Il semble que l'atmosphère positive de la réunion les soutienne dans les moments où ils ne seraient pas capables de bien se comporter en d'autres circonstances (Réf. : 20.3.48, David WINEMAN).

Durant notre travail, nous recevions constamment la critique de « surprotéger » les jeunes et de trop « les isoler du reste de la communauté ». Tout en connaissant les raisons de notre attitude, notre manière d'agir a parfois été influencée par ces reproches qui nous amenaient occasionnellement à décider d'exposer plus tôt les jeunes à des situations nouvelles. Il nous est, par exemple, arrivé de prendre des risques, tels que d'accepter l'offre de visite que nous proposait un membre du conseil d'administration, propriétaire d'une ferme. Tout en nous préparant à faire face le mieux possible aux situations d'urgence, nous tremblions à la pensée des ennuis qui apparaîtraient sans doute. Nous prenions cependant nos risques. Cela se terminait parfois tragiquement, mais parfois l'issue était fort heureuse. En voici un exemple :

L'après-midi et une partie de la soirée furent passées à la ferme de l'une des membres du Conseil d'administration de Pioneer House. Les garçons errèrent d'abord çà et là, puis se réunirent bientôt dans la grange pour grimper, sauter, etc. De temps en temps, ils étaient rejoints par les enfants de notre hôte, un garçonnet de 11 ans et une adolescente. Avant de fixer leurs intérêts sur la grange, bien des garçons étaient allés dans la maison principale pour y utiliser les toilettes. Ils s'étaient très bien comportés et n'avaient pas enfreint les recommandations du propriétaire qui leur avait demandé de ne pas rester dans les salles que l'on venait juste de repeindre. C'était pourtant une bien grande tentation pour nos Pionniers! Dans la grange, juchés sur les barges de paille, ils étaient dans leur élément et exécutaient toutes sortes d'acrobaties. Ils s'en allèrent ensuite se promener à travers champs. Mike cueillit quelques fleurs et les offrit à son hôtesse pour la décoration de la table. Danny fit de même. On pique-niqua à l'extérieur sur de longs tréteaux. Dave Wineman, qui nous avait accompagnés, et moi-même nous attendions anxieusement la suite des événements. Nous étions prêts à intervenir « antiseptiquement » durant le souper, sachant que nous testerions alors leurs véritables possibilités de contrôle. Le repas se déroula sans incident et nous étions étonnés de voir que le groupe savait se conduire de la façon la plus conventionnelle. Il y eut un instant de « suspense » lorsque Mike demanda à Andy : « où est le sel? ». Nous attendions avec inquiétude la réponse à cette question. Toutes les fois, en effet, qu'un Pionnier demandait à un autre où se trouvait quelque chose, il était d'usage de répondre par une expression d'origine mystérieuse : « up Moe's ass and down Jake's dicks [17]. » A la question : « où est ceci ou cela? » on était sûr d'avoir cette réplique. Nous avions de bonnes raisons de croire qu'Andy serait particulièrement tenté d'utiliser aujourd'hui cet idiotisme. Mais, merveille des merveilles, le garçon nous surprit. Souriant diaboliquement à Mike, il se leva puis, imitant parfaitement les manières d'Arrow Coller, il ramassa la salière, s'inclina légèrement et la tendit à Mike en disant seulement « Moe ». De la même façon, Mike s'inclina légèrement, prit la salière et répondit « Jake ». Cela déclencha l'hilarité des autres gosses qui se mirent à prononcer des « Moes et Jakes » à qui mieux mieux (Réf. : 21.6.47, Pearl BRUCE).

14. PARTICIPATION ACCRUE AU PROGRAMME.
INTERPRÉTATION DES SITUATIONS VÉCUES.

Penser que des enfants inadaptés soient capables de participer à l'organisation de n'importe quelle activité ou de s'asseoir après un événement afin d'évaluer ce qui vient d'arriver serait commettre une grave erreur de jugement. En raison de la nature même de leurs troubles, la préparation d'un programme ou l'interprétation de situations vécues risque de devenir trop complexe, trop stimulante ou trop chargée d'éléments frustrants. Il n'y a guère de points communs entre le programme institué pour nos enfants et celui que nous conseillerions pour un mode d'éducation actif et démocratique. Après avoir traité les premiers troubles et renforcé leur peu de Moi, la participation accrue aux activités et l'interprétation des situations vécues peuvent avoir un énorme effet de soutien. Il faut, bien sûr, commen-

17. Expression absolument intraduisible en français (note du traducteur).

cer avec un très petit nombre d'enfants. L'adulte doit rester à l'affût des plus légères occasions qui peuvent se présenter afin d'élargir l'étendue des expériences, tout en garantissant que la structure même de l'activité demeure intacte. En fait, la participation peut être fort mince : faire une suggestion, jouer un petit rôle dans un jeu ou dans une réalisation artistique. Cela peut se limiter au choix d'une couleur, à l'utilisation d'une scie, sans véritable création personnelle. Dès que nos Pionniers purent commencer à participer à l'organisation d'une activité, le groupe prit un aspect plus normal durant la réalisation du travail fixé. De tels moments nous prouvaient que nos jeunes s'amélioraient.

De la même façon, en profitant d'un événement pour s'asseoir et en discuter, nous faisions apparaître de nombreux moyens de renforcer le Moi. Succès aussi bien qu'échecs pouvaient être employés pour parvenir à de tels buts, l'interprétation de la situation se limitant parfois à souligner la structure de l'activité. Cela pouvait être aussi simple que de dire à un jeune : « Tout cela est bien, mais comment l'avez-vous fait? » Si un responsable arrivait au cours d'un jeu, il pouvait seulement demander : « Cela paraît un jeu épatant, comment y jouez-vous? », forçant ainsi l'enfant à redécouvrir les éléments de base, à décrire l'activité, à faire quelques remarques à son sujet. Plus tard, il nous fut possible de compliquer la manière d'opérer. Si une activité, qui avait d'abord paru excellente, se désorganisait, nous réunissions les enfants ou nous avions avec chacun d'eux un ou deux entretiens, afin de préciser ce qui s'était passé. « Vous avez eu du plaisir jusque-là. Que se passe-t-il donc à présent? » Tenter d'évaluer totalement ou partiellement l'échec supposait évidemment que nous ayions rendu le Moi capable de faire face à l'anxiété, l'impatience ou l'agressivité nées de la défaite, de supporter l'arrêt, d'accepter l'idée de discuter. Ceci étant fait, la discussion d'une expérience vécue nous fournissait des moyens nouveaux d'accroître les forces du Moi, l'enfant apercevant son erreur.

Il nous semble que cette technique ne doit pas être réservée aux cas d'urgence où le clinicien sent la nécessité de parler de ce qui vient de se dérouler. Il faut pouvoir évaluer sa portée, des erreurs en quantité, en dosage, en durée pouvant tourner au désastre. Les discussions peuvent être centrées sur des sujets tels que le règlement de la maison, l'apaisement de disputes, les luttes pour des responsabilités, les questions d'argent, etc.

Sur le chemin de l'école, les garçons se chamaillent pour savoir qui s'installera sur le siège avant. Danny donne une claque à Andy et l'appelle par un vilain nom, puis nous accuse de toujours laisser les « autres bâtards » sur la place de devant. « Que le premier garçon arrivant devant la voiture monte à l'avant », suggère-t-il. Je sais que Danny se débrouillera toujours pour être le premier et je ne veux pas accepter la suggestion. Je propose d'organiser un tour, chacun des enfants étant alternativement premier, second, etc. Le projet est accepté après quelques marchandages et nous déterminons qui sera le premier aujourd'hui (Réf. : 4.1.47, Vera KARE).

Au dîner, nous avons une discussion pour savoir qui servira le dessert. Chacun veut l'apporter et être le « cuisinier ». Un sous-groupe s'organise immédiatement. Andy, soutenu par son fidèle esclave Bill, réclame la responsabilité. Mike, voyant ainsi un moyen de s'intégrer dans l'équipe de Bill et d'Andy, applaudit au plan, tout en insistant pour être le deuxième. Cela convient à Andy, mais déplaît à Bill qui vise aussi cette seconde place. Danny commence à devenir menaçant et Larry lance un solide « la ferme! ». La situation commence à se gâter. Elle est sauvée de justesse par Joel (éducateur) qui propose fermement d'organiser un système de tours. Il sort précipitamment, revient avec papier et crayon, trace les colonnes en un éclair puis inscrit les noms des enfants. Un seul problème demeure : quel ordre adopter? L'ingénieux Danny suggère l'ordre alphabétique (il sera le premier). Il est immédiatement interrompu par Andy qui propose de commencer par la fin (il sera ainsi en tête de liste). Craignant une dispute, Joel décide que le dessert sera servi ce soir par un éducateur. Demain commenceront les tours. L'ordre alphabétique est finalement adopté en décidant de commencer par les dernières lettres. Andy sera donc le premier mais Danny peut accepter cela puisqu'il sait qu'Andy ne servira pas ce soir. La victoire de l'autre camp n'est pas complète (Réf. : 1.8.47, David WINEMAN).

Avant le dîner, Bill se précipite dans mon bureau. Il paraît tout excité. « Hé! Dave, me dit-il, préparez-vous à payer mon cerf-volant que Ship (le chien de Pioneer House) a déchiré, celui d'Andy aussi! » Je réponds : « C'est d'accord, nous discuterons de tout

cela après le dîner. » Après le repas, nous avons donc
« une discussion d'affaire » dans la salle de veillée. Elle
avait été déjà bien préparée par le groupe qui avait
souligné en mangeant la méchanceté de Ship. J'ouvris
le débat de la façon suivante : Ship était le chien de
tout le monde, de Pioneer House et des garçons. Nous
étions tous un peu responsables de ce qui venait de se
passer. Il y eut bien quelques tentatives pour réfuter
cet argument, mais elles s'évanouirent rapidement et
je pus continuer. Ma proposition était la suivante :
pour tout dégât causé par Ship, Pioneer House assu-
merait 50 % des responsabilités. Le groupe prendrait
les 50 autres pour cent à partager entre eux cinq.
Larry fit deux objections :
1º Il fallait payer sans en tirer forcément un bénéfice.
2º Un tel projet risquait de coûter beaucoup d'argent
dans le cas de dommages importants.
Je répondis à la première objection de la façon suivante : si le plan était adopté, un bénéfice serait toujours possible puisque toutes les parties se porteraient
garantes malgré la destruction de l'objet.
Je me rendis à la deuxième objection et j'établis
un plafond de 50 cents, les objets dépassant ce prix
devant être assez protégés pour être hors de danger.
Larry commença à gémir, en prétendant que je ne
comprenais pas sa position. Danny soutint son camarade, mais ne fit pas de commentaire personnel. Il
passa un bon moment caché derrière son illustré, tout
en suivant chaque détail de la discussion. Mike, le
garçon dont Ship avait mangé la corde du cerf-volant,
était à présent consolé et devenait le défenseur du
plan proposé ainsi qu'Andy et Bill. La discussion abou-
tissait finalement à une impasse, Danny et Larry
refusant le projet et le trio le soutenant. Je fis alors une
suggestion. Mike, Bill et Andy pouvaient former un
groupe de trois, Danny et Larry prenant de leur côté
une assurance individuelle. Dans le cas de dégâts
commis sur leurs propres affaires (jusqu'à 50 cents),
nous paierions la moitié des frais et chacun d'eux
l'autre moitié. Le trio accepta et je commençai à déses-
pérer de décider les deux autres lorsqu'ils se rangèrent
brusquement à notre avis. La conclusion fut la suivante : Mike, Bill et Andy seraient payés ce soir.
J'avancerais 3 cents sur l'acompte de chacun d'eux
afin de régler le montant total qui s'élevait à 30 cents.
15 cents seraient ainsi payés par le groupe, les 15 autres
étant donnés par Pioneer House (Réf. : 23.2.48, David
WINEMAN).

A certains moments, le programme lui-même conduit
logiquement à des réunions préparatoires.

Après le dîner, Dave annonce qu'il a quelque chose à dire. S'ils le désirent, les garçons pourront organiser une réunion avec des camarades venus de l'extérieur durant l'après-midi de samedi prochain. Des cris de joie saluent cette proposition et chacun s'interroge pour savoir qui seront les invités. Mike déclare qu'il veut proposer à ses parents de venir. Andy veut inviter Connie. Bill demande s'il peut amener des filles, ce qui lui est confirmé par Dave qui propose cependant de limiter le nombre d'invités à deux par garçon. Ils crient tous les noms des garçons et des filles qu'ils veulent faire venir. Dave suggère alors d'établir une liste de jeux auxquels ils aimeraient participer. Les gages avec baisers sont fort demandés. Après avoir discuté un moment, je les invite à sortir du réfectoire pour se rendre à la salle de veillée où nous aurons plus de place. Larry et Danny se vautrent par terre tout en écoutant la radio. Bill et Andy s'assoient sur une chaise et lisent des illustrés, tandis que Mike se tortille sur le plancher. La majorité de la discussion se poursuit entre ces trois derniers garçons. Après les jeux, le problème de la nourriture est soulevé. Les trois enfants ont de bonnes idées. Bill demande si nous pourrions les amener prendre à l'extérieur des ice-creams sodas à la fin de la réunion. De temps en temps, les garçons lancent quelques mots sur ce qu'ils feront avec « leurs filles ».

La discussion fut l'une des plus fructueuses de toutes celles que j'ai vu faire avec notre groupe. Au début, quand nous essayions d'entamer un débat, nous nous heurtions au silence, à l'hostilité ou aux plaisanteries. La réunion d'aujourd'hui montrait les progrès réalisés. Les suggestions étaient adoptées. Les conversations sexuelles sur leurs amies étaient réduites au minimum. Il n'y avait aucune dispute au sujet des jeux ou de la nourriture. Chacun disait ce qui lui venait à l'esprit et Dave entérinait la décision ou expliquait pourquoi elle ne pouvait pas être acceptée (Réf. : 15.3.48, Joel VERNICK).

RÉSUMÉ

Nous savons combien notre étude demeure incomplète. Les différentes techniques décrites ont encore besoin d'être approfondies et repensées. Nous avons voulu souligner avec force que le programme n'était pas seulement le « bouche-trou » placé entre les entretiens psychiatriques. Il joue lui-même un rôle thérapeutique important. Il serait d'ailleurs bien artificiel de séparer l'action du programme des autres facteurs. Le meilleur horaire, le programme le mieux adapté seraient inutiles, voire nuisibles, si les relations entre l'adulte et l'enfant étaient médiocres, si l'atmosphère de l'établissement était défavorable au traitement ou si le système pédagogique était entaché de fautes graves. Nous devons cependant étudier séparément le programme afin de préciser son importance, tout en soulignant que son emploi reste lié à tous les autres aspects du traitement. Aussi bien pour évaluer le succès ou l'échec d'une activité que pour tenter de découvrir pourquoi certaines expériences pouvaient être tolérées alors que d'autres ne l'étaient pas, nous avons continuellement ressenti la nécessité de recherches plus approfondies. La plupart de nos évaluations ont une base limitée, mais elles ont tout de même une base. A notre connaissance, il n'y a encore eu aucune recherche faite dans cette direction. Non seulement, il serait nécessaire de pouvoir disposer de sommes considérables d'argent et d'un personnel nombreux et diversement spécialisé, mais il faudrait encore créer de toutes pièces de nouveaux outils de recherche. Peu de gens seraient d'accord avec nous pour que ces études aient la priorité sur de nombreuses autres. Pourtant, les résultats seraient directement accessibles aux internats, quels que soient l'âge des enfants, l'importance de leurs troubles. Nous espérons que cette première tentative d'utiliser cliniquement le programme sera reprise par d'autres que nous afin que ce travail puisse être approfondi.

Chapitre III

Techniques en rapport avec la manipulation du comportement extérieur

Dans la pratique psychiatrique traditionnelle, le clinicien cherche avant tout à provoquer des améliorations qui prennent beaucoup de temps à apparaître. Plutôt que de s'attaquer à la conduite elle-même, il part des problèmes profonds et remonte à leurs sources. Il s'impatiente si l'éducateur ou les parents l'ennuient par des questions telles que celle-ci : « Que dois-je faire si Tommy se met à battre son petit frère? »

Les personnes vivant avec l'enfant, parents, instituteurs, travailleurs de groupe, moniteurs et plus spécialement éducateurs d'internat ont une position bien différente.

Directement au contact de sujets dont les manifestations indésirables, pathologiques ou dangereuses les assaillent, contraintes de protéger le groupe des symptômes d'un seul, elles acceptent difficilement des buts thérapeutiques fascinants mais lointains. A la question « comment dois-je l'empêcher d'agir ainsi? », elles désirent une réponse immédiate et supportent mal d'écouter des élaborations cliniques.

Durant cette dernière décade, un grand progrès a cependant été accompli dans ce domaine, en particulier grâce au développement intensif de l'hygiène mentale. On sait à présent que les deux positions ne sont pas inconciliables. Les contradictions apparentes proviennent des limites et des particularités d'études de l'un et l'autre champ. Il existe de nombreuses raisons de penser qu'il apparaîtra progressivement un rapport étroit entre le travail clinique et les méthodes psychiatriques d'une part, la tâche journalière de l'éducateur d'autre part.

Dans notre travail, il nous faut combler le fossé qui existe entre les « techniques éducatives simples » et la « recherche clinique des causes ». Pour l'instant, le clinicien qui se trouve face à des groupes spontanés ou artificiels d'enfants inadaptés, soit en clubs, soit en internats spécialisés, ne peut plus ignorer les interventions extérieures. Il lui faut préciser les influences de ces interactions, compte tenu de la notion d'antisepsie clinique. Tout en sachant combien ces notions doivent être encore étudiées, nous pensons que nous pouvons nous mettre d'accord sur les points suivants.

1. Le clinicien doit admettre que celui qui est en prise avec le comportement extérieur rencontre de grandes difficultés, les implications techniques de ce problème dépassant celles de la psychiatrie. C'est toute la question des interventions immédiates, de la manipulation et de la résolution des symptômes. Quel que soit le but thérapeutique désirable, il existe de nombreuses circonstances où la conduite des enfants exige une intervention immédiate pour des motifs de sécurité. Par exemple, même si un garçon doit pouvoir exprimer ses tendances sadiques, l'éducateur responsable de la protection de tous les autres l'empêchera d'arracher les yeux d'un camarade. Même si une fillette, à un certain moment de son développement, a

besoin de s'échapper des pressions créées par les conditions d'existence, on peut être amené à résoudre non le problème de savoir comment traiter ses troubles profonds mais comment la réintégrer dans son groupe si elle refuse de quitter son siège au cinéma alors que tout le monde rentre à la maison. Il nous faut tenir compte des conséquences de la contagion psychique du groupe. Malgré nos précautions, un groupe d'enfants peut atteindre en une minute un niveau d'excitation qu'il ne nous est pas possible d'accepter. Dans ce cas, le problème de l'éducateur est de stopper à temps le comportement de l'enfant le plus déchaîné, afin d'éviter la contagion et le désastre ou de créer une opposition à sa conduite en réunissant en un bloc sans faille les enfants les moins atteints. Il ne s'agit plus de savoir pourquoi les jeunes veulent agir ainsi ou quelles sont les causes profondes de leurs troubles. Il faut tout simplement empêcher que les comportements s'aggravent. Le problème doit être étudié d'une façon réaliste, ce que le clinicien a fréquemment ignoré ou considéré comme n'étant pas de son domaine. Il a même eu parfois l'illusion que la non-intervention ou l'indulgence étaient une pratique sage. Il n'est pas alors étonnant que l'éducateur de groupe, tout en reconnaissant les contributions de la psychiatrie et la valeur d'un travail clinique, ait eu le sentiment de n'être que partiellement compris, d'être trop à l'écart de ces notions théoriques.

2. Les parents, les instituteurs ou les éducateurs font face en même temps à un autre problème. Non seulement, il faut connaître les moyens de stopper un comportement indésirable, mais il faut savoir lesquels d'entre eux sont « antiseptiques ». Le jeune éducateur peut, par exemple, être heureux d'avoir trouvé un « bon truc » pour ôter le couteau que brandit notre petit sadique, pour faire quitter son siège à la fillette afin qu'elle rejoigne immédiatement ses compagnes ou pour chasser le premier sujet qui jette des objets dans le réfectoire avant qu'il ne déclenche une réaction en chaîne. Le clinicien, disons plutôt l'éducateur cliniquement orienté, essaiera de préciser la valeur des techniques utilisées en vue de tels buts. Il voudra que ces techniques soient au moins sans danger, compte tenu des effets secondaires sur le plan thérapeutique. Cela serait en effet bien inutile si le prix payé pour influencer le

comportement était la destruction de la tâche thérapeutique qu'il s'est assigné. Il veut empêcher le garçon de crever les yeux de son camarade, mais il ne veut pas le faire en risquant de gâcher la relation établie avec l'enfant au bout de longues semaines ou d'abandonner le jeune dans un état de jalousie et de haine encore jamais atteint. L'éducateur cliniquement orienté désire que la fillette retourne avec les autres si les problèmes de transport sont difficiles à résoudre, s'il n'y a pas assez de personnel pour assurer une supervision individuelle ou si ce refus d'obéir a des conséquences trop graves pour le groupe. Quels avantages tirerait-il cependant d'un retour dans la voiture qui signifierait le refus ultérieur de toutes les activités qu'elle avait pourtant commencées d'entreprendre? Il ne suffit pas de se préoccuper des phénomènes de contagion qui peuvent apparaître dans un groupe au cours d'un chahut. L'éducateur ne peut pas prendre le risque que ce garçon renvoyé puisse devenir un rejeté parmi ses camarades ou qu'il passe pour le héros du jour.

En résumé, si nous essayons de combiner le traitement des enfants avec une existence permanente au milieu d'eux et si nous avons la responsabilité de leurs santés physique et morale, nous sommes confrontés avec la tâche de « manipuler antiseptiquement leurs comportements extérieurs », que nous le voulions ou non.

3. Notre désir d'approfondir le problème des « techniques d'intervention » repose sur une autre raison. Comme nous l'avons déjà souligné, nous ne pensons pas que la liberté totale soit une règle sage à suivre. Les « techniques d'intervention » ne visent pas seulement à réparer les dommages, s'il nous faut stopper un comportement parce que les locaux sont malheureusement trop petits, parce que l'équipement est insuffisant, parce que le temps est trop limité ou la nature humaine des enfants et de nous-mêmes est défaillante. Si elle est prévue à l'avance, l'intervention peut être en réalité un instrument clinique. Non seulement nous voulons intervenir efficacement et sans provoquer des dommages secondaires à l'enfant ou au groupe, mais nous pensons que l'intervention elle-même, si elle est faite de façon correcte, peut s'intégrer dans un plan thérapeutique.

Nous savons combien cette notion risque d'être discutée tant au point de vue pédagogique que psychiatrique. Nous essaierons de développer et d'étayer cette idée dans les chapitres suivants.

Le besoin d'organiser des recherches en vue d'établir des « techniques d'intervention » scientifiquement valables nous a paru se faire sentir depuis de nombreuses années. Le « Detroit Groups Project » et le « Detroit Groups Project Summer Camp » nous ont permis de réunir un certain nombre d'observations afin de constituer les premiers rudiments d'une telle science. Nous avons été frappés par l'absence totale de recherches antérieures, surtout lorsque nos étudiants nous demandaient des conseils trop spécifiques pour que nous puissions les trouver dans les livres. Grâce à nos expériences, nous pensons que nous avons à présent un matériel valable. Nous ne voulons pourtant pas l'exposer ici en détail, encore moins en discuter les ramifications. Nous savons que nous n'avons même pas gratté la surface du sujet et nous pouvons seulement espérer qu'il nous sera possible de continuer plus tard notre étude sur une plus grande échelle [1].

Le matériel exposé dans ce chapitre pouvant être mal interprété et mal compris, nous voulons préciser quelques points essentiels. Ce que nous présentons ici n'est qu'une petite partie de nos découvertes. Les techniques dont nous avons établi la liste ne donnent qu'une réponse ébauchée au problème global. Par exemple, nous ne précisons pas sur quelle base nous décidons ou non d'intervenir et nous ne déterminons pas quel type ou quelle combinaison de techniques peuvent être utilisés; nous ne prévoyons pas les effets secondaires visibles ou non de ces techniques. Nous suggérons certaines indications et contre-indications, mais la place nous manque pour les approfondir. Nous savons enfin que notre liste de techniques laisse bien des questions sans réponse.

Il nous fallait cependant entreprendre ce travail. Nous essaierons simplement de déblayer le terrain en étudiant quelques-uns des outils qui peuvent être utilisés dans les

---

1. Ce problème est étudié plus en détail dans l'ouvrage de George V. SHEVIAKOV et Fritz REDL, *Discipline for Today's Children and Youth* (Washington, D. C., Washington National Educational Association, 1944).

groupes par l'éducateur clinicien et, avec des modifications, par les parents et les pédagogues. Nous réservons une publication à la description d'une véritable méthodologie qui est si nécessaire.

Aucune des notions présentées ici ne prétend constituer une découverte. Presque tous ceux qui ont travaillé avec des enfants les ont utilisées. C'est leur utilisation consciente et précise sous le titre de l' « hygiène des conduites » que nous voulons souligner.

1. IGNORANCE INTENTIONNELLE

De nombreuses conduites infantiles contiennent une charge émotionnelle limitée qui s'évanouit d'elle-même, dès que l'activité est terminée. Elles sont parfois dirigées vers un but spécifique et disparaissent dès que ce but est atteint ou que l'intérêt décroît. Par le terme « ignorance intentionnelle », nous voulons désigner la technique suivante : alors que le responsable intervient directement si les comportements risquent de dégénérer, il ignore volontairement ceux qui cessent d'eux-mêmes à la fin de l'activité.

Il peut paraître surprenant qu'ignorer une conduite puisse être considéré comme une technique d'arrêt. L'observation suivante précisera, nous l'espérons, notre pensée.

L'un de nos jeunes doit se livrer à toutes sortes de clowneries avec son corps avant de s'asseoir pour déjeuner. Il décharge de cette manière les tensions accumulées et se calme de lui-même. Il serait sot de gaspiller nos efforts en interrompant ce comportement. Son but premier semble être de décharger la tension qui résulte de la vue des sources de satisfactions (les aliments). La stopper augmenterait les problèmes de l'enfant au lieu de les résoudre. Tant que ce comportement reste tolérable et qu'il ne risque pas de contaminer les autres, l'ignorance intentionnelle conduit à de meilleurs résultats que l'intervention. Il n'en est plus de même, évidemment, si le sujet révèle ainsi des manifestations prépsychotiques dont l'aspect risque de ne pas être reconnu par un observateur non entraîné. Il est alors important d'intervenir au moment le plus favorable afin de supprimer les effets secondaires d'un tel trouble. Dans ce cas, l'ignorance intentionnelle serait contre-indiquée. Il est parfois difficile de déterminer les indications de cette conduite et une réévaluation doit être faite chaque jour. Pour y parvenir, il faut que l'adulte soit doué d'une grande sensibilité. La technique de l'ignorance intentionnelle est également applicable lorsque l'un des motifs de la conduite est de tirer certains gains secondaires. Par exemple, si un jeune essaie de provoquer le responsable en répondant à ses demandes raisonnables par des accusations et des insultes, il stoppera plus aisément son comportement si la provocation et le négativisme sont systématiquement ignorés.

> Je descends à la maison à 8 heures. Les enfants se réveillent vers 9 heures. Ils s'habillent et se lavent en se disputant et cela ne va pas sans larmes, mais l'éducatrice principale subit tout cela patiemment. Tous les garçons, à l'exception de Joe, sont prêts pour le petit déjeuner qui débute relativement dans le calme. J'ai remarqué que Joe est sans doute plus perturbé que les autres ce matin. De nombreuses disputes d'ordre névrotique se sont élevées au sujet des vêtements qu'il a prêtés aux autres et qu'il n'a pas retrouvés. Il reproche à présent à l'éducateur de ne pas prendre un soin suffisant de ses affaires. Je décide de ne pas le forcer à descendre déjeuner et je le laisse flâner en paix. Il finit par apparaître, sa chemise blanche non boutonnée. Il s'assoit docilement et demande à Harry, avec lequel il s'est pourtant bien disputé ce matin, de l'aider à mettre sa cravate, ce qu'il fait aimablement (Réf. : 8.12.46, Fritz REDL).
> Mike a été renvoyé de chez le coiffeur à cause de ses plaisanteries obscènes. Comme je rentre avec le reste du groupe, il m'accueille par un « Hé, sale cochon! », afin de me mettre en colère. En raison des circonstances, j'estime qu'il vaut mieux ignorer l'attaque. Je ne réponds rien et j'appelle tous les garçons afin de finir une histoire que j'ai commencée dans l'autobus. Cela décourage Mike. Il me regarde tout surpris et abandonne rapidement son attitude. Il se joint finalement aux autres jeunes qui écoutent l'histoire (Réf. : 1.12.47, Barbara SMITH).

2. INTERVENTION PAR UN SIGNE QUELCONQUE

Bien des conduites agressives apparaissent non parce que l'enfant ne possède pas assez de jugement pour percevoir le danger ou pour comprendre que sa conduite est inacceptable, mais parce que son Moi et son Surmoi ne sont pas assez vigilants pour les interdire ou parce qu'ils ont été submergés par des pulsions momentanées. Il existe une différence entre le jeune se disputant avec le voisin qu'il considère comme un ennemi dont on peut détruire les biens sans aucun remords et le jeune qui est brusquement tenté de grimper sur le mur de ce voisin. Dans le premier cas seule une intervention directe et énergique peut stopper son comportement agressif. Dans le second cas, il peut suffire d'attirer l'attention du Moi ou du Surmoi habituellement vigilants afin d'enrayer l'impulsion sur le point d'émerger. Un enfant brusquement tenté d'escalader le mur du voisin répondra à l'appel de l'éducateur pour lequel il éprouve de l'affection, si ce dernier ayant lu son projet dans son regard lui indique clairement sa désapprobation par un geste du doigt, par une simple toux ou par tout autre signal habituel. Au cours d'un repas, un groupe d'enfants surexcités ne s'arrêtera pas de jeter la nourriture et les couteaux, à moins d'une intervention énergique. L'adulte aurait pu cependant parvenir à se faire obéir par un signe amical, s'il avait agi aux premiers signes de désorganisation. Il aurait alors bénéficié de ses bonnes relations avec les enfants et du code collectif qui peut se résumer en ces mots : « Il faut se conduire plus convenablement quand on est à table. » Nous pourrions citer des centaines d'exemples de ce genre. Ces modes d'intervention sont en réalité bien connus des éducateurs de groupes à gros effectif qui ne pourraient pas se maintenir sans un usage fréquent de ces signaux. Cette intervention n'est malheureusement guère considérée comme une véritable technique. Lorsque nous voulons agir, il semble que nous ayions toujours tendance à recourir aux menaces, aux punitions et aux récompenses, etc., sans réaliser que les formes d'intervention sont multiples et dépendent du moment où il faut agir. Ce qui arrive dans ces cas est pourtant clair. Le jugement et le raisonnement de l'enfant rejettent la conduite vers laquelle il est attiré. Mais les signaux de danger émis par le Moi ou le Surmoi sont trop faibles ou la tentation est trop forte. Un simple geste de l'adulte semble parfois suffisant pour renforcer les défenses de l'enfant qui peut ainsi lutter directement contre ses impulsions. Il serait bien intéressant de savoir quels genres de conduite sont ainsi le mieux contrôlés et de préciser dans quelles circonstances et pour quels comportements les signaux deviennent trop faibles ou sont entièrement contre-indiqués. Nous sommes évidemment fort intéressés par ce problème et nous voudrions faire quelques remarques en nous aidant du matériel que nous avons accumulé.

L'intervention par signes est contre-indiquée lorsque le degré d'excitation est tel que les impulsions en jeu sont plus fortes que le pouvoir du Moi et du Surmoi de l'enfant. Elle l'est également lorsque la relation entre l'enfant et l'adulte n'est pas positive. L'adulte sympathisant avec l'enfant peut, au cours du dîner, stopper par un simple geste sa tentative de tambouriner sur la table avec une cuiller. L'éducateur dont le garçon tente d'attirer la colère par sa mauvaise conduite ne fera qu'aggraver la situation par ses gestes de désapprobation.

L'intervention est contre-indiquée lorsque le comportement a une signification beaucoup plus complexe, celle de servir des buts pathologiques que le Moi et le Surmoi du jeune ne peuvent pas atteindre. Il serait, par exemple, naïf de vouloir arrêter des manifestations d'agressivité très accusées par un simple signal. Il est cependant évident que cette technique peut être employée dans de nombreux cas et qu'elle épargne bien des complications si elle est utilisée suffisamment tôt.

Elle est particulièrement avantageuse avec des enfants hostiles et agressifs, parce que leur Moi et leur Surmoi sont rendus responsables de l'arrêt de la conduite; on évite ainsi les habituelles réactions de frustration qui sont déclenchées par d'autres modes plus directs d'intervention et on diminue l'agressivité secondaire.

Les indications de cette technique sont à déterminer par rapport à des critères cliniques et par rapport à des situations collectives précises. Quel genre d'interventions faut-il utiliser? dans quelles conditions? pour quels cas? sont autant de questions fascinantes. Il nous semble que cette technique peut être employée utilement par les parents et les éducateurs de l'enfant normal.

Ce soir, nous découpons des feutres afin d'en faire des bannières pour les chambres des garçons. Bill commence bientôt à taillader grossièrement son feutre. Alors qu'il ne coupait d'abord que sa propre étoffe, je constate qu'il devient de plus en plus excité et que, volontairement ou non, il s'apprête à cisailler le feutre de Mike. Je ne veux rien dire à haute voix afin de ne pas attirer l'attention de Mike et je me contente d'agiter rapidement mes ciseaux en espérant être ainsi aperçu par Bill. Il me regarde et je secoue la tête tout en lui montrant ce qu'il est en train de faire. Mon geste finit par l'influencer et il réclame mon aide pour continuer son travail (Réf. : 13.4.47, Joel VERNICK).

Danny commence à s'exciter à table, se levant brusquement et dérangeant ses voisins pour attraper sel, lait, beurre, etc. Les observations précédentes m'ont appris que, si je n'interviens pas, il jettera par terre tous les objets, renversera le lait et l'eau ou brisera la salière. Je sens également qu'une interdiction verbale directe est contre-indiquée; il a déjà beaucoup trop tendance à devenir le souffre-douleur du groupe et cette réprimande ne peut qu'accentuer ce rejet. Je me contente d'agiter mon pouce de haut en bas tel que le fait un arbitre de base-ball pour faire sortir un joueur et pour signifier par ce geste : « assieds-toi, frère, et reste à ta place » (Réf. : 13.13.47, Fritz. REDL)

3. PROXIMITÉ ET CONTRÔLE PAR LE TOUCHER

Tout éducateur sait bien que des états d'excitation ou d'anxiété peuvent être apaisés par la seule proximité physique de l'adulte. De même que le bébé s'arrête de pleurer quand il est pris dans les bras sans attendre que l'on enlève la source de son inconfort, de même le très jeune enfant peut stopper ses impulsions agressives en s'asseyant près de l'adulte qui lit une histoire. Si la distance est plus grande, son Moi semble être incapable de faire face à la frustration. Il est intéressant de noter que, quel que soit l'âge, certains enfants particulièrement perturbés ont gardé cette faculté de répondre au contrôle par le toucher. Nous avons souvent remarqué que le simple fait de s'approcher des garçons ou de les grouper autour d'une table avec un adulte avait un effet calmant. Il ne faut pas confondre cette technique avec celle de l'adulte dont l'approche impose le silence parce que les enfants craignent pour leur tête, leurs oreilles, leurs cheveux ou leur menton. L'action n'est due qu'à la crainte de la menace des punitions. Nous voulons parler ici du fait suivant : dans certaines conditions, la proximité physique semble apporter un soutien au Moi et au Surmoi de l'enfant. Pour certains jeunes, la simple présence est suffisante. La notion de proximité varie évidemment selon chaque enfant et selon chaque situation. Dans un jeu organisé, la présence de l'adulte ou sa participation effective peuvent être suffisantes. Au cours d'une lecture ou à table, les exigences seront différentes.

> Durant les activités manuelles, Mike commence à frapper Larry dont l'énervement annonce une action imminente. (Mike a peur de tout le monde, mais se risque à agacer Larry qui est le souffre-douleur du groupe). Je m'approche de la scène et me prépare à intervenir si cela devient nécessaire. C'est d'autant plus simple à réaliser que je confectionne un portefeuille et qu'il m'est ainsi possible de m'approcher des enfants sans avoir l'air de les surveiller. Mon simple mouvement paraît avoir l'effet désiré. Mike me regarde à la dérobée, donne encore quelques coups faibles à son camarade, puis ramasse à contrecœur le matériel qu'il avait abandonné. Je propose de l'aider et il me demande de faire les premiers points (Réf. : 18.3.47, Joel VERNICK).

Avec certains jeunes, la proximité n'est pas suffisante. Un contact physique, ce que nous pourrions appeler un « contrôle par le toucher », semble nécessaire. Nous avons parfois remarqué que des enfants, même plus âgés, ont un comportement proche du bébé qui perçoit ce qui constitue ou non une sécurité, un soutien et une protection contre l'anxiété. Passer le bras sur l'épaule d'un jeune ou lui donner quelques tapes amicales tout en donnant un ordre ou tout en l'invitant à nous suivre transforme un échec en succès. Certains enfants semblent particulièrement sensibles. Nous nous souvenons d'un sujet qui était incapable du moindre contrôle dès que les adultes n'étaient plus visibles. Malgré son désir sincère d'être un bon garçon et de résister aux tentations, sa personnalité semblait noyée par son impulsivité dès que le responsable était absent. Un adulte était-il là, il retrouvait la force de contrôler ses tendances, venait chercher de l'aide ou s'engageait dans une activité qui faisait diversion. Tout en n'étant pas aussi perturbés,

151

de nombreux enfants entrent dans cette catégorie. A Pioneer House, nous avons souvent noté que nous pouvions stopper des phénomènes d'excitation ou des actes agressifs nés d'états anxieux si l'adulte s'approchait de l'enfant ou s'il lui donnait la main.

> Andy est ennuyé par les taquineries de Sam qui se moque de son énurésie, mais il est incapable de se venger directement sur le garçon dont il a peur. Il déplace ses sentiments sur Danny qu'il nomme « le plus grand pisseur de toute la région ». Cela devient dangereux à cause de la grande sensibilité de Danny dans ce domaine et à cause de sa grande force physique. Danny commence bientôt à poursuivre Andy qui, beaucoup plus agile, s'amuse à continuer ce jeu de chat et de souris où il gagne toujours. Il est sur le point de se mettre en colère et il est évident qu'il me faut intervenir. Je m'approche donc de lui et, sympathisant, je lui murmure en posant mon bras sur son épaule : « O. K., Danny. Je sais que cela vous énerve, mais Andy agit ainsi parce que Sam l'agace tout le temps. Ignorez-le et il s'arrêtera. » Tout en disant cela, je continue à me tenir près de lui, tout prêt à agir si cela s'avère nécessaire. « D'accord, j'arrête, finit-il par déclarer, mais que ce bâtard se surveille ou... » (Réf. : 14.1.47, Fritz REDL)[2].

Il est peu vraisemblable que la phrase du directeur aurait autant influencé Danny s'il était resté à l'autre bout de la pièce. Un doute peut cependant subsister dans l'esprit du lecteur. Plusieurs techniques associent souvent leurs effets et il est difficile de déterminer l'action propre à chacune d'elles. L'incident suivant illustre clairement cette difficulté d'interprétation.

> Bill s'apprête à refuser de monter dans la voiture qui vient prendre les enfants à la sortie de l'école. La plupart d'entre eux y sont déjà. Je me dirige vers Bill et, tout en posant légèrement mon bras sur son épaule, je lui dis : « Viens-tu avec moi? » puis je franchis la portière avec lui (Réf. : 25.5.47, Emily KENER).

Il est inutile de préciser que l'éducatrice n'a pas poussé l'enfant. Il nous faut pourtant admettre que l'effet peut être la résultante de plusieurs causes. A-t-il obéi en raison de sa présence, du contact physique, des quelques mots prononcés? Compte tenu des expériences antérieures,

---

2. Par fidélité au « you », le traducteur, dans ces dialogues, a adopté le vouvoiement. Il est vraisemblable que, dans les pays d'expression française, c'est le tutoiement qui serait utilisé le plus souvent *(Note du traducteur)*.

nous avons de bonnes raisons de penser que le simple encouragement verbal n'aurait pas été suffisant.

Cette technique de « proximité et de contrôle par le toucher » présente un certain nombre de contre-indications.

Par exemple, certaines relations de l'enfant avec l'adulte sont trop chargées d'agressivité ou de sensualité. L'emploi de la technique complique alors le problème au lieu d'aider à le résoudre. Si un jeune doit admettre l'intervention d'un adulte avec lequel il est actuellement en désaccord, il acceptera plus facilement d'obéir à un signal que de se plier à un ordre accompagné d'un contact physique. Il en est de même pour le sujet dont l'hostilité envers les autres enfants est accentuée toutes les fois que l'éducateur aimé s'occupe de lui et dont les besoins d'affection ont une nette teinte sensuelle. Lui tenir la main, lui manifester trop nettement de l'affection accentueront ses demandes libidineuses et accroîtront sa rivalité envers ses camarades. L'application de cette technique suppose que le responsable s'entoure de grandes précautions psychologiques envers le groupe. Nous sentions assez souvent à Pioneer House que si tel ou tel adulte avait été plus proche d'un enfant à un moment donné, certaines des manifestations névrotiques auraient dû être contrôlées aisément. En même temps, l'application d'une semblable technique pouvait susciter des sentiments de jalousie de la part des autres enfants et risquait de compromettre les relations établies entre les membres du groupe.

Lorsqu'elle est applicable, les avantages de cette technique sont évidents. Comme les deux précédentes, elle évite la formation secondaire de sentiments de frustration et d'agressivité envers l'adulte. Avec des enfants aussi hostiles que les nôtres, cela représente un intérêt énorme. Elle permet de travailler tranquillement, l'activité en cours n'étant pas autant gênée par ce genre d'intervention que par certaines de celles présentées plus tard. Afin de sauvegarder les avantages de cette technique avec des enfants aussi perturbés que les nôtres, il faut évidemment que le personnel soit en nombre suffisant, que le programme demeure souple et que les groupes restent petits. Dans les écoles qui possèdent les enfants émotionnellement troublés, l'effectif des classes devrait être plus

limité, non seulement pour des raisons évidentes de pédagogie mais pour des motifs de contrôle émotionnel. Cette
technique est impossible à appliquer si l'adulte ne peut pas
être disponible chaque fois que cela s'avère nécessaire.

4. PARTICIPATION ÉMOTIVE DE L'ADULTE QUI MANIFESTE SON INTÉRÊT AUX ACTIVITÉS DE L'ENFANT

Ce sont les très jeunes enfants qui semblent les plus
sensibles à cette technique. L'adulte doit participer émotivement à tout ce qui les intéresse, à ce qui les fascine,
à ce qui est nouveau ou à ce qui les rend heureux. Ces
jeunes se dirigent continuellement vers la fenêtre en criant
au responsable « regarde! », afin de le forcer à observer ce
qu'ils voient. Ils courent vers lui pour lui montrer ce qu'ils
font, à quoi ils jouent, pour faire quelques commentaires
ou pour poser une question. Ce comportement traduit plus
qu'une relation amicale. Même si l'adulte s'impatiente, l'enfant continue son manège. Cela signifie qu'il lui est plus
facile de découvrir des expériences nouvelles et de faire face
aux tentations ou aux séductions qu'elles impliquent si
l'adulte est contraint d'entrer en scène afin de ne pas laisser l'enfant seul. Avec des sujets inadaptés, on retrouve
ce besoin au-delà des premières années de la vie. La majorité des éducateurs utilisent amplement cette possibilité.
L'enfant qui paraît se désintéresser ou s'effrayer de la tâche
à laquelle il se heurte se reprendra de lui-même si l'adulte
lui pose quelques questions ou lui donne une possibilité de
s'exprimer. Un jeune sur le point de faire une bêtise avec
un outil ou tout autre objet se remettra normalement au
travail si le responsable s'intéresse à l'activité qu'il a entreprise. L'enfant perturbé semble donc avoir plus besoin que
les autres de marques constantes d'intérêt et d'une participation directe de l'adulte. Cela demande une continuelle
animation qui risque de fatiguer l'éducateur et d'user ses
nerfs; d'où cette condition absolue pour un travail clinique
de ce genre : pouvoir disposer de responsables reposés et en
nombre suffisant. Cette technique ne peut pas faire face aux
tendances trop impulsives, aux attaques sévères d'anxiété
ou aux conduites nettement pathologiques. Elle évite cepen-

dant bien des situations conflictuelles qui seraient dangereuses et indésirables. L'enfant sur le point d'employer son nouveau fusil de chasse d'une manière qui le conduirait fatalement à des disputes avec ses camarades sera aisément détourné de son but si l'adulte lui manifeste son intérêt et lui montre comment on peut utiliser autrement son jouet. Bien que cela paraisse une technique toute simple, il existe des indications et des contre-indications bien précises.

Les garçons ont reçu de notre éducatrice principale des trousses pour cirer les chaussures. Ils les avaient réclamées quelque temps auparavant après en avoir vu de semblables dans la maison du directeur. Il y eut une frénésie de nettoyage! Bien que d'abord enthousiastes, les jeunes s'irritèrent bientôt car ils trouvaient que le cirage était pâteux ou tout en grumeaux. Brosses et trousses commençaient à voler à travers la chambre lorsque le directeur, qui revenait d'une réunion, arriva dans la pièce. Notant leur courroux et en devinant la raison, il déclara : « Oh! garçons, vous avez de nouvelles trousses? Qui veut me nettoyer mes chaussures? » L'abattement disparut immédiatement et ils l'entourèrent, chacun attendant son tour pour les lui faire briller. Ils se mirent à rire en voyant que les siennes restaient aussi ternes et grumeleuses. Il lui fut alors possible de leur montrer comment frotter le cirage pour qu'elles se mettent à briller. Ils retournèrent vers leur travail, tout heureux des résultats qu'ils constataient.

Au dîner, Mike se met à décrire un événement qui est arrivé à l'école au cours de la journée. Leur instituteur avait chassé d'une partie de ballon « meurtrière » un garçon qui essayait de faire des crocs-en-jambe aux camarades situés près de lui. Mike se délectait de la déconfiture du garçon et, tout en racontant l'histoire avec une exubérante hostilité, il commençait à se livrer à des fantaisies obscènes. Il disait au gosse : « I'll kick your ass if you do that again » et Pete répondait : « shove the game up yours. »[3] Il se mit à mimer de façon obscène tout l'épisode au grand amusement du groupe. D'après les expériences antérieures, je savais que tout ceci dégénérerait bien vite. L'attitude de l'enfant était si troublante pour les autres qu'il me fallait lui faire quitter la table. Je lui dis : « Dites-moi, Mike, en quoi le heck est-il un jeu meurtrier? Je n'en ai jamais entendu parler. Pourriez-vous me dire comment on y joue? » Cela le détourna de son récit et il commença à me décrire normalement le jeu.

3. Intraduisible en français *(Note du traducteur)*.

Le groupe se joignit à la discussion et le reste du repas se passa sans incident, chacun racontant aux autres certains épisodes amusants survenus à plusieurs reprises en jouant à ce jeu qui n'est qu'une version modifiée du dodge-ball (Réf. : 14.12.47, Paul DEUTSCHBERGER).

5. « INJECTION » D'AFFECTION PERMETTANT A L'ENFANT DE GARDER SON CONTRÔLE EN FACE DES POUSSÉES D'ANXIÉTÉ DUES A SES PULSIONS

A partir d'un certain âge, les enfants normaux peuvent vivre durant de longues périodes sans avoir besoin de marques directes d'affection de la part des adultes. Des sujets plus jeunes ou plus inadaptés en sont incapables. Non seulement ils veulent que l'adulte participe émotivement à ce qu'ils font, mais ils recherchent constamment de nouvelles preuves d'affection. Les enfants inadaptés peuvent avoir du mal à accepter les formes les plus traditionnelles d'amour ou ne pas admettre qu'ils en éprouvent le besoin. Ils se comportent pourtant inconsciemment d'une manière très voisine des sujets beaucoup plus jeunes qu'eux. Afin de pouvoir réaliser les activités prévues par le programme, il nous était souvent nécessaire d'apporter des preuves directes de notre amour. Parfois l'enfant essayait seulement d'intéresser l'adulte à son travail; à d'autres moments, cette tentative n'était qu'un prétexte pour chercher des marques d'affection supplémentaires. C'était particulièrement net lorsque les garçons devaient faire face à des sentiments de jalousie, craignaient de ne plus être acceptés par l'adulte, réagissaient agressivement à des frustrations diverses telles que petites maladies, soins spéciaux accordés à l'un ou à l'autre des Pionniers. Nous avons constaté que certaines des manifestations les plus hostiles pouvaient être apaisées en accentuant notre affection plutôt que d'adopter l'attitude inverse : répondre à la menace par des interdictions formelles ou des punitions. Par exemple, le jeune qui devient provocant parce qu'il craint brusquement de ne plus être aimé se calmera plus aisément si l'adulte ignore le côté agressif de son comportement et lui manifeste sa sympathie en l'aidant à résoudre ses difficultés.

Ce soir, Donald présente une attaque hystérique typique après des remarques blessantes faites par Mike sur le portrait de sa mère que l'enfant garde près de son lit. Il se précipite sur Andy et tente réellement de l'étrangler. Maîtrisé par l'éducateur, il s'enfuit, s'enferme dans les lavabos du deuxième étage et menace de se jeter par la fenêtre. Joel (éducateur) parvient à le calmer en lui parlant tranquillement, en lui assurant que nous l'aimons tous et que cela serait une folie d'agir ainsi, puis il attend au dehors sans autre pression ni propagande. L'enfant sort en sanglotant et, à la vue d'Andy, il se rue à nouveau vers lui puis se retourne brusquement et se précipite vers la fenêtre de la salle de séjour. Je l'arrête, l'emmène vers le porche presque sans un mot, mais en le tenant fermement contre moi. De temps en temps, je lui murmure : « O. K., maintenant, O. K. », tout en gardant mon bras autour de lui. Ses sanglots diminuent peu à peu; je sens que la tension décroît et, au bout de 25 minutes environ, il se tient calmement. Je lui demande si tout va bien à présent et il acquiesce. Nous revenons dans la maison et il prend un livre dans lequel il se réfugie pendant près d'une demi-heure; puis il écrit une lettre à sa mère (Réf. : 14.5.47, Fritz Redl).

Depuis la nuit dernière, Larry est couché avec une forte bronchite qui lui donne de la fièvre. Il a été nécessaire de l'isoler dans une chambre située près de mon logement. Cette proximité excite la jalousie du reste du groupe. Danny est impossible durant tout le petit déjeuner et je dois pratiquement l'habiller pour qu'il aille à l'école. Andy est particulièrement agressif et sarcastique. Il m'appelle « sale p... » pour ne pas avoir fait des galettes pour le petit déjeuner. Mike et Bill ont seulement régressé à un état d'agressivité diffuse. Dans la soirée, l'hostilité devient plus nettement fixée sur la maladie de Larry et ils multiplient les contacts avec moi. Bill et Mike se plaignent de maux de tête auxquels je prête volontairement une attention disproportionnée, leur prenant la température avec sollicitude et frottant leurs têtes avec une pommade avant d'aller au lit. Danny égratigne son pied et je lui fais un magnifique bandage. A d'autres périodes, j'aurais essayé de les faire se conduire de façon plus réaliste vis-à-vis d'un léger malaise. Avant le coucher, je réunis tout le groupe pour un snack spécial avec gâteaux et glaces et je leur annonce un « menu surprise » pour demain matin. Je leur dis que, pour une fois, ils pourront avoir des « déjeuners individuels ». Les cuisiniers viendront prendre les commandes ce soir et demain elles seront sur la table! Cela supprime leurs réactions hostiles vis-à-vis de Larry. Le coucher se déroule sans incident (Réf. : 18.2.48, Emily Kener).

157

Il est inutile de préciser qu'une telle technique ne doit pas constituer un palliatif destiné à résoudre tous les comportements agressifs. Certaines formes d'hostilité seraient accrues par de telles offres au lieu d'être apaisées. Les indications et contre-indications exactes de cette technique devraient faire l'objet de recherches approfondies. L'un des points les plus importants à définir serait de savoir quelle bouderie est écourtée par les marques d'affection de l'adulte et quelle autre bouderie est intensifiée par une telle démarche. L'idée de pouvoir dissoudre ou de soigner les tendances agressives par un apport spécial d'amour n'est qu'une naïve illusion. Il est pourtant vrai que cette technique réussit parfaitement dans certains cas.

6. DÉCONTAMINATION DE LA TENSION PAR L'HUMOUR

L'une de nos plus grandes surprises à Pioneer House fut de constater qu'après une première amélioration les désorganisations les plus sévères et les plus pathologiques pouvaient être brusquement évitées en utilisant l'humour. Cette affirmation ne doit pas être mal comprise. Un état de désorganisation ne peut pas être traité simplement en l'évitant. C'est dans la mesure où nous permettons à l'enfant d'exprimer, même violemment, ses difficultés que nous pourrons espérer nous attaquer à sa pathologie. L'accès de colère peut cependant se produire dans une situation telle qu'il impliquerait des conséquences secondaires par trop nuisibles.

Nous ne connaissons pas nettement les raisons pour lesquelles agit la technique de « décontamination par l'humour ». Bien des mécanismes paraissent jouer un rôle. Nous voulons seulement souligner ici quelques facteurs.

a) L'adulte démontre son invulnérabilité. En utilisant l'humour, il se met en sécurité devant le problème qu'il affronte ou devant les impulsions destructrices et agressives de l'enfant.

b) L'enfant, à cause de cet humour, éprouve moins de sentiments de culpabilité et a moins peur de lui-même.

Il ne craint pas la vengeance de l'adulte puisqu'il n'a pas été capable de toucher le point qu'il visait.

c) Lorsque les démonstrations agressives et impulsives ont dépassé la volonté du sujet, cette technique lui permet de ménager son amour-propre en lui fournissant un moyen de sauver la face. Il en éprouve généralement un grand soulagement.

d) Dans certains cas, l'humour est tel que le jeune y trouve une satisfaction suffisante pour contrebalancer les réactions émotionnelles du moment. La technique agit alors par « diversion ».

En réalité, d'autres facteurs entrent en jeu. Pour le praticien, l'essentiel est de savoir que, dans certaines conditions, cette technique peut stopper de façon très efficace et sans complications secondaires, grâce à son effet décontaminant, des comportements inadaptés.

Danny vient à moi avec sa turbulence et son euphorie habituelles où se glisse toujours un brin de sadisme. Il commence à me frapper, tout en s'exclamant : « Alors, mon vieux Wineman, comment allez-vous? » Ces mouvements d'humeur suivent généralement des périodes de tension avec le groupe où Danny, pour une raison ou pour une autre, a réprimé son agressivité qu'il aurait autrement déchargée sur l'un de ses camarades par une dispute ou par une bagarre. Une intervention brutale telle que « Arrêtez-vous, vous me faites mal! » ne fait souvent qu'accentuer ses attaques. Je décide donc d'employer l'humour pour parvenir à mon but et lui déclare, en mimant celui qui souffre : « Faites attention à mon rein gauche, cher ami, il est malade. » « O. K., répond-il, je taperai sur le droit », et il continue de plus belle à me donner des coups. Je prends alors une mine piteuse et un peu moqueuse : « Ne saviez-vous pas que je n'ai qu'un rein? » Il se met à rire bruyamment et court vers le groupe pour annoncer la nouvelle. « Il n'a plus qu'un rein! » s'exclame-t-il à plusieurs reprises, puis il monte dans la voiture où sont déjà installés ses camarades qui partent pour une excursion (Réf. : 18.4.47, David WINEMAN).

Ce soir, blasphèmes et jurons sont particulièrement fréquents. Joe et Danny se surpassent. Plus ils nous défient, plus ils accroissent leur culpabilité et l'anxiété qui en déroule, ce qui les conduit à de nouveaux excès. Ce sont nos premiers mois avec eux et il nous est impossible d'intervenir directement, sous peine d'être expulsés du groupe. « Nom de D..., Fritz passez-moi ce p... de beurre! » s'exclame brusquement Danny en ponctuant sa phrase d'un violent coup de poing sur la table. Je le lui passe, puis, en tapant moi-même sur la table, j'essaie de l'imiter le mieux possible tout en lui déclarant : « Nom de D..., passez-moi ce p... de sel! » Le groupe me regarde étonné, puis éclate de rire. « Oh Fritz, déclarent les garçons, vous nous avez bien eu! Nous avons pensé que vous étiez réellement fâché. » Le reste du dîner fut beaucoup plus calme. Lorsque l'un des enfants se mettait à jouer, les autres rappelaient mon intervention. Loin d'exploiter mon action, ils semblaient s'en servir comme un type pré-établi de plaisanterie agressive. Ils m'imitaient tous en mimant Danny et taquinaient sans méchanceté le garçon qui pouvait le supporter puisque j'étais de son côté (Réf. : 10.12.46, Fritz REDL).

Mike vient à moi de mauvaise humeur. Il se plaint de son instituteur et déclare qu'il n'ira plus à l'école. « Ce bâtard m'a fait rester en classe, alors que tout ce que je voulais était de descendre aux toilettes. » J'essaie de dévier la conversation, mais brusquement il l'interrompt et commence à rôder à travers la pièce en réclamant les différents objets qu'il peut y voir, tels que mon réveil. Il s'empare finalement d'une boîte de cigarettes que je garde pour les visiteurs, en prend une qu'il porte à sa bouche et déclare : « Je vais la fumer cette cigarettes à la c... » Je lui réplique en lui prêtant mon briquet : « Je suppose que vous aurez également besoin de ce briquet à la c... » Il sourit un peu, puis me rend cigarette et briquet (Réf. : 18.5.47, Fritz REDL).

Il ne faut évidemment pas considérer toutes les réactions amusantes comme des marques d'humour. Humour, ironie, sarcasmes et cynisme ne doivent pas être confondus. Malgré l'importance de cette remarque, nous ne pouvons pas la développer ici plus en détail. Nous ne devons pas non plus tomber dans l'erreur de vouloir résoudre toutes les situations difficiles par l'emploi de l'humour. Dans de nombreux cas, l'enfant réagit à cette technique par un accroissement de son agressivité et de son anxiété. Il nous faut nettement préciser les conditions dans lesquelles un jeune sera apaisé et pourra stopper une conduite négative grâce à l'humour manifesté par l'adulte. Pour chacun de nos Pionniers (et ceci changeait, bien sûr, avec les différentes étapes du traitement), nous connaissions les indications et contre-indications de cette technique. En détailler les différents aspects nous entraînerait trop loin.

7. AIDE OPPORTUNE

Certaines manifestations agressives et certains états anxieux ne tirent pas nécessairement leur origine de la pathologie propre à chaque enfant. Ils sont le résultat d'un conflit entre la pathologie originelle et les obstacles frustrants issus du traitement. Certains sujets réagissent agressivement ou anxieusement lorsqu'ils se heurtent à une difficulté en essayant d'atteindre un but. Dans ce cas, la meilleure technique à utiliser est celle que nous appelons l' « aide opportune ». Elle sera particulièrement efficace au cours de nombreuses situations scolaires. Face à une épreuve, par exemple, un jeune risque d'être de plus en plus désespéré. Il peut brusquement « éclater », la frustration devenant trop forte. Il déchire sa feuille de papier, sort de la pièce, claque la porte et risque de soulever un problème de discipline pour l'instituteur et pour le groupe. Si le responsable était arrivé une minute avant et s'il avait donné le peu d'aide dont l'enfant avait alors besoin, ce même jeune aurait été sans doute capable de résoudre la difficulté sans tomber dans les excès que nous venons de décrire.

Il est inutile de souligner que cette aide opportune ne soigne pas un enfant, puisqu'on ne s'attaque pas à ses problèmes de base. Lorsque, pour des raisons stratégiques, il devient nécessaire d'éviter l'apparition d'une conduite, cette technique rendra de grands services. De même, des activités valables peuvent être sauvées du désastre par son emploi.

Danny vient d'atteindre l'âge de 12 ans. Il doit être changé d'école, car l'établissement où il se trouve ne garde les enfants que jusqu'à cet âge. Je l'emmène aujourd'hui à sa nouvelle école. Il est visiblement anxieux et embarrassé par sa taille, soulignant qu'il ne veut pas aller avec des bébés. J'essaie de le rassurer, en lui disant que ses camarades ne seront pas plus jeunes, juste plus petits, mais ces paroles n'ont guère d'effet. Il a le cœur gros de quitter les professeurs et ses amis qu'il connaissait si bien. Le nouvel instituteur et le principal sont pourtant très coopérants. Comme je leur explique les ennuis de Danny, ils appellent le garçon le plus fort et le plus lourd de la classe et le présente à Danny. Danny est ennuyé, lui disent-ils, parce qu'il croit être le plus gros de tous ses camarades. Veux-tu te mesurer et comparer avec lui? L'autre jeune obéit avec beaucoup de diplomatie. Cela retourne complètement Danny dont l'humeur devient excellente (Réf. : 16.4.48, David WINEMAN).

Mike et Andy fabriquent des corbeilles de fleurs. Andy réalise rapidement un récipient qui ressemble à certains cendriers faits par les garçons l'autre soir. C'est harmonieux et le garçon le montre fièrement à son entourage. Son talent attire tout naturellement l'attention de Mike. Toutes les fois qu'un osier se brise, il le joint à un tas et prononce un juron tel que : « Cette damnée chose, jamais elle ne tiendra. » Après plusieurs échecs, il commence une corbeille semblable à celle d'Andy. Celui-ci le traite immédiatement de copieur. Je l'interromps sur-le-champ en lui disant que cela n'a pas d'importance, et que si les gens ont une bonne idée, il n'y a pas de mal à vouloir les imiter. Je rappelle certains objets qui ont été ainsi copiés précédemment. Mike paraît tellement ennuyé de sa maladresse que je lui tends un récipient plein d'eau et que je travaille avec lui en humidifiant les osiers, en les groupant ensemble lorsque l'un d'eux se brise. Cela semble apaiser son mécontentement et il continue seul son travail (Réf. : 19.3.47, Pearl BRUCE).

Cette technique a évidemment ses défauts. On résout les frustrations déclenchées par une difficulté actuelle et non les problèmes profonds. Le jeune qui se met en colère parce qu'il est jaloux des réalisations d'un autre enfant ne sera guère aidé par cette technique. Il est d'autre part évident qu'elle a ses limites. Son emploi excessif éviterait les complications émotionnelles, mais entraînerait une surprotection excluant les chances d'un progrès par l'effort. L'enfant deviendrait surdépendant et incapable de faire face lui-même aux difficultés. D'un autre côté, cette technique peut rendre de grands services en l'utilisant pour le groupe entier. Si l'éducateur remarque qu'une désorganisation collective est la résultante de l'incapacité présentée par un groupe à résoudre une tâche, une aide raisonnable peut apporter une solution au problème.

Les jeunes prévoient, par exemple, un projet par lui-même excellent. Sa réalisation suppose une distribution des rôles, implique des difficultés financières, tâches que le groupe n'est pas capable d'assumer sans confusion.

L'abandon du projet ou la désorganisation des personnalités seront les résultats de cette situation. Ce sera le rôle du meneur que de soutenir et d'organiser le plan fixé, d'établir les principes de base afin de permettre au groupe de surmonter ses difficultés. Il ne faut évidemment pas surestimer les possibilités d'une aide temporaire. L'éducateur nous semble pourtant plus porté à la sous-estimer et à ne pas se servir assez souvent de cette simple technique. Inutile de souligner qu'il faut évaluer avec précaution ses indications et ses contre-indications.

8. L'INTERPRÉTATION COMME INTERVENTION

Il s'agit d'aider les enfants à comprendre une situation qu'ils ont mal interprétée ou de les amener à découvrir leurs propres motivations. L'interprétation dont nous parlons ici n'est pas destinée à traiter profondément un sujet. Elle a simplement pour but de stopper un comportement extérieur. L'observation suivante illustrera notre position.

> Nous préparons le concours de patins à roulettes qui doit se dérouler cet après-midi. C'est le premier auquel le groupe participe et je demande à Andy d'enlever ses blue-jeans et de mettre ses pantalons, le jury du concours ayant insisté pour que tous les enfants aient cette tenue. Andy proteste et me déclare qu'il n'ira pas patiner, bien que je lui explique avoir téléphoné pour connaître les costumes qui seront portés par les concurrents. Il m'appelle « une sale menteuse », se moque de moi, me traite de « vieux sac » et me reproche de l'empêcher d'aller s'amuser. Je lui réponds : « C'est bien. Puisque vous le prenez ainsi, je vais retéléphoner, nous verrons qui a raison. » Il reste près de moi, tandis que j'appelle le manager qui confirme ma déclaration. Andy change d'attitude dès qu'il a la preuve de ce qu'il prenait pour une lubie. S'il s'était comporté de façon extrême, c'est qu'il avait mal interprété ma demande. Mis en face de la réalité, sa conduite redevenait normale (Réf. : 18.1.47, Emily KENER).

Pour que cette technique puisse être efficace, il faut que l'adulte soit suffisamment accepté et le Moi déjà amélioré. Voici une observation qui montre comment elle peut contribuer à faire découvrir à un enfant les motivations de son acte.

> Durant la semaine passée, Mike a saboté toutes les activités parce qu'il était jaloux de l'affection et de l'intérêt que nous manifestions pour Andy. Lorsque le groupe partait en excursion avec la voiture ou lorsqu'il en revenait, il obligeait l'éducateur à s'occuper de sa conduite qui était inacceptable. Par ce biais, il forçait à arrêter la voiture et retardait l'activité. Cela intensifiait son rejet du groupe et ce rejet lui donnait de nouvelles armes pour persister dans son comportement ou pour se plaindre à notre égard. Il crée maintenant délibérément des incidents qui se tournent contre lui-même. Aujourd'hui, il insiste pour emporter un couteau de chasse durant la promenade, alors que depuis longtemps Mike et tous les autres savent que cela est interdit. Il persiste cependant dans son attitude et le groupe énervé finit par le menacer. Je l'emmène à l'écart des autres et je lui dis tout bas : « Vous savez que vous n'avez même pas envie de ce couteau. Vous liguez tous vos camarades contre vous et c'est ce que vous voulez. De cette manière, vous pouvez continuer à vous plaindre. Vous êtes le responsable de ce qui se passe et vous accusez les autres. Pourquoi n'allez-vous pas plus avant? Tant que vous y êtes, dites-leur que vous le faites exprès afin de les empêcher de passer une bonne journée. Je ne peux pas continuer à vous protéger si vous me donnez sans cesse des occasions d'être fâché contre vous. » Il me regarde un moment, me tend le canif et monte dans la voiture (Réf. : 16.8.47, David WINEMAN).

Nous savons que ce terme d' « intervention par l'interprétation » peut être mal compris. La manière de l'utiliser est bien différente de celle du psychiatre ou du caseworker et son but est beaucoup plus limité. Par interprétation, nous ne présentons rien de comparable à ce qui est utilisé dans le traitement psychanalytique où l'on tente de lier la conduite d'un sujet aux racines inconscientes et aux expériences de son passé. Ce n'est pas non plus le sens donné par le caseworker qui révèle à un jeune, par exemple, qu'il agit ainsi parce qu'il est jaloux de son frère. L'interprétation, dans notre cas, n'est pas une technique thérapeutique mais un moyen d'intervention. Elle rend le sujet capable de corriger les confusions qu'il peut faire devant des situations embarrassantes.

Les indications de cette technique sont aussi nombreuses que ses contre-indications. Si nous l'avions utilisée avec Mike quelques semaines plus tôt, non seulement nous n'aurions pas diminué ses réactions pathologiques mais nous aurions augmenté leur intensité et leur durée. L'emploi de cette technique exige donc une appréciation soigneuse de son action réelle. Il est même évident que certains comportements ne pourront jamais être influencés de cette manière. L'enfant qui se met en colère contre un adulte parce qu'il éprouve momentanément de la haine à son égard n'aura guère de raison de stopper son comportement parce qu'on lui dira qu'il est fâché contre le responsable ou contre quelqu'un d'autre. Il est en colère, veut être en colère, veut donner libre cours à sa colère. C'est tout ce qui l'intéresse. La technique reste limitée à des situations où le jeune pourra réagir différemment s'il apprécie mieux la réalité et si sa conduite est due essentiellement à un malentendu. A partir d'un certain point, une trop forte quantité de pulsions est libérée pour pouvoir être ainsi contrôlée. Son action est plutôt préventive. Elle est effective lorsque la relation avec la personne ou avec la réalité est encore assez puissante pour être corrigée par une simple connaissance des faits. Cette interprétation n'est pas nécessairement verbale. Nous réservons à plus tard le développement de ce point que nous mentionnons simplement ici.

9. REGROUPEMENT

La source de difficultés caractérielles pratiquement intolérables vient parfois de constellations formées dans le groupe, de l'inter-relation entre plusieurs pathologies, de l'atmosphère collective, etc. Dans ces cas, le simple changement de ces constellations supprime les difficultés dont la résolution aurait pourtant exigé une part considérable de temps et supposé des pressions, sources elles-mêmes de conflits secondaires. Nous employons ici le terme de « regroupement » dans un sens plutôt large, par manque de place. Nous pensons que le regroupement peut se faire essentiellement de trois manières différentes.

La première est un regroupement total. L'enfant est exclu de l'institution. Ce n'est pas toujours parce que son comportement est intolérable ou parce qu'il est inaccessible au traitement, mais parce qu'il provoque des complications insolubles, en raison du désarroi entre sa propre pathologie et les besoins psychologiques du groupe. Il ne faut surtout pas confondre cette décision, parfois nécessaire, avec un renvoi à caractère punitif. La thérapie de groupe exige l'exclusion.

Le groupement peut être la simple modification de la composition d'un groupe, dans les limites de l'établissement. Nous savons, par exemple, que dans un camp, un jeune présente d'intolérables sentiments de persécution et de rivalité lorsqu'il se trouve dans le pavillon n° 7 à cause des constellations particulières qui s'y forment. Il manifeste les mêmes tendances dans le pavillon n° 9 mais elles sont suffisamment atténuées pour être contrôlées sans influence néfaste sur le reste du groupe[4]. Loin de traiter réellement le problème, nous réduisons temporairement l'intensité des troubles caractériels afin de pouvoir les contrôler correctement. Cela peut paraître, à première vue, un essai thérapeutique modeste, mais celui qui doit faire face aux complexités pratiques d'une vie en collectivité reconnaîtra certainement les gros avantages d'une telle technique.

Tout regroupement soulève évidemment une variété de problèmes secondaires : l'enfant est-il prêt à changer de groupe? Sera-t-il accepté par la nouvelle équipe? Comment organisera-t-on son départ et son entrée?

La technique de regroupement peut enfin consister en la simple redistribution des charges dans un groupe donné. Un enfant dont la participation à une activité avec trois de ses camarades risque de conduire à des complications insolubles et indésirables peut être capable de s'y adapter sans trop de difficultés avec deux autres sujets. Nous pouvons même faire des changements dans les sous-groupes constitués. Le responsable reste le même, mais les sous-groupes sont utilisés. Dans le choix d'une équipe, par exemple, certains jeunes peuvent être capables de suppor-

4. Dans la majorité des camps de vacances américains, les enfants vivent en petites équipes sous la direction d'un moniteur, à l'intérieur de baraquements disséminés sur la surface du camp. Ces baraquements sont numérotés, ce qui explique les chiffres énumérés ici. *(Note du traducteur.)*

ter les épreuves compétitives en gardant un esprit de groupe, mais tout dépend du côté où ils se trouvent et de leurs adversaires. Il serait maladroit de vouloir étouffer l'hostilité entre sous-groupes en les faisant combattre les uns contre les autres. Le regroupement peut revêtir d'autres apparences : changer la disposition des places autour d'une table, modifier la distribution des enfants par rapport aux adultes, essayer de séparer géographiquement certaines activités les unes des autres au lieu d'engager tous les jeunes dans le même programme.

Joel et moi, nous emmenons les enfants en ville pour acheter des vêtements. Nous organisons ordinairement des « tours », en prenant chaque garçon l'un des jours de la semaine. L'achat de vêtements est un événement trop important pour que nous puissions espérer que chaque enfant attende son tour. Nous avons donc décidé de les conduire tous ensemble. A l'origine, les garçons veulent coopérer et sont d'excellente humeur. Plus nous approchons du magasin, cependant, plus l'anticipation de l'événement commence à déclencher des réactions agressives et impulsives. Mike et Bill n'arrêtent pas de se chamailler. Mike agrippe Bill et le chatouille tout en lui demandant si son costume lui va bien. Bill proteste, mais, dès que nous apaisons Mike, il lui donne une chiquenaude afin de l'inviter à recommencer. A plusieurs reprises, nous arrêtons la voiture, car le bruit et le chahut rendent la conduite difficile. Andy, Danny et Larry sont plus calmes que Mike et Bill. Nous décidons, en conséquence, de nous diviser en deux groupes, Danny, Bill et Joel d'un côté, Andy, Larry et Mike avec moi d'un autre côté. Ainsi divisées, les deux équipes se comportent de façon correcte (Réf. : 15.9.47, Emily KENER).

En base-ball, Andy, Bill et moi-même, nous jouons contre Joel (éducateur), Larry et Mike. Mon équipe est déchirée par l'éternel conflit qui règne entre Bill et Andy. Pour Bill, Andy représenta pendant longtemps l'image de son « bon frère ». Le sadisme qu'Andy manifesta alors à son égard diminua peu à peu la force de cette image et fit naître à son tour des sentiments de haine. Bill est maintenant à un stade où son agressivité envers Andy est presque consciente. Sachant combien Andy désire gagner, il joue mal, manque les balles, gâche les occasions de victoire, alors qu'il est agile, rapide et bon joueur de base-ball. Andy satisfait son désir inconscient en se mettant en colère et en le tourmentant. La tension augmente progressivement. Finalement, comme Andy injurie Bill qui fait une nouvelle erreur, ce dernier déclare : « O. K., bâtard, si je ne suis pas assez bon pour vous, je m'en vais. » Joel (éducateur) suggère de modifier les équipes en mettant Larry, Bill et moi-même d'un côté, contre Andy, Mike et lui de l'autre. Larry proteste un moment en soulignant la maladresse de Bill. Un pressentiment le fait sans doute changer d'avis, car il s'interrompt brusquement et propose d'essayer. Nous reprenons la partie qui se déroule alors normalement (Réf. : 18.9.48, Paul DEUTSCHBERGER).

Nous revenons d'une excursion de deux jours à la ferme de E... Les garçons sont fatigués et sont pris d'accès d'hilarité nerveuse qui frappe surtout les trois enfants assis à l'arrière de la voiture, Danny, Mike et Andy. Andy enlève ses chaussures, remue ses orteils nus, tout en frappant Danny qui est assis à la droite de Mike. Cela déclenche le sadisme de Danny qui se met à fouetter Mike tout en avertissant Dave (sous-directeur qui nous a accompagné et qui conduit) qu'il va « buter ce pauvre type de Mike. » Andy et son orteil gigotant sont à la source de toute la scène. Dave essaie de le calmer, lui demande de s'arrêter, mais le garçon est trop excité pour obéir. Il stoppe pendant quelques secondes mais recommence son manège. Dave lui demande finalement de changer de place avec Larry et de venir sur le siège avant. Il refuse et nous arrêtons la voiture. Dave interpelle Andy et lui fait remarquer son excitation. « Je sais que vous ne pouvez pas vous arrêter si vous restez à l'arrière avec Mike près de vous. A l'avant, vous serez sûrement capable de vous calmer. » Andy sort de la voiture, exige de marcher un peu les pieds nus, puis s'installe à l'avant après cette manifestation finale d'exhibitionnisme. Larry à l'arrière, Mike et Danny s'endorment tandis que Larry me parle tranquillement de toutes les choses que nous avons vues à la ferme (Réf. : 5.4.48, Vera KARE).

Il semble que la technique du regroupement soit particulièrement efficace pour éviter ou pour interrompre des « contagions en chaîne ». L'étude des indications et des contre-indications dépasse malheureusement le cadre de ce travail.

10. LA RESTRUCTURATION

Aussi bien définie et organisée que puisse être une activité, elle peut « tourner mal » au bout d'un certain temps. Par exemple, les enfants écoutent tranquillement une histoire, mais la passivité, le silence et le calme finissent par les gêner. Une compétition peut être satisfaisante. Son effet surexcitant sur quelques-uns déclenche brusquement des réactions caractérielles qui gâchent le plaisir de tout le groupe. Un concours de devinettes fascine les enfants. Le fait que certains restent inactifs tandis que deux d'entre eux participent devient bientôt trop étouffant. En résumé, il arrive qu'une situation ou un programme primitivement bien adaptés aux besoins deviennent insuffisants parce que de nouveaux éléments entrent en jeu et créent un état d'ambivalence. Des troubles du comportement deviennent inévitables, même avec un enfant normal. La « restructuration » est l'une des techniques permettant d'éviter ces difficultés [5]. Elle consiste à délaisser une activité donnée qui a plu en premier lieu, mais qui ne convient plus au groupe après un certain temps, et à lui substituer une autre activité plus durable et qui répond mieux aux besoins immédiats des enfants.

De nombreux éducateurs ont déjà fait un ample usage de cette technique.

Au lieu de punir et de susciter ainsi d'innombrables petits actes de revanche, de chantage ou de punition, l'instituteur qui remarque que son groupe est énervé parce qu'il est demeuré assis trop longtemps change seulement l'activité; il permet aux jeunes de se lever et de s'étirer ou il provoque des éclats de rire qui libèrent les énergies trop accumulées. Dans notre travail, la technique de « restructuration » peut être également utilisée pour éviter préventivement l'apparition de comportements extrêmes que nous savons pouvoir être déclenchés par certaines situations. Le meilleur moyen, par exemple, d'éviter des accès de colère de la part d'un enfant est de prévoir combien de temps il peut supporter une activité et de la modifier avant qu'apparaisse un état de lassitude.

> Nous amenons le groupe au Greenfield Museum. Bien que les enfants aient paru intéressés et soient retournés à ce musée sur leur demande, il paraît évident, une fois arrivés, que l'intérêt ira très vite en décroissant. Après avoir regardé quelques vitrines, ils commencent à grimper sur certains objets tels que de vieux avions ou des locomotives. Une série d'incidents

5. Le terme de « restructuration » a été introduit en psychologie sociale par Kurt LEWIN et Ronald LIPPITT.

ne tarde pas à se produire, gardiens du musée et moi-même étant obligés d'interdire leurs exploits. La proximité du dîner de Noël, des cadeaux, explique sans doute leur particulière agressivité, alors que nous avions été capables d'organiser une promenade identique trois semaines auparavant. Il y a trop de tentations accumulées dans les vitrines et le joli parquet ciré exerce un effet de plus en plus fascinant. Au bout de 30 minutes je les réunis tous ensemble et leur annonce que j'ai gardé en réserve une surprise. Que diraient-ils de prendre maintenant la voiture et de passer la fin de l'après-midi sur les toboggans de Rouge Park qui sont seulement à un quart d'heure d'ici? Des exclamations sauvages saluent ma proposition et ils se ruent vers la voiture. Tout se passe bien le reste de la journée. Si je leur avais pourtant dit à l'origine : « Pas de musée, allons à Rouge », ils m'auraient accusé de faire preuve de mauvaise volonté! (Réf. : 22.12.46, Joel VERNICK).

Après l'école, nous entamons une activité manuelle. Bill est le premier à manifester de l'ennui et sort de la pièce. Les autres perdent bientôt tout intérêt. Au bout de 20 minutes environ, Bill revient en criant : « Regardez ce que j'ai! C'est fou ce que je m'amuse! Venez avec moi. » Il porte un mannequin de couturier à moitié brûlé. Andy vient l'admirer et Bill lui donne une bourrade. « Il n'a pas de pantalon, s'exclame-t-il, il n'a pas de sexe! » Cette phrase paraît agir comme un signal pour Andy et Mike. Ils se mettent à danser et à rire, tout en faisant des mouvements de coït. J'ai bien du mal à les empêcher de monter sur mon dos. Tout excité, Larry chante en même temps : « pas de sexe! pas de sexe! » et les autres recommencent à vouloir me sauter dessus. « Écoutez, leur dis-je, Bill ne peut donc pas apporter un mannequin sans que vous dépassiez les bornes? O. K., vous êtes fatigués de travailler et Bill dit des cochonneries au sujet du mannequin. A quoi bon sauter sur moi? Pourquoi n'emmenez-vous pas le mannequin dans la cour? Vous verriez à quelle distance chacun peut le porter; puis nous ferons quelques jeux intérieurs, par exemple un jeu de proverbes. » Cela canalise leur agressivité et ils sortent gaiement dans la cour. Bientôt fatigués, ils reviennent et nous jouons tranquillement avant le dîner (Réf. : 5.12.47, Betty BRAUN).

Voici un autre cas où l'effet produit est la conséquence de plusieurs techniques associées. L'éducatrice « ignore » les manifestations sexuelles dirigées contre elle. Elle ne punit pas et oriente les comportements. En plus de tout cela, nous sommes convaincus que le changement de programme a également exercé son influence. Comme n'importe quelles autres techniques d'intervention, la « restructuration » a ses côtés négatifs. Elle évite seulement les conséquences immédiates de situations transitoires et n'attaque pas la source d'un état pathologique. L'emploi excessif de cette technique conduit l'adulte à devenir évasif. Il cherche à découvrir des moyens de diversion et ne résout pas les facteurs sous-jacents. Il risque de supprimer l'effort personnel des enfants. N'importe quel type de problèmes ne peut pas être contrôlé de cette manière. Si la colère exprime la confusion de l'enfant entre le présent et son passé traumatique ou un conflit personnel, la technique échouera.

Malgré ses limites et ses difficultés d'application, la « restructuration » est certainement l'un des moyens de stopper l'apparition de réactions caractérielles ou de les maintenir à un niveau tolérable.

11. APPEL DIRECT

L'une des erreurs les plus fréquentes de l'éducateur débutant ou agressif est de penser qu'il doit toujours intervenir de façon brutale, en arrêtant, en interdisant, en menaçant ou en punissant, même dans les cas où l'enfant conserve son contrôle auquel il suffirait de faire appel. Du fait de leurs troubles, nos enfants ne peuvent être guère modifiés par la technique de l'appel direct. Faire appel à un contrôle intérieur suppose en effet qu'il existe déjà. Par exemple, aussi longtemps qu'un jeune ne distingue pas nettement ce qui est ou non une conduite correcte en public, il sera inutile d'éveiller des sentiments de honte et de pudeur en rapport avec son langage sexuel. Si l'adulte est considéré comme un ennemi qu'il faut combattre ou châtier, on ne pourra pas demander à l'enfant d'agir raisonnablement afin de rendre plus facile le travail du responsable. S'il ignore les notions de futur ou s'il ne perçoit pas les conséquences de ses actes, il serait absurde de vouloir le faire rester tranquille en lui faisant miroiter les promesses d'une excursion.

Dès que le Moi s'améliore légèrement et que le Surmoi commence à jouer à nouveau un rôle, il est pourtant possible d'utiliser cette technique, même avec des enfants profondément troublés. Convaincu de l'utilité de l'appel direct avec des sujets normaux, le responsable, fatigué par son travail quotidien, peut sous-estimer ou refuser de reconnaître l'influence de cette technique sur son groupe. Même nos enfants, qui manifestaient constamment leur hostilité, répondaient parfois à nos demandes amicales et s'efforçaient alors d'agir avec plus de tact et plus d'attention. Le jeune qui peu de temps auparavant avait dû être empêché de se livrer à des actes extrêmement violents se révélait capable de réagir positivement lorsque son éducateur lui disait : « S'il vous plaît, Danny, je suis très fatigué, ce bruit me dérange. » Lorsqu'il n'était pas possible de faire appel aux relations avec l'adulte ou aux conséquences futures pour l'individu, on pouvait parfois réussir à contrôler l'enfant en liant son comportement aux effets immédiats sur son groupe. Bien qu'insouciants, hyperactifs et sauvages, nos jeunes obéissaient momentanément à une phrase telle que : « Cela suffit maintenant, tout cela nous ennuie. »

> Sur le chemin de l'école, Larry et Danny restent isolés. Ils parlent peu, chacun s'étant réfugié dans ses rêveries. Mike, Bill et Andy forment le trio agissant, Mike et Bill disant des obscénités et essayant de séduire Andy. Au début, ils parlent chacun pour soi et ne se préoccupent guère de leurs voisins puis, ils improvisent sur ce que l'autre vient de dire. Si la phrase de Mike se termine par « shit », Bill reprend le dernier mot et ajoute « shit my dick », etc. Andy s'entend généralement bien avec eux mais ne répond guère aujourd'hui à leurs avances. Observant qu'Andy, Larry et Danny restent en dehors de ces plaisanteries, je me décide à intervenir. « Qu'avez-vous donc, garçons? Ne voyez-vous pas que les autres Pionniers sont dégoûtés par votre langage? » L'effet de ces paroles me surprend moi-même. Bill se tourne vers moi et me rassure par ces mots : « O. K., Dave, j'arrête. Je ne recommencerai plus. » (Réf. : 16.2.48, David WINEMAN).
>
> Il faut faire sortir Mike de sa chambre au cours de la nuit. Comme cela lui arrive si fréquemment, il est érotique et agressif à l'égard de Larry, met son pied sur son lit, ricane ou éclate d'un rire hystérique, frappe sur son propre oreiller, combat des ennemis imaginaires, leur murmure quelques mots ou les injurie. Je l'emmène au rez-de-chaussée. Il persiste dans son comportement, frotte son pied sur ma jambe, etc. Lorsque la véritable phase anxieuse s'est éloignée, je

lui dis : « Arrêtez-vous maintenant, Mike. Je dois être ici demain matin à 7 heures ½ et je suis très fatigué. Vous allez remonter dans votre chambre et y rester bien tranquillement. » Il hésite encore une minute puis me dit sérieusement : « D'accord Dave. Je ferai cela pour vous. » Il monte l'escalier et va se coucher sans autre difficulté (Réf. : 17.3.48, David WINEMAN).

Il est important d'évaluer si l'enfant est prêt à se conformer à l'appel direct et de savoir dans quelles conditions cette technique est applicable. Nous avons établi une liste des appels les plus fréquemment utilisés.

Appel à une relation personnelle : « S'il vous plaît, ne faites pas cela. Je ne pense pas que ce soit chic. J'ai été gentil avec vous. Vous ne devez pas agir comme ça. Nous sommes des amis, etc. »

Appel à une réalité physique : « Vous ne devez pas faire cela, c'est dangereux. Voici ce qui pourrait vous arriver. »

Appel aux conséquences indésirables provenant d'un acte : « Si vous ne sciez pas convenablement le bois, il va se fendre et vous ne pourrez pas faire votre fusil. »

Appel aux réactions d'autrui : « Vous ne pouvez pas continuer ainsi. Vous savez que les gens n'admettent pas cette conduite dans les allées réservées aux jeux de boules. »

Appel au sens des valeurs et aux exigences du Surmoi : « Vous ne voulez tout de même pas ressembler à cela « ou » je suis sûr que vous ne vouliez pas agir ainsi. »

Appel à des schèmes de valeur collective : « Je ne pense pas que vos camarades trouveraient cela bien. »

Appel à l'amour-propre : « Vous n'allez pas vous comporter ainsi devant tout le monde. »

Appel au jugement social (communauté) : « Si vous agissez ainsi, vous savez ce qui vous arrivera. »

Éveil de l'attention aux réactions des camarades : « N'attendez pas que vos camarades vous estiment si vous vous comportez de cette manière. »

Appel à la hiérarchie : « Je ne peux pas vous empêcher de faire cela, mais je sais que Fritz (le directeur) ne l'admettra pas « ou » je ne peux pas faire cette exception;

nous les éducateurs, nous ne sommes pas autorisés à dépenser trop d'argent au cours des excursions. »

Appel à des considérations personnelles : « Arrêtez de taper sur la porte, s'il vous plaît; j'ai été debout toute la nuit et j'ai besoin de dormir. »

Appel à la fierté éprouvée pour une amélioration personnelle : « Vous ne pouvez plus agir aussi sottement maintenant que vous avez fait tant de progrès. »

Il est évident que chacune des observations précédentes s'adresse à des cas bien précis. Faire un choix sage et réaliste demeure l'une des responsabilités les plus difficiles de l'éducateur. Les appels peuvent être également utilisés pour des buts plus lointains et nous étudierons plus tard cette notion. Pour le moment, nous présentons cette technique comme un moyen immédiat d'intervention afin de stopper ou de provoquer l'apparition d'un comportement. Comme pour plusieurs des techniques déjà étudiées, l'avantage de celle-ci est d'éviter des réactions dues aux frustrations ou à l'agressivité provenant de l'intervention. L'influence de n'importe quel type d'appels varie grandement avec le but poursuivi, l'état d'excitation des enfants et le degré de cohésion du groupe. Il est étonnant de constater combien les jeunes y réagissent différemment. Un enfant peut y être totalement inaccessible si la contagion psychique du groupe ou d'un sous-groupe est trop forte. Certains appels sont effectifs si le jeune est pris isolément, alors qu'ils échouent dans une situation collective, le contraire pouvant d'ailleurs être vrai.

12. RESTRICTION DE L'ESPACE. LIMITATION DANS L'USAGE DES OUTILS

Jamais une notion n'a peut-être été autant liée à des opinions collectives peu fondées. Pour certaines personnes, le fait de « limiter » ou d' « enlever » est considéré comme une réaction sage de l'éducateur. Pour d'autres, c'est le signe évident d'un désir de punir, d'un manque de compréhension vis-à-vis des enfants, d'un refus de considérer les motivations profondes d'un acte. A Pioneer House, nous avons eu maintes occasions de vérifier cette confusion chez nos visiteurs et parfois chez nous-mêmes. S'ils arrivaient au cours d'une scène violente, nos amis ne parvenaient pas à cacher leur incrédulité et nous reprochaient notre « faiblesse » et notre « stupidité » parce que nous ne protégions pas les jouets en les mettant sous clé ou parce que nous n'enlevions pas un objet mal utilisé par un enfant. Le même jour, un psychiatre ou un autre spécialiste venu visiter l'établissement était horrifié parce que « nous avions confisqué la nuit dernière la torche électrique de Mike » ou parce que « certains tiroirs et certaines pièces étaient fermés à clé. » Au début, du moins, nous avions été troublés nous-mêmes devant semblables décisions. Au cours de nombreuses réunions, nous devions répondre à des questions telles que celle-ci : pourquoi êtes-vous gêné d'avoir confisqué le couteau de Bill? Tout révèle que c'est une réaction nécessaire et la manière de le faire respecte les règles d'antisepsie individuelle émises dans les livres. Il nous fallait parfois admettre que le fait d'avoir pris le canif de Joe n'était pas le résultat d'un mouvement clinique réfléchi mais était dû à notre propre anxiété. Nous ne pouvons pas nous réfugier dans des règles générales. Le problème de la restriction de l'espace et des limitations dans l'usage des outils est à résoudre différemment chaque jour. Bien que très incomplètes, les notions suivantes tendent à préciser notre point de vue.

On peut concevoir cette douzième technique de deux manières différentes : dans le premier cas, il s'agit « d'éviter ». Nous mettons sous clé les outils et les objets ou nous les entourons d'interdictions et de « tabous ». Il est bien difficile de dire laquelle de ces procédures est préférable. Tout dépend des circonstances. Si nous voulons tolérer les symptômes en leur permettant de s'exprimer, nous devons définir quelques indications précises sur l'usage des outils et sur l'utilisation de l'espace. Abandonner de la menue monnaie, par exemple, peut séduire inutilement des enfants. En laissant traîner des outils et des jouets à Pioneer House, nous favorisions l'apparition de phénomènes d'intoxication collective. Voici une observation prise parmi des centaines :

Nous étions au courant de l'extraordinaire curiosité de nos enfants pour les tiroirs, les pièces et les bureaux des adultes qui occupaient une place importante dans leurs vies. Nous les amenions parfois à satisfaire ce besoin en les laissant fouiller dans nos affaires ou jouer avec des objets trouvés dans une pièce au cours d'un entretien. Un libre accès à toutes ces possessions aurait été pourant une imprudence. La pièce de l'éducatrice principale avait une signification particulièrement grande pour nos enfants. Nous leur avions laissé un tiroir qu'ils pouvaient ouvrir et fouiller autant qu'ils le voulaient lorsque l'éducatrice était présente. Ils pouvaient y mettre ou y enlever tout ce qu'ils voulaient (tout au moins, ils pouvaient demander la permission de le faire). Il y avait un autre tiroir qu'ils pouvaient également ouvrir et explorer, mais ils ne pouvaient rien y déposer ou enlever. Il contenait une variété d'objets que les adultes mettent généralement dans les bureaux, tels que des classeurs. Si la curiosité était trop forte, ils avaient le droit de regarder dedans et se persuadaient bien vite par eux-mêmes qu'il n'y avait rien d'intéressant, seulement des « trucs d'adultes », mais que rien ne leur était caché. Certains autres tiroirs étaient simplement fermés à clé. Les enfants ne pouvaient pas en disposer et ils ne cherchaient pas à le faire. Cette interdiction leur était expliquée en comparant leurs propres besoins et leurs propres droits d'avoir leurs objets enfermés. Si la tentation devenait trop forte, nous discutions avec eux sur ce point. Nous espérions ainsi rendre les jeunes sensibles aux sentiments d'intimité et de vie privée.

Il existe une autre manière de réduire l'espace et de limiter l'usage des outils. Elle devient applicable lorsqu'un enfant se révèle incapable de bénéficier de l'influence des techniques mentionnées ci-dessus. Il nous faut ainsi l'empêcher d'entrer dans une pièce ou lui enlever l'objet séducteur. Cette manière d'agir est très discutée. Comme nous l'avons déjà mentionné, il ne s'agit pas d'intervenir et d'enlever les joies des enfants afin de nous éviter des ennuis. Nous pensons que, dans certaines conditions, il peut être sage et valable de confisquer un objet. Ne pas le faire nous conduirait fatalement à limiter l'espace. En les exposant à certaines situations, en leur permettant d'utiliser certains jouets et certains outils, nous les amenons à se heurter à de trop grandes difficultés. Même avec un programme parfaitement adapté, les enfants seront exposés à des phénomènes de surexcitation et d'intoxication collective. Nous pouvons parfois prévoir ces risques et les éviter. Si cela est impossible, le fait d'enlever l'objet qui semble à l'origine des difficultés nous paraît une sage décision clinique.

Il est vrai, d'autre part, que nous devions être pleinement conscients des conséquences d'un tel acte : confisquer peut avoir pour le jeune une signification beaucoup plus grande que celle que nous voulons donner. C'est particulièrement vrai pour certains jouets ou pour certains objets. L'enfant peut ainsi se prouver que nous ne l'aimons pas et de telles considérations suffisent alors à contre-indiquer l'usage de cette technique. Dans d'autres cas, son utilisation sera sans danger, comme le démontrent les exemples suivants : L'éducatrice lisant une histoire à l'heure du coucher est gênée par un garçon qui ne résiste pas à la tentation de se saisir de sa torche électrique pour en aveugler ses voisins. Pour de multiples raisons, il serait stupide de supprimer l'apparition de tels problèmes en interdisant simplement que les enfants aient avec eux des lampes électriques. Il serait également déraisonnable d'abandonner l'activité sous le prétexte d'éviter une intervention brutale. Laisser le jeune persévérer dans son attitude risque d'attirer l'hostilité du groupe sur lui et de provoquer ainsi son rejet. L'adulte peut devoir exiger que la torche soit remise en place dans le tiroir. Si l'excitation va croissant, il peut même être contraint de la confisquer jusqu'au lendemain matin. En agissant de cette manière, il lui faut évaluer le pour et le contre de son acte, sa signification symbolique et ses conséquences futures. Même s'il lui faut intervenir brutalement, il doit créer les conditions favorables à une telle intervention. Par exemple, un entretien essaiera ultérieurement de réparer les dommages causés. Tout un ensemble de faits contribue d'ailleurs à faire comprendre à l'enfant le sens véritable de l'intervention : marques d'amitié, absence de punition après l'intervention, patience manifestée par l'adulte avant de confisquer l'objet, tentatives faites précédemment pour aider le jeune à contrôler ses difficultés sans avoir recours aux menaces, assurance pour l'enfant de récupérer plus tard sa lampe électrique. « Je n'essaie pas de m'opposer à ton plaisir, je veux seulement que tu ne gênes pas tes camarades », intervention réalisée sans marques d'impatience et sans triomphe, sympathie ressentie, etc.

Dans un moment particulièrement dangereux, par exemple un enfant excité lance un couteau sur un camarade, même ces considérations seront momentanément abandonnées. Il faut s'emparer immédiatement du couteau. Cette intervention sera considérée par le jeune comme un rejet, une mutilation, mais un entretien et l'atmosphère générale de la maison contrebalanceront les sentiments hostiles. L'essentiel est d'exclure de cette technique toutes marques d'agressivité, punitions ou désirs de revanche. L'acte du responsable doit être parfaitement clair ou interprétable par la suite afin de ne pas entraîner le rejet du groupe. La privation doit être limitée dans le temps, l'enfant étant assuré de récupérer plus tard ce qui lui a été enlevé. Le responsable lui expliquera amicalement les raisons et la signification de son acte. Dans ces conditions, toute restriction de l'espace, toute limitation dans l'usage des outils sont non seulement inévitables, mais peuvent constituer une expérience positive.

Sachant qu'il peut employer sagement cette technique, l'éducateur se sentira plus libre le reste du temps pour utiliser des objets valables mais dont la manipulation risque de soulever quelques difficultés. Nos éducateurs essayaient de manifester particulièrement d'intérêt envers les objets qui pouvaient être dangereux et exiger un jour ou l'autre une intervention brutale. Ce lien établi, enfant et adulte étaient prêts à supporter plus aisément le moment de l'intervention. Si l'adulte a déjà manifesté une suspicion ou de l'agressivité envers le couteau ou la torche dont il doit aujourd'hui s'emparer, l'enfant le considérera comme un gêneur hostile. S'il a partagé la joie du jeune chaque fois que ce dernier se servait raisonnablement d'un jouet ou d'un outil, il lui sera plus facile de les confisquer sans provoquer des manifestations agressives. Même si les premières réactions de l'enfant sont négatives, il sera généralement facile de les apaiser par un entretien individuel ultérieur.

Les enfants ont joué une grande partie de l'après-midi avec des pistolets à eau que le directeur leur a offerts à son retour de congé. Sous la supervision des éducateurs, plusieurs batailles se sont déjà déroulées dans la salle de douches. Torse nu, ils se sont joyeusement aspergés en jouant aux gendarmes et aux voleurs et aucune difficulté n'est apparue. Avant le dîner, nous leur demandons de se rhabiller et de descendre au réfectoire. Ils obéissent immédiatement après avoir mis leurs pistolets à la ceinture. Je les arrête alors : « Attendez une minute, garçons, que diriez-vous de ranger votre artillerie pendant le repas? » Comme ils protestent violemment, j'ajoute : « Vous avez passé un bon après-midi avec les pistolets, mais c'était dans les douches. Vous allez tout gâcher en amenant vos armes dans le réfectoire. Je suis sûr que l'un de vous aura l'idée de plonger son revolver dans la cruche d'eau ou de lait pour asperger son voisin. Croyez-moi, vous feriez mieux de me les laisser. Je les mettrai dans mon bureau. » Mike est le premier à accepter l'idée, mais demande s'il pourra récupérer son revolver juste après le dîner. Comme je lui réponds affirmativement, il me tend son arme et tout le groupe l'imite (Réf. : 17.10.47, David WINEMAN).

Tandis que je lis une histoire à l'heure du coucher, Larry ne cesse d'allumer et d'éteindre sa lampe électrique. Les autres enfants finissent par protester. C'est une nouvelle torche (supermodèle!) que Larry a reçue comme cadeau de Noël et cela m'ennuie de la confisquer à cause de sa signification symbolique. Il est également clair que le jeu avec la lampe a pour lui un sens masturbatoire. Il la glisse sous sa couverture entre ses parties génitales, puis la ressort en projetant le faisceau sur les poutres du plafond. Dès que Danny commence à se plaindre, il devient très agressif et déclare que « personne ne lui prendra sa lampe ». Il se tourne sur le côté et la cache sous lui, bien que je n'ai fait encore aucun mouvement dans sa direction. Au bout de quelques instants, il se remet à aveugler ses camarades. Je l'interromps : « Voyons, Larry, nous ne pouvons pas vous laisser faire cela. Mettez votre lampe dans votre armoire et laissez-la jusqu'à demain matin. Sinon, je vais être obligé de la prendre car vous gênez la lecture et tout le monde est énervé. » En grognant, il sort du lit, met la torche dans son armoire, puis se glisse sous les draps et écoute en silence (Réf. : 18.1.48, Barbara SMITH).

Après l'école, les garçons reviennent à la maison pour boire du lait et pour manger quelques gâteaux. Joe et Sam décident brusquement d'organiser un match de lutte. Ils se mettent torse nu et commencent à s'agripper mutuellement. Je leur dis en riant : « Allons, les garçons, arrêtez-vous. C'est en haut qu'il faut aller faire cela. Nous mettrons des matelas par terre et nous organiserons un vrai match » (Réf. : 18.1.47, Emily KENER).

13. ÉLIMINATION ANTISEPTIQUE DE L'ENFANT

Pour celui qui est un peu au courant des principes de base de l'éducation dite progressive, le terme d'élimination antiseptique peut paraître choquant. Empressons-nous d'ajouter que ce terme n'est employé que pour souligner notre pensée et pour faire image. Nous aurions pu mettre à sa place un titre plus clinique tel qu' « élimination par rapport à une situation donnée ». Le mot « élimination » est étroitement lié à celui d'antisepsie. Nous n'imaginons pas un adulte en colère chassant un jeune avec hostilité, agressivité ou triomphe. Nous pensons seulement que, dans certaines circonstances, la seule manière de faire face à des troubles du comportement est d'écarter l'enfant de la scène où se déroule le conflit.

Le lecteur pourrait penser qu'il s'agit d'une technique d'urgence, les manifestations caractérielles ayant atteint une telle intensité, prouvant une telle perte de contrôle et une telle excitation que les autres moyens de les arrêter ne seraient plus effectifs. Il n'en est pourtant pas toujours ainsi. L'élimination antiseptique peut être utilisée comme technique préventive, alors que la « crise » est encore lointaine.

Voici une liste des critères qui nous paraissent favorables à son emploi :

CRITÈRES FAVORABLES

1. DANGER PHYSIQUE.

Des explications complémentaires nous paraissent superflues. L'enfant est arrivé à un tel degré d'agressivité ou d'excitation qu'il ne perçoit plus le danger. S'il n'est pas arrêté, il risquera de blesser les autres enfants ou lui-même. Cette situation résulte parfois de fautes dans l'organisation du programme mais elle peut être imprévisible.

2. Le groupe alimente l'état de désorganisation de l'individu.

Il arrive qu'un jeune soit stimulé par le reste du groupe ou par certains de ses membres. L'activité en cours peut également le surexciter. Dans ces cas, il n'est plus possible de le ramener au calme tant qu'il demeure au milieu de ses camarades ou tant qu'il reste engagé dans la même activité. Cela se produit souvent après un combat excitant, au cours d'un jeu menaçant, après une dispute constamment réveillée par la vue des objets ou des gens qui l'ont suscitée.

3. Il faut supprimer le motif de la contagion.

Cela semble l'inverse de la situation précédente. La présence d'un enfant ou sa conduite excite le groupe à un tel degré qu'il devient nécessaire de l'éloigner. L'exemple classique en est l'enfant pris d'un tel fou rire qu'il ne peut plus s'arrêter malgré ses efforts, chaque accès nouveau ayant un effet désastreux sur le groupe. Les éducateurs travaillant dans les camps savent que cela se produit même avec les enfants les plus coopérants. Le groupe est calme et sur le point de s'endormir, mais l'un des jeunes l'excite par ses rires étouffés sous la couverture. Menaces et prières restant inopérantes, la seule solution est généralement d'emmener l'enfant et de s'asseoir sous un arbre avec lui. Privé de la stimulation du groupe, rassuré par notre présence, il s'apaise bientôt, sans qu'il soit nécessaire d'utiliser punitions ou menaces. La situation se complique si la conduite de l'enfant est volontaire, mais la simple séparation demeure suffisante la plupart du temps.

4. L'amour-propre de l'enfant doit être sauvegardé.

Il arrive que les jeunes se livrent à des manifestations collectives d'hilarité. Un enfant peut désirer se séparer du groupe, mais il lui est impossible de le faire ouvertement sans risquer de perdre la face, d'être considéré comme un couard, un traître, un petit « chouchou ». En le prenant à l'écart pour une conversation, on lui permet de s'isoler, le contact amical avec l'adulte lui faisant accepter la signification de notre intervention. Serait-il resté, il aurait été honteux de céder le premier aux demandes du responsable, il aurait craint les reproches d'être un « vendu ». De tels enfants nous sont souvent reconnaissants de les « écarter ».

5. Il faut imposer des limites.

Dans certains cas, l'exclusion n'est pas rendue nécessaire par le comportement extrême de l'enfant. Les circonstances obligent cependant l'adulte à montrer clairement les limites imposées par la situation. Par exemple, nous venons de donner l'interdiction d'appuyer en cours de marche sur l'accélérateur de la voiture. Sur-le-champ, l'un des garçons défie l'adulte et met son pied sur la pédale. En agissant ainsi, il ébranle le code moral bâti autour de cette règle et il devient nécessaire de lui imposer nos limites pour assurer la sauvegarde du groupe. Il peut être sage d'exclure temporairement un enfant qui ne peut pas accepter les conditions minimum d'une activité en cours. Le but de l'adulte est de montrer clairement que « cette conduite ne peut pas être acceptée puisqu'elle détruit une règle admise par tous. » Il ne faut pas que cela soit fait dans une attitude punitive ou agressive. Plus les limites sont imposées fermement, plus il est nécessaire de manifester son affection au délinquant. Un entretien individuel ou de groupe pourra être également utile par la suite.

Nous ne voudrions pas insister sur le mot « élimination », mais sur l'adjectif que nous lui avons ajouté. Quelle que soit la cause de l'exclusion, elle doit toujours rester *antiseptique*. En résolvant temporairement un problème, nous ne devons pas provoquer des dommages secondaires ou gâcher nos buts cliniques. Nous préciserons notre pensée en établissant une liste des précautions à prendre et des contre-indications de cette technique.

PRÉCAUTIONS ET CONTRE-INDICATIONS

1. PROTÉGER LES RELATIONS ÉTABLIES.

En utilisant cette technique, il ne faut pas détruire la relation personnelle qui s'est progressivement établie entre l'enfant et son groupe. L'enfant doit comprendre que nous interrompons sa conduite parce qu'il ne nous est pas possible de faire autrement ou parce que nous voulons ainsi l'aider. S'il ne peut pas percevoir cela dès maintenant, il faudra le lui interpréter ultérieurement par mots ou par actes. L'exclusion ne doit pas être considérée comme une punition, une marque de revanche ou de rejet, et la même chose est vraie pour le groupe. Si le fait d'exclure un enfant risque de remettre en question la direction du groupe, il ne faut pas utiliser l'exclusion. Pour cette raison, seul le personnel à la tête de la maison employait cette technique durant les premiers mois du fonctionnement de Pioneer House. L'éducateur ou l'éducatrice ne risquaient pas ainsi de se trouver submergés par des réactions secondaires d'agressivité. Colère, hostilité, désapprobation de l'enfant en tant que personne doivent être entièrement supprimées. Sauf s'il y avait danger physique réel, nous préférions supporter les risques d'un chahut plutôt que d'employer une technique dont les conséquences étaient trop perturbantes. Nos sujets, bien qu'agressifs, faisaient cependant rapidement la différence entre une intervention dictée par des considérations réalistes et une punition réelle ou un rejet.

2. EFFET SUR LES AUTRES ENFANTS ET SUR LE GROUPE.

L'exclusion d'un enfant peut avoir des conséquences sur le groupe entier. Au niveau le plus simple, si nous confisquons la thèque de base-ball et si nous ne la remplaçons pas, nous frustrons automatiquement l'équipe de son activité. A un niveau plus complexe, si nous chassons un enfant, nous risquons que le reste du groupe se déclare solidaire et s'identifie à lui. Même si le jeune accepte bien son expulsion, d'autres enfants peuvent éprouver la crainte

183

de « perdre l'amour ». Dans les deux cas, la technique est contre-indiquée.

L'exclusion peut modifier le caractère du groupe. Par exemple, Joe est chassé de l'équipe et comprend le motif de cette expulsion. Mais le groupe l'interprète comme une punition. Il a le sentiment que son « mouton noir » est exclu. Sur cette base, il peut s'identifier anxieusement à l'adulte et accroître son obéissance au prix d'une marge de tolérance abaissée pour chacun de ses membres. L'effet serait déplorable et montre que nous ne pouvons pas baser notre décision exclusivement sur ses effets individuels. Il nous faut tenir compte du groupe pris dans son ensemble.

3. Considérations a porter sur les statuts personnels de l'enfant.

L'exclusion d'un enfant peut modifier son « rôle » dans le groupe et ceci peut se faire dans deux directions. L'expulsion fait perdre la face, affaiblit le prestige ou donne au garçon le rôle de bouc émissaire. Si le jeune réussit à exploiter la situation à son propre bénéfice, il accroît son statut et devient le « héros des causes subversives. »

4. Nécessité d'une antisepsie totale.

Les plus grandes précautions et souvent les contre-indications dépendent de la réponse que nous pouvons donner à la question suivante : sommes-nous équipés pour faire une élimination de façon antiseptique? Voici quelques conditions sans lesquelles nous ne pouvons pas employer cette technique :

a) *Que faire avec l'enfant après son élimination? Comment le contrôler?* Il ne suffit pas d'écarter le jeune de la situation qui lui est néfaste. Il faut encore se demander : que va-t-il faire ensuite? Nous ne pouvons pas le renvoyer de la pièce si nous savons qu'il fuguera, trouvera une bonne excuse pour mettre en désordre la chambre de ses camarades ou pour se cacher anxieusement dans un coin. Il nous faut connaître l'activité dont l'enfant aura besoin afin de maîtriser les effets secondaires à son exclusion. Cela signifie qu'un adulte devra rester avec lui (si possible, celui avec

184

lequel il maintient les meilleures relations). Nous devons le mettre dans un lieu qui puisse lui éviter des réactions de surexcitation, le conduise au calme ou lui permette de se livrer à d'autres occupations. La nouvelle activité devra convenir à l'état d'esprit actuel du sujet, sans provoquer pour autant des sentiments de jalousie de la part du reste du groupe. S'il est excité, il nous faut pouvoir rester près de lui jusqu'à ce qu'il retrouve son calme. Si l'activité en cours a provoqué l'apparition du problème, il devra en être suffisamment éloigné pour ne pas être troublé par les bruits, sans risquer de perdre la face. Nous ne pouvons pas énumérer ici tous les facteurs à considérer. Il nous suffit de dire ceci : à moins de savoir ce que nous pouvons faire et qui s'en chargera, une exclusion est contre-indiquée. Cette technique suppose un personnel en nombre suffisant. L'éducateur ne peut pas abandonner son groupe au profit d'un seul individu. Il faut se rappeler qu'il devra reprendre l'enfant quel que soit l'effet de son exclusion sur le reste du groupe. Cela suppose des entretiens individuels ou collectifs, une réorganisation du programme ou d'autres mesures.

b) *Comment utiliser les effets secondaires à l'expulsion?* L'expulsion indique souvent que l'enfant a besoin particulièrement d'aide. Cela peut soulever bien des difficultés. Il sera parfois nécessaire que l'adulte préféré par le garçon reste un moment auprès de lui. Il lui faudra évaluer soigneusement la meilleure manière de l'apaiser et d'interpréter la situation où il se trouve. Il devra estimer combien de temps l'enfant restera en dehors de son groupe. Une trop courte ou une trop longue attente a les mêmes conséquences néfastes. Dans certains cas, il sera plus utile de faire accompagner le jeune par une personne représentant le « règlement de la maison. » Il était souvent essentiel pour notre traitement que le directeur soit averti discrètement afin d'opérer lui-même l'exclusion sans la complicité apparente de l'éducateur. Il lui était ensuite possible d'apaiser l'état de tension émotionnel en emmenant le sujet dans son bureau. A d'autres moments, il valait mieux que l'éducateur prévienne l'enfant de l'aide ou du conseil nécessités par son comportement. Il arrivait que l'éducatrice principale ou toute autre personne soient averties afin de venir rôder autour du groupe et d'emmener l'enfant sur le point de se désorganiser sous le prétexte d'un service à lui rendre. Après les premiers essais et les premières erreurs, il nous parut utile d'écarter l'éducatrice principale de toute activité directe et de l'employer comme « refuge ». Lorsque les garçons étaient revenus de l'école et participaient à une activité qui risquait de devenir trop pesante pour certains d'entre eux, elle restait dans sa chambre, écrivait des lettres ou cousait. Les jeunes savaient qu'ils pouvaient abandonner à tous moments l'activité en cours si elle devenait trop menaçante et se réfugier dans l'appartement de l'éducatrice sans risquer de perdre la face. Elle les recevait quelle que fût leur humeur. Sentant qu'ils étaient sur le point de se mettre en colère, certains venaient juste pour discuter un moment, s'asseyaient près d'elle ou fouillaient dans ses tiroirs avant de rejoindre spontanément le groupe dès qu'ils se trouvaient mieux. D'autres lui rendaient visite en se plaignant amèrement de l'éducateur, du directeur ou du règlement de la maison. Nous pourrions écrire des volumes sur les différents moyens d'utiliser semblables situations. Dans un cas, nous aurons avantage à orienter l'enfant vers l'éducatrice après son expulsion du groupe. Dans un autre cas, il sera préférable de l'aiguiller vers son propre éducateur ou vers le directeur. Dans tous les exemples, il faudra s'entourer de grandes précautions.

c) *Exposer l'enfant à une atmosphère thérapeutique.* L'atmosphère qui règne dans une maison de rééducation (elle peut se résumer en ces mots : l'adulte accepte totalement l'enfant) est essentielle pour l'emploi de la technique de l'expulsion. Exclure un. sujet d'une situation ou d'une activité est une intervention pénible qui est ressentie comme telle. L'enfant ne supportera les sentiments de frustration et d'agressivité secondaires que si le reste de son existence est imprégné d'affection et de compréhension. Si nous voulons que la technique de l'exclusion soit efficace, il nous faut donc construire une véritable atmosphère thérapeutique au sein de l'internat. Sans ce cadre de vie, tout acte d'expulsion devient inévitablement une source d'agressivité, de haine ou d'hostilité. Il prouve à l'enfant qu'il est rejeté du monde ambiant. Si nous nous entourons de toutes ces précautions, nous pouvons affirmer ceci : préparée soigneusement et convenablement réalisée, l'exclusion d'une scène trop troublante n'est pas seulement un expédient; c'est un acte thérapeutique. Il n'est pas vrai d'affirmer qu'elle détruit dans ces conditions les rapports préétablis. Elle peut devenir l'un des outils les plus valables dans notre travail d'interprétation de la réalité.

Nous avons fréquemment utilisé ce procédé tant au camp qu'à Pioneer House. Nous avons abandonné rapidement les craintes qu'elle nous inspirait, tout en apprenant à respecter les complications de cette technique.

Si nous l'avons parfois employée parce que nous avions fait des erreurs et parce que nous voulions éviter des fautes plus graves, nous l'avons également utilisée avec sagesse, après préparation, comme moyen de soutenir le Moi.

> Ce soir, les difficultés sont grandes dans la chambre à coucher d'Henry, d'Andy et de Joe... Joe est agressif à l'égard de l'éducateur, l'appelle sa « sale gueule », ouvre la fenêtre et tente de grimper dessus, alors qu'il gèle dehors. Contaminé par cette attitude, Andy commence à employer les mêmes termes et s'exhibe nu. Henry exploite soigneusement toute la situation, excite avec habileté les deux autres dès qu'ils paraissent se calmer. Je vais plusieurs fois dans la pièce afin de les apaiser et l'éducateur peut continuer sa lecture, mais ils recommencent bien vite leur manège. Joe persévère dans ses insultes ou tente de regrimper sur la fenêtre, Andy continue ses manifestations érotiques et Henry relance l'un ou l'autre par de petits grognements ou des rires étouffés au moment qui convient le moins. J'entre finalement et je m'assois avec eux, tandis que l'éducateur essaie de lire. Je pourrais les menacer d'interrompre l'histoire, mais je préfère l'éviter, à moins de nécessité absolue, car ils risquent de reprendre plus tard ce thème en jouant aux persécutés : « Vous ne nous laissez jamais écouter une histoire et c'est pourquoi nous ne pouvons pas rester tranquilles, etc. » Ma présence physique suffit à les calmer pour le reste du récit mais, dès le départ de l'éducateur, ils redeviennent excités. Je demeure donc dans la salle. Henry et Joe cessent momentanément leurs manifestations. Andy, incapable de se contrôler, ressuscite pourtant le thème de la « sale gueule », ce qui contamine Joe. Il saute du lit, court sauvagement autour de la pièce, puis plonge sous le lit d'où il me faut l'extraire. Andy est maintenant si excité que je décide de l'exclure du groupe. Il a remis de l'huile sur le feu et les deux autres garçons ne peuvent plus guère s'apaiser tant qu'il sera présent. Je veux l'emme-

ner dans la salle de veillée afin de m'asseoir avec lui. Dès que je lui fais signe de me suivre, il se met à m'insulter de sa voix perçante, me traite de « bâtard, de p..., etc. », termes auxquels je ne réponds pas. J'essaie seulement de le calmer afin qu'il puisse retourner dans son lit. Comme nous atteignons le bas de l'escalier, il s'arrête de hurler et me dit : « O. K., marchons, j'irai moi-même. » Je tiens mollement sa main et lorsque nous sommes dans la salle de veillée, il s'assoit tranquillement à côté de moi sans essayer de s'enfuir. Au bout de 25 minutes environ, il s'assoupit et je lui demande s'il pense pouvoir maintenant se comporter plus tranquillement. Il me fait un geste d'accord et nous retournons à son lit. Les deux autres garçons sont presque endormis. Andy ne tarde pas à fermer les yeux (Réf. : 1.2.47, Fritz REDL).

Ce soir, au dîner, la majorité du groupe est dans un état d'excitation sauvage. Danny est sur le point de se livrer à l'un de ses accès d'agressivité, teintés d'euphorie, qu'il présente parfois à table. Plus il mange, plus il brise et renverse les objets. Larry est fort énervé. Il parle comme un bébé et répand partout la nourriture. Tout en riant niaisement, Joe et Sam sont obscènes. Ils énervent leurs voisins (Andy et Henry), font des critiques sur le menu et adressent des protestations à l'éducatrice principale et au cuisinier. Andy saute à travers la pièce, jette la nourriture, imite Joe et Sam. Henry demeure le plus calme de tous, mais prend plaisir aux manifestations de ses camarades, comme s'il assistait à un spectacle fait à son profit. C'est d'ailleurs en partie vrai, au moins pour Sam, Joe et Andy, car il est le leader indiscuté du groupe. Il manifeste son contentement, approuve par quelques remarques, encourage ouvertement ou se joint aux autres quand il sait ne pas courir le risque d'être accusé de fomenter des troubles. Par exemple, après que les enfants aient traité le cuisinier de « sale cochon » parce qu'il n'y a pas de chili au menu de ce soir, il les approuve par ces quelques mots : « Quel pauvre type! A la maison, nous avions du chili deux fois par semaine. » Comme Andy ne trouve plus de nourriture à jeter, il dépose une carotte dans sa main. J'interromps brusquement le repas en déclarant qu'il nous faudra l'arrêter complètement s'ils ne peuvent pas se calmer. Cela produit un certain effet pendant deux à trois minutes, mais Henry se met à rire bruyamment tout en lançant son mot favori terriblement évocateur, bien qu'apparemment anodin : « poil de cheval! » D'habitude, ce mot n'a pas de conséquences bien graves. C'est même, pour les Pionniers, une toute petite injure; mais c'est suffisant pour ce soir. Le prestige d'Henry est tel que le groupe perçoit qu'il accepte en silence sa conduite. Andy recommence presque immédiatement à mal se comporter et ne peut pas se retenir de jeter un morceau de pain par-dessus la table dans la direction de Larry. Celui-ci se met à pleurnicher, se plaint de recevoir des pro-jectiles, déclare qu'il ne peut plus continuer à manger, etc. Joe et Sam ramassent des restes de nourriture, les regardent d'un air dégoûté puis les rejettent sur la table. Il devient clair qu'Henry maintient habile-ment le groupe dans un état de surexcitation. Je n'ai guère de chance de calmer les garçons en sa présence. Je décide d'attendre une prochaine occasion pour l'expulser. Il ramasse une carafe d'eau, la montre à Andy puis la repose. Je me décide à intervenir au moment précis où Andy commence à l'imiter. Je me lève, prends Henry par le bras et le sors de la pièce en lui disant : « Cela suffit pour ce soir. » Il lutte et tente de se libérer tout en criant : « Qu'ai-je donc fait, sale bâtard? » Je ne réponds pas mais l'entraîne dans mon bureau où je m'assois avec lui; je lui demande de rester tranquille. Il est indigné et m'accuse d'être injuste. « Les autres garçons font des bêtises et c'est moi qui suis puni! » déclare-t-il. Je lui fais remarquer qu'il incitait les autres à continuer, mais il me répond qu'il n'est pas à blâmer pour ce qu'ils font. Je lui demande : « Que pensez-vous de cette carotte mise dans la main d'Andy? » Il me réplique aussitôt : « Il n'avait pas à la lancer! » « Écoutez, lui dis-je, vous savez bien que vous cherchez toutes les occasions pour énerver vos camarades, particulièrement Andy, Joe et Sam. Après que je les eus calmés pendant quelques minutes, vous les avez fait recommencer leur manège par votre truc du « poil de cheval », puis vous avez ramassé la cruche d'eau, l'avez montrée à Andy en espérant que celui-ci s'en serve comme projectile. Nous ne pouvons pas accepter cela. C'est trop bête de voir vos camarades dans cet état. Nous ne pouvons pas admettre que vous les excitiez par plaisanterie. » Il ne répond rien à ma péroraison. Il boude, prend un air dégoûté et finit par me demander dans quel genre de boîte il se trouve pour ne pas pouvoir manger son souper. Je lui réponds que je ne mange pas non plus et que j'essaie seulement de trouver une solution avec lui. Je lui offre de servir le reste du dîner dans la salle de veillée s'il pense pouvoir se tenir correctement. Il grommelle un accord et sort avec moi dans la salle de veillée où il avale le reste de son repas. Il est tota-lement silencieux, mais nous savons que c'est sa manière de bouder et qu'il suffit d'attendre. Le groupe de son côté redevient progressivement tranquille et finit correctement le repas (Réf. : 13.12.46, David WINEMAN).

14. CONTRAINTE PHYSIQUE

Nos enfants se livrent parfois à de violents accès de rage où ils deviennent incapables de se contrôler. Ils frappent, mordent, donnent des coups de pied, jettent tout ce qui se trouve à leur portée, crachent, hurlent, jurent et accompagnent tout ceci de mouvements désordonnés, renversent objets ou personnes sans raison précise. Ils s'abandonnent alors à des accès de colère qui rappellent ceux du bébé dans son berceau. Une telle conduite peut être apparemment spontanée ou être la réaction à quelque chose « apparu dans leur environnement. » La cause peut n'avoir que des relations lointaines avec ce qu'ils éprouvent. Le rappel d'un traumatisme ancien, une menace, une impression d'insécurité ou des phénomènes tels que nous les avons décrits sous les termes « d'excitation, de tentation, d'intoxication collectives » suffisent à la faire naître.

Durant ces moments, l'enfant perd temporairement toutes les relations positives qu'il avait établies avec les adultes vivant autour de lui. Son Moi est brutalement privé de ses moyens de communication et nous sommes désarmés devant un tel comportement. Ni craintes des conséquences pénales, ni autorité, ni respect ne semblent avoir un effet. Même les liens de l'amour et de l'amitié paraissent être insuffisants. C'est en réalité une dure constatation à faire! Le responsable, si fier d'avoir établi une relation positive avec l'enfant « agressif », la voit brusquement disparaître. Le sujet renie ses éducateurs comme s'il s'agissait d'un policier détesté.

Les conséquences de semblables conduites sont faciles à dégager. Elles constituent des urgences. Si, pour de multiples raisons, il n'est pas possible d'accepter le comportement qui se manifeste, une seule chose pourra l'arrêter : une intervention active.

Incapable de permettre à l'enfant de persévérer dans son accès de colère, il ne nous reste plus qu'une solution : le maintenir physiquement pour l'emmener hors du lieu dangereux ou pour l'empêcher de commettre des actes nuisibles à lui-même ou à d'autres.

Pour l'éducateur d'internat thérapeutique et pour le clinicien formé aux techniques psychothérapeutiques, c'est un dur morceau à avaler. Autant l'éducateur « punitif » serait tenté de se livrer à des actes de revanche, autant le clinicien hésite et se sent coupable d'employer la contrainte. Il se trouve dans une situation un peu comparable à celle des parents face à un très jeune enfant. Imaginons la meilleure mère de famille dont l'enfant de deux ans se met à poursuivre un chat à travers une rue fréquentée. Aussi désireuse de ne pas le punir qu'elle puisse être, elle devra l'arrêter par tous les moyens, y compris celui de le prendre rapidement et de l'emmener jusqu'à la maison malgré ses cris, ses coups, ses pleurs, ses sentiments de frustration et de panique déclenchés par son acte [6].

La différence entre une mère sévère et une mère compréhensive ne réside pas dans l'acte dicté par l'urgence de la situation. Elle se manifestera dans la manière d'agir pendant et après l'intervention.

La contrainte physique n'a rien à voir avec le châtiment corporel. Nous sommes contre tout châtiment corporel, quelle que soit sa forme et quelles que soient les circonstances. Nous rejetons l'idée que, même chez un enfant normal, la douleur physique puisse être source d'enseignement. Nous ne pensons pas que nous puissions former le caractère d'un enfant par l' « épiderme de son postérieur. » Il est faux d'admettre que la douleur physique résoudra les choses en donnant au sujet l'occasion de payer pour ses péchés et de résoudre ainsi ses sentiments de culpabilité.

Aussi légère que puisse être la punition corporelle, sa motivation est toujours la même : on veut « changer » l'enfant, on veut l'amener à une vision plus sociale de l'existence, des gens et des valeurs. On lui reconnaît parfois un seul rôle, celui d'interrompre brutalement un comportement. Même si le but immédiat est atteint, nous pensons que les conséquences secondaires nous font payer d'un prix énorme l'emploi de cette technique.

6. Milton WEXLER apporte une importante contribution à ce problème dans son article « The Structural Problem in Schizophrenia : Therapeutic Implications », *The International Journal of psychoanalysis*, vol. XXXII, 1951, p. 1-10. Il montre clairement la nécessité de protéger les sujets atteints de schizophrénie contre leurs propres impulsions en utilisant des techniques variées parmi lesquelles il cite la contrainte physique. Cette attitude contribue à soutenir le Moi.

Dans tout notre travail avec les enfants, que ce soit au camp ou à Pioneer House, jamais un adulte n'a frappé un enfant, jamais un enfant ne fut envoyé à quelqu'un pour recevoir une punition corporelle.

Nous avons cependant employé fréquemment la contrainte physique. La différence est facile à noter. Saisir un sujet afin de lui ôter le canif qu'il tient dans sa main, le conduire de force dans une autre pièce afin de l'éloigner des sources d'excitation, le maintenir au cours d'un grave accès de colère sont des actes antiseptiques. Il n'y a pas là-dedans la moindre idée de punition. L'adulte ne manifeste pas d'agressivité et n'abuse pas de sa force. Il reste calme, amical, affectueux. Il ne réplique pas aux coups sauvages de l'enfant ni à ses injures par des réactions violentes ou par des reproches. Le garçon ayant perdu son contrôle, il n'essaie pas de discuter avec lui. Il lui parle doucement, à voix basse, utilise les mots non pour leur sens mais comme moyen d'apaiser la vague d'excitation. Aux insultes, il répond : « Tout va bien, garçon. Reposez-vous. Vous n'avez pas à vous inquiéter. Tout recommencera normalement dès que vous vous calmerez. » Parfois une simple attente est préférable. Jamais l'adulte ne reprendra sérieusement l'enfant. Il ne le menace ni ne le blâme, il ne l'encourage ni ne l'insulte, il ne le séduit ni ne l'achète. L'attitude qu'il tente d'adopter est un mélange de son propre langage et de celui de l'enfant. Elle peut s'exprimer de la façon suivante :

« Écoutez, garçon, c'est stupide. Vous n'avez aucune raison valable d'agir de cette sorte. Nous vous aimons. Vous n'avez rien à craindre, mais vous n'avez rien à gagner d'un tel comportement. Nous ne sommes pas fâchés, parce que nous savons que vous ne pouvez pas vous arrêter immédiatement, mais nous espérons que vous vous calmerez progressivement. Nous ne vous maintenons pas contre votre gré. Vous ne pouvez pas actuellement prendre une décision. Cette conduite est trop déraisonnable pour mériter une telle pensée. Nous voulons seulement une chose : arrêtez-vous, retrouvez votre contrôle afin que nous puissions à nouveau discuter avec vous. En ce moment, vous ne réalisez pas qui est avec vous. Ce n'est pas un ogre issu du passé ni une fiction née de vos rêves. C'est moi, le type qui vous aime et qui est ici pour vous aider. Actuellement, il vous aide d'une seule façon, en se mettant à la place de votre Moi qui ne fait pas son travail. Puisque vous ne pouvez pas stopper cette conduite sans valeur, je le fais à votre place jusqu'à ce que vous me remplaciez. C'est tout. Bientôt, vous serez capable de vous apaiser. »

Inutile de le dire, nous n'employons pas ces mots durant un accès de colère. Lorsque les Moi seront redevenus plus stables, nous pourrons cependant discuter avec l'enfant ou avec le groupe de choses semblables. Les phrases précédentes expriment seulement notre état d'âme et notre façon de nous conduire devant des situations identiques. Cette manière d'agir est étonnamment payante. En ne prenant pas au sérieux même les réactions destructrices les plus violentes, nous faisons rapidement comprendre à l'enfant le côté irrationnel de sa conduite. Rien d'autre ne peut être accompli durant l'accès, puisque le Moi est totalement désorganisé. Nous préparons le terrain pour interpréter son comportement au cours d'entretiens ultérieurs en termes d'irrationalité et d'absurdité. Nous ne voulons pas que l'enfant puisse penser qu'il sera rejeté ou puni pour ce genre d'acte. Nous irions ainsi droit dans sa pathologie. Nous voulons le détourner de sa conduite en l'amenant à désirer un changement de sa personnalité, en lui faisant admettre que cette manière d'agir n'a pas de place dans sa vie. Seulement ainsi le ferons-nous coopérer avec nous. Tant que son Moi pense qu'une telle attitude fait partie de son existence et peut nous influencer ou nous amener à le prendre au sérieux, ses mécanismes de défense demeurent intacts. Rééduquer l'enfant en lui faisant assumer ses propres symptômes et diriger le groupe de la même manière est un travail lent et difficile qui ne progresse pas durant les actes mais entre ceux-ci. Afin d'y parvenir, notre attitude doit cependant prouver que rien de notre côté n'approuve les propres interprétations triomphantes ou paranoïdes du jeune sur l'événement. Elle n'est pas dictée par des considérations humanitaires ou sentimentales. Elle est simplement la conclusion logique du concept : « guerre totale à la pathologie de l'enfant. »

Il n'est pas facile pour l'adulte de rester impassible devant les manifestations agressives ou haineuses, devant les coups et les égratignures qui blessent réellement, devant la blessure narcissique causée par la perte de la relation établie avec l'enfant et par l'ébranlement de nos sentiments de puissance, devant la douleur, les désirs de revanche ou la simple fatigue. Nous fûmes heureux de constater les réactions de notre personnel. Non seulement il admettait l'importance stratégique d'une attitude non punitive durant les périodes de contrainte physique, mais il réussissait à prévoir le moment, la forme, l'intensité et la durée des accès, tout en apprenant à juger parallèlement leur propre comportement.

Il nous fallut un certain temps pour ne plus éprouver de la gêne à maintenir un enfant. Nous avons bientôt appris qu'une partie seulement des situations extrêmes nous était imputable et aurait pu être évitée par un programme plus sage ou par une meilleure prévision. Certaines manifestations étaient non seulement inévitables mais encore salutaires. En réagissant convenablement à ces accès, nous renforcions considérablement nos possibilités thérapeutiques. Ce que nous souffrions sur le moment était amplement remboursé par l'occasion merveilleuse de pouvoir disposer d'un terrain préparé pour profiter des techniques « d'exploitation clinique des événements de l'existence » dont nous parlerons plus tard. Le réel problème est de connaître les critères qui permettent de répondre non seulement à la question de savoir comment maintenir un enfant déterminé mais de connaître à quel moment une telle technique est ou non indiquée. Nous ne détaillerons pas ce point ici. Nous renvoyons au paragraphe concernant « l'élimination antiseptique de l'enfant. »

Avec quelques modifications, les points essentiels demeurent les mêmes. Ainsi, les indications de cette technique peuvent être : danger physique, intoxication par le groupe, contagion psychique incontrôlable, nécessité de trouver des moyens de sauver la face, de tracer des limites.

Les difficultés dans les rapports personnels, l'effet néfaste sur les autres enfants ou sur le groupe, le risque de faire perdre la considération sont autant de contre-indications. L'antisepsie de cette technique ne dépend pas seulement de ce que nous faisons durant l'accès mais de détails tels que : programme ultérieur, possibilités de contrôle dont nous disposerons alors, comportement du responsable, etc.

L'espace ne nous permet que de souligner l'un des aspects, celui du « rapport thérapeutique ». Le thérapeute formé aux techniques analytiques semble particulièrement soucieux de rester fidèle à ce point. « En agissant ainsi, pense-t-il, que devient votre rapport avec les jeunes? Une situation semblable doit détruire ce que vous avez précédemment bâti. » Nous pouvons rassurer notre lecteur, car il n'en est rien. Les raisons de cet état de choses sont trop longues à détailler ici. Qu'il nous suffise d'en énumérer quelques-unes : nos enfants sont différents des classiques sujets névrosés. Notre rôle thérapeutique n'est pas assimilable à l'entretien direct dans le bureau du médecin. Nous manipulons « antiseptiquement » des situations et les faisons suivre d'un programme et d'activités soigneusement étudiés aussi bien que d'entrevues spéciales. De tels événements surviennent dans une maison où l'atmosphère tend à être entièrement thérapeutique, chaque personne, du concierge au psychiatre en passant par la cuisinière, suivant la même règle. Tout ceci explique que nous puissions maintenir et développer le mode de rapport dont nous avons besoin, en dépit d'événements paraissant aussi mauvais que ces crises. L'effet destructeur de l'incident n'est inévitable que s'il est mal contrôlé ou s'il se produit dans une atmosphère punitive.

Dans nos conditions d'existence, les effets néfastes ne survivent guère aux attaques elles-mêmes.

Nous voudrions souligner un autre point : un internat thérapeutique doit considérer sérieusement ces faits. Il ne doit pas les envisager comme des événements inévitables et à prendre à la légère, mais consacrer beaucoup de temps et de réflexion à des problèmes apparemment aussi bénins que la manière de maintenir un enfant durant un accès de colère. Toutes les phases de l'existence doivent mériter notre attention, car elles sont partie inhérentes de notre plan thérapeutique.

Juste avant l'extinction des feux, les garçons et leurs éducateurs choisissent l'histoire qui sera lue au moment du coucher. Mike demande une nouvelle histoire. Larry, avec le reste du groupe, insiste pour continuer le récit de la soirée précédente. Au mépris de la réalité, Mike prétend que son histoire avait déjà été commencée la nuit dernière. Cela met en colère **Larry** qui traite Mike de menteur et de gêneur. Il est si irrité qu'il défie Mike dans un combat. J'essaie d'expliquer à Larry que c'est l'extinction des feux et que nous sommes inflexibles sur cette règle : pas de combat au moment de se coucher, mais cette intervention demeure sans effet; Larry se rue sur Mike et essaye de le jeter au bas du lit. Il n'y a pas d'autre solution que de le sortir de la chambre à coucher. Il livre immédiatement une résistance farouche, frappe, mord et griffe. Il devient complètement rigide, ses bras et ses jambes sont raides, son visage est déformé et son regard est fixe. Il n'en continue pas moins de hurler, me défiant de l'amener plus loin (nous sommes sur le palier conduisant au rez-de-chaussée de la maison). Il se cramponne à la rampe et au mur où il demeure rivé tel un roc. Il semble de plus en plus terrifié par la tempête de rage qui le submerge et qu'il est incapable de contrôler. Tout en le tenant avec un bras, je tapote sa tête et tente de l'apaiser. Je lui explique que je désire seulement qu'il se calme afin qu'il puisse retourner au lit. Je lui dis que je ne suis pas fâché contre lui, mais que je le maintiens parce qu'il est trop violent à l'égard de Mike. Comme il paraît perdre un peu de sa rigidité et comme la lutte semble s'apaiser, je lui déclare : « Allons, vous êtes en nage et dans tous vos états. Que diriez-vous de descendre à la cuisine pour boire un verre d'eau et pour discuter un peu de tout cela? A quoi rime ce combat mené contre moi? » Pour lui prouver ma bonne foi, je le lâche complètement. Il se relève immédiatement, descend avec moi à la cuisine et se met à me promettre très fort qu'il ne recommencera jamais à se comporter ainsi avec Mike. Il s'apaise peu à peu et finit par regagner son lit, une vingtaine de minutes plus tard (Réf. : 3.8.47, David WINEMAN).

Le groupe est particulièrement excité ce soir. Les obscénités sont nombreuses et Danny, qui est assis près de moi, devient de plus en plus énervé au fur et à mesure que le repas s'avance. Il empile la nourriture sur son assiette (sur lui aussi) et hurle ses plaisanteries anales à travers la pièce. Au moment du dessert, il est tellement excité qu'il ne peut pas attendre son tour et s'empare de tout ce qu'il aperçoit. J'interviens en lui disant : « Attendez une minute; servez-vous à votre tour. » C'était trop lui demander. Il saute de sa chaise, pousse des cris, jette des objets, hurle et frappe. Je dois le prendre par le bras et le conduire dans mon bureau. Là, il commence à hurler pendant une trentaine de minutes tout en essayant de me mordre, de frapper ma jambe qu'il fait saigner et de se libérer. Il crie comme un chat sauvage et fait des marques à mes poignets. Le tout associé, il n'est guère facile de le maintenir pendant une demi-heure. Il hurle : « espèce de c..., bâtard, sale type, sale flic, vous n'avez pas le droit de me garder ici! Tout le monde peut manger excepté moi... Je veux partir immédiatement... Vous me faites mal, laissez mon bras, je vous le répète!... P... de maison... Je veux prévenir ma mère, aller chez moi, etc. »

Durant toute cette tirade, je le tiens fermement et réplique à ses insultes en lui assurant constamment qu'il pourra téléphoner à sa mère dès qu'il sera plus tranquille. « O. K., Danny. Calmez-vous maintenant. Je vous laisserai partir dès que vous vous apaiserez. Je téléphonerai à votre mère, mais calmez-vous d'abord. Si vous ne vous démeniez pas de cette façon, votre bras ne vous ferait pas mal. Je ne vous en veux pas mais je dois vous maintenir tant que vous resterez énervé. Apaisez-vous... Cessez de frapper sur le bureau et de taper sur moi comme sur une machine à écrire. Calmez-vous. » Progressivement, après trente minutes, il commence à stopper ses cris et n'essaie plus de me blesser. Je lâche mon étreinte et il s'assoit sur une chaise en me regardant d'un air menaçant durant une dizaine de minutes. Je m'assois près de lui, sachant qu'il est sur le point de parler. Il me dit finalement : « Je serai O. K. si vous me laissez partir. » J'acquiesce et nous quittons ensemble le bureau. Il me demande s'il peut avoir son dessert. Je lui réponds : « Sûrement. Ils vous l'ont sans doute gardé; sinon, nous trouverons bien autre chose à manger » (Réf. : 12.12.46, Fritz REDL).

15. PERMISSION ET INTERDICTION FORMELLE

Le lecteur peut être surpris de trouver ces deux techniques associées, puisqu'elles paraissent exprimer deux points de vue différents. Permission et encouragement semblent être le contraire de l'interdiction formelle où nous déclarons brutalement et nettement au sujet que sa conduite est intolérable. Il est certain que ces techniques mériteraient deux études séparées. Comme nous voulons nous contenter de décrire brièvement leurs diverses possibilités, nous les grouperons sous un même paragraphe.

Par *permission*, nous ne voulons pas parler de la règle plus générale de l' « attitude permissive », de ses avantages cliniques et de ses limites déjà discutés ailleurs (voir page 53). Nous entendons par là un acte spécifique accompli par l'adulte afin d'influencer le comportement actuel d'un enfant. Son utilisation peut se concevoir dans trois cas différents.

1. Nous donnons une permission afin de favoriser une attitude qui aurait été impossible à obtenir sans enlever les sentiments d'anxiété et de culpabilité qui s'y rattachent. L'emploi de cette technique est bien connue. La permission peut être verbale ou être suggérée par le comportement de l'adulte. Au cours d'activités manuelles, par exemple, un enfant hésite à réaliser un fusil en bois qu'il désire pourtant construire, parce qu'il craint de mal réussir et de recevoir ainsi les critiques de l'éducateur. En l'encourageant ouvertement et en lui permettant de faire une expérience sans trop craindre de gaspiller les matériaux, l'éducateur renforce sa décision et lui permet de prendre plaisir à son travail.

2. Fait apparemment moins connu, on peut utiliser la permission pour un but opposé. En donnant ouvertement l'autorisation de faire quelque chose, nous contrôlons parfois plus sûrement que par n'importe quelle autre technique. Cela se produit dans les cas où un comportement est destiné à irriter ou à contrecarrer l'action de l'adulte. En l'autorisant, un tel exploit perd tout l'attrait qu'il avait pour l'enfant. L'activité est immédiatement stoppée, sans qu'aucune intervention directe ait pu risquer de provoquer de l'agressivité ou des sentiments de frustration. Au début, par exemple, nos jeunes ramassaient « subrepticement » les objets qui appartenaient à l'adulte afin de provoquer un mouvement de colère ou une interdiction de ce dernier. Au lieu de réagir ainsi, nous leur faisions comprendre que nous ne nous en soucions pas : « Allumez ce briquet si vous le voulez, l'important est que vous ne le brisiez pas. » Devant une telle réponse, l'enfant perdait son intérêt et rendait ce qui nous appartenait.

3. On peut employer cette technique non pour stopper une activité que nous ne pourrions pas empêcher à moins d'utiliser des moyens extrêmes, mais pour enlever l'élément de révolte qui y est inclus. De cette manière, la technique décontamine l'activité en lui ôtant son côté sadique et en la maintenant dans des limites tolérables.

En voici un exemple : un jeune se livre à une activité semi-agressive à l'égard de l'adulte. En plaisantant, ou même en se moquant, l'élément de révolte est supprimé; l'activité s'apaise progressivement sans atteindre l'intensité qu'elle aurait eue autrement et sans réclamer une intervention brutale de l'éducateur.

Durant la soirée, nous faisons de la peinture aux doigts et de la peinture à l'eau. Bill rôde de-ci de-là, essayant d'entraîner Andy hors de l'activité. Ce dernier est fasciné par les effets qu'il tire de sa peinture à l'eau et se révèle insensible aux avances de son camarade. Je propose à Bill de lui mélanger ses couleurs et je lui fais remarquer combien les autres garçons prennent plaisir à ce genre de travail. Pourquoi ne se joint-il pas à ses camarades? Non, il ne veut pas et continue à vagabonder durant une quinzaine de minutes, se décidant finalement à faire des avances plus directes à Andy. « Hé, Andy, sortons et allons ramasser des cerises! » ou « Viens, Andy, nous allons vendre des fleurs à la vieille dame qui est à côté de chez nous afin de gagner un peu d'argent! » Andy demeure irréductible et feint d'ignorer Bill, ce qui lui procure d'ailleurs quelques satisfactions sadiques. En désespoir de cause, Bill se met à courir à travers la salle de veillée, saute sur le divan, s'accroupit devant la cheminée, puis bondit sur une chaise longue tout en ricanant ou en criant. Comme Andy continue à l'ignorer, il commence à déplacer sur moi son agressivité. Cette conduite s'oppose aux règlements de la maison qui réserve l'usage de la salle de veillée aux jeux tranquilles, mais je sens qu'une interdiction brutale ferait plus de mal que de bien en ce moment. Je passe du réfectoire, où nous faisons de la peinture, à la salle de veillée et je dis : « Oh, garçons, regardez l'acrobate! Je devine que vous avez trouvé quelque chose à faire, n'est-ce pas? » Bill est plutôt surpris, car il s'attendait à des reproches, peut-être même à une expulsion. Il se tourne vers moi en criant : « Hé, Barbara, attrape-moi! » tout en sautant dans mes bras. Je le tiens pendant une minute et il frotte mes joues avec sa main ouverte tout en disant : « Maman. » Il redescend ensuite sur le plancher, apparemment de meilleure humeur. Ses camarades étant encore absorbés dans leur peinture, je danse un peu avec Bill. Il décide alors de prendre le phono et d'écouter quelques nouveaux disques. Je retourne à ma peinture dans la pièce à côté (Réf. : 13.5.47, Barbara SMITH).

Ce soir, le groupe fait une innovation : un pique-nique dans mon appartement! C'est la première fois que les enfants y pénètrent et ils sont tout excités par cet événement. Leur arrivée ressemble à une tempête. Ils furètent dans tous les coins et recoins; ils examinent mes closets, la salle de bains, la garde-robe. Ils emploient mon shampooing et manœuvrent mon rasoir. Tels des termites frénétiques, ils se déversent sur mon bureau, vident les tiroirs que j'ai laissé ouverts, les ouvrent et les referment. Ils tombent sur ma collection de pipes, la promènent triomphalement à travers la salle de séjour en guise de trophée. Ils touchent, palpent, sentent, inventorient tout ce qui peut être remué et délogé. Je leur laisse volontairement carte blanche. J'ai fait une erreur en les laissant venir et je ne veux pas risquer une attaque plus sérieuse de mon domicile en essayant de m'opposer à leurs investigations. Je ne veux évidemment pas que cette visite se termine par une expulsion collective. Le plus drôle est que mes efforts désespérés à « permettre » et même à prendre plaisir à ce qui se passe semble les freiner. Ils soulèvent des dizaines de choses fragiles et faciles à briser, tels que des éléphants de jade, de curieux bibelots de Chine, des verres. Ma guitare et mon accordéon changent de mains des dizaines de fois sans que l'un des enfants ne les maltraite. Rien n'est brisé durant la soirée. Durant les trente derniers jours à Pioneer House, ces mêmes enfants ont détruit 90 % des jouets et du matériel qui leur ont été confiés. Je suis maintenant convaincu que des dommages réels auraient été commis si j'avais essayé de protéger ou de mettre mes biens sous clé. Si j'avais tenté d'employer l'une ou l'autre de ces techniques d'intervention, cette soirée se serait terminée au milieu de sanctions diverses et de réactions agressives consécutives. En dépit de cette fin heureuse, je ne prétends pas (rétrospectivement) que l'idée de les amener dans ma maison était judicieuse! (Réf. : 14.12.46, Fritz REDL).

Il faut évidemment demeurer réaliste quant aux possibilités et quant aux limites de cette technique « d'arrêt ou de décontamination par la permission. » Il ne doit jamais y avoir un contraste trop net entre ce que nous permettons et ce que nous sommes réellement capables d'accepter. L'application trop large de cette technique pourrait conduire à une liberté trop grande. Elle pourrait être interprétée par les enfants comme une marque de faiblesse, de crainte ou de désintérêt de notre part.

La technique d'interdiction formelle se définit par ses termes mêmes. Nous disons simplement « non », et nous le disons de telle manière que toute discussion pour modifier cette décision devient inutile. Voici ce que nous laissons entendre : « Il faut arrêter immédiatement, que vous le vouliez ou non, que vous le compreniez ou non. » Il ne s'agit évidemment pas de dire cela explicitement. Aucune de nos interventions n'est de cette nature. Cela peut être exprimé par un simple signal, la situation étant si claire que tout le monde sait ou a déjà discuté les raisons pour lesquelles la conduite est inacceptable. Le « non » rappelle seulement une règle admise.

Il faut pourtant aller souvent plus loin. Une nette interdiction est parfois nécessaire. Même dans les cas où les enfants défient ouvertement l'adulte, l'interdiction formelle les surprend ou atténue l'anxiété que l'exploit développait inconsciemment en eux. Contrairement à notre attente, elle stoppe brusquement le comportement. L'interdiction formelle doit être exempte de toute hostilité, anxiété ou colère de la part de l'adulte. Elle doit être un geste exceptionnel, accompli dans une atmosphère généralement tolérante et amicale.

Elle peut s'accompagner d'un changement dans l'attitude, dans la physionomie ou dans le ton de la voix, ce qui modifie considérablement la portée du « non ». Par exemple, alors que l'éducateur de groupe est incapable de stopper des manifestations agressives à moins d'intervenir brutalement, le représentant de la maison (directeur ou sous-directeur) apparaissant brusquement peut encore les arrêter par une simple interdiction formelle. Que ce soit au camp ou à Pioneer House, l'emploi de cette hiérarchie constituait l'un de nos éléments tactiques les plus importants. Il nous apparut bientôt que nous pourrions éviter bien des interventions qui seraient sources de conflits en prévoyant à l'avance dans quels cas le « non » serait le plus effectif.

Voici quelques-uns des cas :

1. La mauvaise conduite des enfants ne provient pas de leur pathologie ou de leur impulsivité devenue incontrôlable. Elle est due à une excitation temporaire, à une méconnaissance de la réalité et des dangers encourus. Dans ces cas, une nette interdiction semble atténuer les stimulations et permet aux sujets de se contrôler.

2. Les jeunes sont sur le point d'aller plus loin qu'ils ne le veulent réellement. Ils attendent plus ou moins que l'adulte les arrête. Notre « non » leur permet de ne pas perdre la face et leur épargne les sentiments d'anxiété ou de culpabilité.

3. En dépit des réactions impulsives et nettement pathologiques, les relations avec l'adulte semblent miraculeusement intactes. Tout signal venant de lui garde sa signification et les conduit à coopérer inconsciemment.

4. Le « non » survient au cours d'une situation dont le sens est suffisamment clair (danger représenté par un chahut dans la voiture qui se trouve au milieu d'un embouteillage) ou a été souvent expliqué.

5. Il est nécessaire de stopper la conduite d'un enfant, alors que les raisons de cette intervention sont trop difficiles à expliquer sur le moment. Par exemple, le jeune se livre à de naïves et inoffensives excitations sexuelles, telles que plaisanteries érotiques, ou plaisir narcissique du petit enfant de s'exhiber nu. Malgré le peu de portée de ces manifestations, des circonstances extérieures contraignent à les interrompre, sans qu'il soit possible d'en donner une explication. Il faut, par exemple, empêcher les jeunes de s'exhiber innocemment à la fenêtre en prenant plaisir au léger choc et aux réactions de curiosité qu'ils produisent. L'atmosphère dans lequel l'incident se produit est sans danger, mais nous devons intervenir pour des raisons de bon voisinage. Puisque nous ne voulons pas employer des moyens brutaux d'intervention, la seule arme qui nous reste est la discussion. Mais comment discuter avec eux? Tout appel à la morale ou à la pudeur serait actuellement un gaspillage d'efforts, puisque morale et pudeur n'existent pas encore. Les menacer de ce que pourraient leur faire les « gens » ou la police ne ferait qu'exciter leur hostilité contre des personnes qui représentent la loi et l'ordre tant haïs. Leur faire remarquer que ces gens n'apprécient pas leur conduite serait inutile puisque c'est pour cela qu'ils agissent ainsi. Nous fûmes agréablement surpris en nous rendant compte que les jeunes abandonnaient leur activité quand nous leur disions simplement « Arrêtez! Nous ne pouvons pas vous laisser agir de cette manière. » La netteté du signal, associé à la vague notion de « quelque chose

ne permettant pas actuellement d'autoriser un tel comportement » suffisait à terminer la scène.

Il est clair que l'interdiction n'a aucune puissance si l'état d'excitation a dépassé un certain niveau, s'il est directement lié à la pathologie de l'enfant ou si ce dernier ne perçoit plus la réalité.

> En arrivant ce soir à l'appartement de l'éducatrice principale, je trouve Danny qui frappe vicieusement Larry, tandis que l'éducatrice principale tente sans succès de l'écarter de son camarade. Danny lui crie : « Ne me touchez pas, sale p... Je veux le tuer ce bâtard! » Je lui demande : « Eh bien! qu'est-ce qui se passe, Danny? » Il se rend compte alors de ma présence dans la pièce, abandonne son attaque contre Larry et me dit : « Bon D..., Fritz, chaque fois que je veux parler à Emmy en privé, cet enfant de p... m'en empêche, etc. » Je lui laisse exprimer ses griefs pendant une quinzaine de minutes et il se calme. Je joue alors aux dames avec Larry en dehors de la salle de séjour, tandis que l'éducatrice discute tranquillement avec Danny des questions d'habillement, ce qu'il voulait précisément faire lorsque je suis arrivé (Réf. : 4.14.47, Fritz REDL).
>
> A minuit quinze, je reçois un coup de téléphone de l'éducatrice principale. Elle m'avertit que les gosses sont agités et courent à travers la maison, vêtus seulement d'un short. Ils sortent sur la seconde avenue qui est couverte de neige pour en remplir des seaux qu'ils ramènent à la maison. Ils se servent ensuite de cette neige pour en faire des boules qu'ils jettent de l'intérieur sur les passants. Tout le personnel est alerté, mais rien ne semble réussir. Je m'habille en hâte et me rue à travers l'avenue Hamilton déserte et glacée. A mon arrivée, je les découvre comme on me l'avait dit. Joe, Andy et Danny semblent particulièrement excités. Durant ce temps, Joel (éducateur) a pris à part Sam avec lequel il est en très bons termes. En lui parlant et en le maintenant à la fois, il l'empêche de faire d'autres bêtises. Emily (éducatrice principale) tente de calmer Larry qui est absolument déchaîné. L'enfant n'est plus capable de part iciper à quoi que ce soit et crie tout en restant près d'elle. Comme je parque ma voiture, Joe et Andy, qui descendaient à ce moment précis pour ramasser de la neige, m'aperçoivent et crient à l'unisson : « Oh! oh! voilà Fritz! » Ils se ruent dans la maison sans oublier de me claquer violemment la porte au nez de telle sorte qu'Emily doit me faire entrer. Les garçons sont maintenant au premier étage. J'y monte et je me heurte à Andy

203

dans l'obscurité. Je l'attrape sans cérémonie, tandis que je vocifère à tous les autres : « Je veux que vous alliez immédiatement au lit. » Grâce à Dieu, la magie de la hiérarchie fonctionne. Il y a un bruissement tandis qu'ils sortent de leurs cachettes et se fourrent au lit. Je conduis Andy à sa chambre et y demeure pendant une heure entière. Malgré quelques chahuts dans les deux chambres, bien vite réprimés, les garçons s'endorment sans grande difficulté (Réf. : 15.1.47, Fritz REDL).

Pearl Bruce et moi-même, nous sommes aides-éducatrices ce soir. Après l'école, j'essaie d'intéresser les garçons à des jeux d'intérieur car il fait très froid dehors. Ils sont bien excités et nos efforts n'ont guère de succès. Andy et Joe se mettent à me taquiner sexuellement ainsi que Pearl. Andy fouette vicieusement Pearl parce qu'elle lui dit nettement qu'elle ne veut pas le voir sauter sur elle et frapper sa poitrine. Au cours de l'un de ces échanges entre Pearl et Andy, Dave (sous-directeur), qui fait une tournée d'inspection systématique à cause de l'humeur douteuse des enfants, ordonne sèchement à Andy d'enlever ses mains de l'éducatrice. Il les laisse tomber immédiatement tout en pleurnichant : « On ne nous laisse jamais faire quelque chose. » Il descend finalement dans le bureau de Dave pour discuter avec lui (Réf. : 5.2.47, Vera KARE).

Afin d'éviter tout malentendu, nous voulons souligner un autre point : l'interdiction simple ne peut être qu'un moyen occasionnel de stopper une activité. Nous « coupons ainsi l'herbe sous le pied », sans avoir à utiliser des techniques d'intervention aussi brutales que la situation semblait le réclamer. Cela n'a rien à voir avec une politique qui résoudrait les problèmes par l' « interdiction formelle » au lieu d'amener les enfants à comprendre ce qui se passe et à leur faire découvrir les raisons pour lesquelles leur comportement ne peut pas être toléré. Nous nous opposons fermement à tout règlement autocratique, car nous croyons à la valeur intrinsèque de la coopération. Nous pensons qu'il est essentiel de faire appel au sens des valeurs et à l'analyse de soi-même, de tolérer les symptômes et d'assurer une direction démocratique. L'emploi occasionnel de l'interdiction formelle n'est bénin que si le reste de la vie des enfants est bâti sur d'autres règles, autant que le degré de leurs troubles le permet. L'interdiction formelle n'est qu'une intervention transitoire.

16. PROMESSES ET RÉCOMPENSES

Parents et éducateurs sont très familiarisés avec ce mode d'éducation. Il est basé sur l'idée que les enfants sont dépendants du « principe du plaisir ». Bien que l'éducation tende à réduire son influence, il faut s'attendre à ce que les jeunes y restent sensibles. Il est parfois possible d'agir sur le comportement en offrant ou en promettant du « plaisir », le terme étant employé dans son sens le plus large.

Ces techniques peuvent être utilisées soit pour stopper, soit pour provoquer une conduite. Nous amenons l'enfant à faire quelque chose dont il admet difficilement la valeur et dont la réalisation demande un effort, en lui faisant miroiter une récompense finale. Nous le poussons à stopper son comportement actuel en établissant un marché avec lui : « Abandonne le plaisir momentané; en compensation, tu pourras t'attendre à un plaisir supérieur à la fin de l'effort. »

Éducateurs et parents réalisent généralement que cette manière de voir n'est pas aussi simple qu'il ne le paraît et que bien des déboires doivent être évités. Il existe, par exemple, une relation étroite entre promesses et récompenses et les choses se gâtent si on tente de les dissocier. Les promesses qui ne sont pas tenues ou qui dépassent nos possibilités sont dangereuses. Les récompenses qui ajoutent une dose inhabituelle de plaisir sous forme d' « extra » tendent à fixer l'enfant au niveau du principe du plaisir. Selon le moment, les promesses et les récompenses prennent également une signification bien différente. Il n'est pas facile de définir la place de semblables techniques dans la vie d'un enfant. Rien n'est pire que de pervertir les motivations. Ce qui était à l'origine un « simple stimulant » pour obtenir un effort supplémentaire devient le pôle d'attraction, les enfants n'étant plus poussés que par des motifs d'intérêt personnel.

Il serait intéressant de développer plus longuement ce point, mais cela dépasserait le cadre de ce livre. Une surprise nous est en effet réservée. Cette technique qui est pourtant si commode et si couramment utilisée en éducation est presque inutilisable avec les enfants dont nous nous occupons. En voici brièvement les raisons. Elles nous paraissent éclairer d'un jour nouveau la nature même de cet outil pédagogique.

Il nous faut noter d'abord le point suivant : promesses et récompenses sont plus complexes qu'il ne le paraît au premier abord. Pour les employer sagement, toute une variété de fonctions essentielles du Moi doit être intacte. En bref, leur utilisation présuppose déjà un Moi en assez bon état. Cela devient clair si nous étudions les conséquences d'une promesse ou d'une récompense donnée et si nous regardons en même temps la liste des troubles du Moi tels que nous l'avons présentée dans *le Moi désorganisé*.

1. Appréciation du temps. Capacité d'interpréter le présent par rapport a son propre passé.

Pour qu'une promesse puisse être utile, l'enfant doit être capable de lier le but futur au contrôle actuel de ses impulsions. Afin de considérer une récompense comme une récompense et non comme une « affaire de chance », il lui faut distinguer dans l'expérience présente les différents facteurs qui sont une combinaison de son propre mérite et de la bonté de l'adulte. Dans le cas de nos sujets, ces conditions ne sont pas remplies. Si nous leur promettons quelque chose, ils se font une image trop vague du plaisir futur pour qu'elle puisse influencer leurs comportements. Si nous les récompensons, ils en profitent joyeusement sans comprendre la signification de notre acte.

2. Incapacité de « mériter quelque chose ».

Éducativement parlant, promesses et récompenses n'ont de sens que si le jeune reste fidèle aux conditions de la promesse. Il doit « mériter » la récompense, la gagner. Nos enfants sont tout prêts à prendre des engagements de ce genre, mais leurs intentions sont vite abandonnées. Ils sont incapables de maintenir une résolution face aux frustrations momentanées, aux impulsions ou aux tentations, et ils détruisent constamment leurs contrats. Avec leur manque de réalisme habituel, ils voient dans l'adulte qui refuse de leur donner une récompense une preuve de son hostilité et de sa mesquinerie, sans percevoir leur propre responsabilité.

3. Rivalité entre camarades. Inaptitude a accepter une distribution inégale.

Il n'est pas toujours possible de rendre identiques les promesses et les récompenses, tant du point de vue de la durée que de la quantité et du mérite. Une fois qu'un tel système est adopté, il est inévitable qu'un enfant reçoive quelque chose alors qu'un autre ne reçoit rien. Au début du traitement, par exemple, si nous avions donné de l'argent pour les services rendus, le simple fait de verser une somme à l'un des enfants tandis que l'autre aurait dû attendre le lendemain pour la recevoir aurait suscité des haines, des rivalités, des confusions et des combats. Même dans les familles normales, les différences d'âge et de mérite rendent les récompenses inégales, ce qui ne va pas sans créer de sérieux problèmes. Dans notre cas, cela devenait insoluble.

4. Fatalisme ou trop grande sûreté de soi.

Nos jeunes sont très fatalistes et adoptent un concept de vie « très hommes d'affaires ». Il leur est dur d'admettre que l'adulte — ou eux-mêmes — peut avoir d'autres raisons d'agir que le profit personnel. Si nous les confirmons dans ce principe, nous risquons de restreindre nos possibilités d'action. En faisant avec eux trop d'arrangements du genre : « Si vous faites ceci ou si vous l'évitez, vous aurez cela », nous fourbissons des armes qui se retourneront contre nous. Il leur suffit de ne pas suivre les conditions du marché pour se donner des raisons d'être fâchés contre nous. En accroissant leurs demandes, toute « promesse » devient misérable. Ils peuvent alors être en colère parce que nous « ne suivons pas » nos promesses. Ce point soulevait déjà de nombreuses difficultés; il n'aurait pas été sage d'en ajouter encore d'autres.

5. Nécessité d'accorder des faveurs sans qu'elles soient gagnées.

Les buts mêmes que nous nous proposions restreignaient l'emploi des promesses et des récompenses. Nous pouvons résumer nos positions sous le titre : nécessité d'accorder des récompenses sans les rattacher à quelque lien. Ces enfants ont manqué d'affection. Ils doivent recevoir pleine satisfaction de leurs besoins autant que des marques d'acceptation et d'amour de la part de l'adulte. Cela fait partie de leurs soins. Donner des récompenses à un sujet à la condition qu'il se comporte bien ressemble à lui promettre un sirop contre la toux pourvu qu'il ne tousse pas durant une journée. Tout ce que les jeunes reçoivent de nous, ils doivent l'obtenir sans condition, si nous voulons qu'ils profitent du programme offert et si nous voulons contrebalancer leur interprétation hostile de l'existence en leur prouvant notre amour.

En résumé, s'ils ont besoin d'une excursion parce que nous estimons que c'est un bon remède pour eux, nous ne pouvons pas dire : « Vous irez si vous êtes aujourd'hui de bons garçons. » Il serait plus juste de leur déclarer : « Nous espérons que cette excursion sera une occasion de vous aider à être de bons garçons. » S'ils ne sont pas prêts à la faire, nous ne pouvons pas la promettre juste pour les récompenser alors que nous savons combien une telle expérience risque de mettre leur Moi à l'épreuve.

Nous avons fait à ce sujet une observation intéressante : au fur et à mesure de leurs progrès, les enfants éprouvaient moins le besoin de recevoir promesses et récompenses.

Au début, par exemple, nous ne pouvions pas les autoriser à participer aux travaux ménagers. Confusions et conflits secondaires en auraient été le résultat. Il aurait été facile de les y amener par des récompenses spéciales, mais une telle tactique aurait constitué une erreur clinique. Quand ils furent suffisamment améliorés pour accepter de rendre de menus services tels qu'apporter la nourriture ou mettre et enlever le couvert, ils n'avaient pas besoin d'autres motivations que leur propre plaisir. Ils aimaient agir ainsi, réclamaient ces services, promesses et récompenses devenant inutiles. Dans un stade ultérieur, nous aurions pu, sans doute, nous aider de cette technique afin de les amener à réaliser des tâches supplémentaires. La fermeture prématurée de la maison ne nous a malheureusement pas permis d'atteindre ce stade.

En résumé, aussi étrange que cela puisse paraître, il n'est guère possible d'utiliser la technique des « promesses et récompenses » avec les enfants dont nous nous occupons. Nous pouvons occasionnellement l'employer comme moyen de propagande pour adoucir le franchissement d'une étape inévitable. Nous pouvons atténuer le dégoût qu'ils éprouvent à ranger leurs couvertures en leur rappelant le plaisir qu'ils auront dès que cela sera terminé. Durant une discussion au sujet d'une promenade ou d'une réunion, nous pouvons essayer de les apaiser en faisant danser devant leurs yeux les satisfactions qu'ils rencontreront à l'issue de leur travail. Cela sera toujours réalisé prudemment; cela ne sera jamais présenté comme une condition dont dépend l'événement. Que ce soit pour susciter ou pour stopper une conduite, les deux techniques ne pourront pas être utilisées.

17. PUNITIONS ET MENACES

Rien n'est sans doute plus discuté en éducation que le problème de la sanction. Il existe dans le public une confusion étrange entre la punition utilisée comme moyen éducatif et celle qui n'est qu'un simple exutoire de la colère, de la cruauté ou de l'esprit de revanche de l'adulte. Même dans les milieux pédagogiques les plus confirmés, cette confusion demeure. Des controverses fondées sur les goûts personnels, les convictions philosophiques et religieuses, les opinions de l'un ou de l'autre, prennent généralement le pas sur le raisonnement, les considérations techniques ou l'étude des effets. Évaluer si une punition est effective ou non, établir des critères qui permettent de mesurer les conséquences d'une sanction semblent des questions particulièrement peu étudiées.

L'hygiène mentale et la psychiatrie n'ont guère contribué à clarifier ce problème. Elles se sont contentées de vagues avertissements sur les effets pathologiques les plus manifestes de punitions mal données et de leurs abus. Les risques et les avantages de punitions convenablement infligées ont été fort peu étudiés. Même les éducateurs professionnels et les psychiatres manifestent souvent des croyances naïves à ce sujet. Leurs convictions sont basées sur des habitudes au même titre que les autres personnes se livrant à un débat de ce genre. Il semble y avoir un manque total de recherches organisées en ce domaine.

Il serait fascinant de s'attaquer à cette question en étudiant ses relations avec les autres facteurs éducatifs, tels que la discipline. La dimension de ce livre nous oblige à limiter nos recherches. Nous nous bornerons à énumérer les points qui nous paraissent les plus importants pour notre action thérapeutique.

1. Théorie de base.

Nous pouvons résumer en quelques lignes notre théorie de base sur le mécanisme qui entre en jeu dans le cas d'une punition. Sanctions et menaces (les deux termes sont liés comme l'étaient promesses et récompenses) font évidemment appel aux principes du plaisir et de la douleur, l'accent étant mis cette fois sur la douleur. Par *douleur*, nous ne voulons pas parler, bien sûr, de la douleur physique, mais de la gêne ressentie au cours d'une situation déplaisante. En châtiant, nous espérons aider l'individu à contrôler ses tendances. Après avoir apporté au sujet une énergie agressive supplémentaire, toute punition s'efforce de favoriser le contrôle de soi-même. Voici les conditions sous lesquelles un tel contrôle devient effectif.

a) La punition doit être ressentie comme un acte déplaisant.

b) La frustration ou l'agression subies doivent être reliées à la faute qui a motivé la punition et non à la personne qui l'a infligée.

c) L'agression provoquée par la sanction doit être

acceptée et dirigée vers la part de la personnalité qui a soulevé le problème.

d) L'agressivité déclenchée par la punition doit être intériorisée de telle manière qu'elle contrôle effectivement les impulsions au lieu de susciter des mécanismes de défense, un état anxieux, des réactions hostiles, des récriminations ou un repli sur soi-même.

Si l'on veut appliquer aux punitions les règles de l'hygiène mentale, il faut se poser les questions suivantes :

a) Quels sont les modes d'agression déterminés par telle ou telle expérience?

b) Dans quelles conditions une agression peut-elle être le point de départ d'un acte intériorisé au lieu d'être rejetée sur le monde extérieur ou sur l'objet qui châtie?

c) Dans quelles conditions peut-on garantir que la signification de la punition est pleinement comprise sans risquer d'être considérée comme une manifestation hostile du monde extérieur?

d) Dans quelles conditions la quantité d'agression produite peut-elle domestiquer avec succès les impulsions sans déterminer un état d'anxiété ou d'autres réactions négatives?

e) Quel usage l'individu fera du surplus d'agression qui n'est pas engagé dans la « domestication » actuelle de sa conduite?

Par exemple, une punition peut être utile si le jeune en ressent une gêne, s'il réalise qu'il est le responsable du problème apparu au lieu de rejeter les torts sur la personne ou sur la société qui a infligé le châtiment, s'il est capable en même temps d'utiliser l'agression subie en vue de contrôler ses impulsions plutôt que de sombrer dans un état de colère, de bouderie, d'hostilité, d'anxiété ou de culpabilité. Même si la conduite apparaît superficiellement modifiée, une punition échoue si l'un de ces points n'est pas rempli.

Infliger un châtiment suppose donc que l'individu possède une connaissance et un système de contrôle en état de fonctionner. S'il n'en est pas ainsi, les résultats ne peuvent être que désastreux. En nous rappelant notre exposé sur les différentes fonctions du Moi de nos enfants, il nous est facile de comprendre que les conditions nécessaires pour rendre une punition valable ne sont généralement pas remplies. Pour ces raisons, l'application d'une sanction nous paraît impossible dans les premiers stades du traitement. Elle ne peut être utilisée que secondairement, alors que des progrès se sont déjà manifestés.

2. MOTIVATIONS ET TEMPS.

Punitions et menaces ont des relations aussi étroites avec le concept des motivations et du temps que les techniques décrites sous le titre « promesses et récompenses ». Afin de percevoir le châtiment comme un acte éducatif et non comme une manifestation hostile ou agressive de la part de l'adulte, l'individu puni doit remplir certaines conditions.

a) Il lui faut percevoir correctement l'intention de l'adulte qui corrige.

b) Il doit lier le désagrément présent aux conduites antérieures qui ont motivé la punition.

c) Il doit conserver un souvenir précis de ce châtiment afin que, dans les périodes ultérieures de tentation, le rappel de la punition puisse être utilisé comme un facteur influent.

Au moins au début, il est évident que nos jeunes ne remplissent pas pleinement ces conditions. Loin de considérer l'adulte affligeant un désagrément comme une personne amie, il lui attribue les motifs les plus noirs; toute sanction déclenche une telle quantité de réactions hostiles et irrationnelles que les châtiments les plus étudiés ne parviennent pas à franchir les défenses établies. Une punition pourtant méritée devient un acte accompli par l'ennemi et contribue à renforcer l'hostilité du groupe.

Devant une expérience déplaisante, tous nos enfants réagissent généralement comme s'ils avaient à faire face à un stimulus transitoire venu de l'extérieur et projettent toute leur agressivité sur cette source de déplaisir. Ils sont incapables de percevoir leur propre responsabilité, la punition étant un acte dirigé contre eux. Comme les délinquants les plus antisociaux ou comme les psychopathes, ils refusent d'admettre un rôle personnel dans cette affaire. La punition fournit une excuse pour des représailles futures ou pour des plaisirs compensateurs. Ils modifient ainsi le lien qui s'établit normalement entre le motif de la culpabilité et le châtiment. Pour eux, ce n'est pas une fin mais le début de nouvelles réactions. La sanction devient une excuse et un alibi. Elle est à leurs yeux un motif de se venger puisqu'ils ont souffert des désagréments à cause des gens vivant autour d'eux. On ne peut guère espérer, d'autre part, qu'elle leur apprendra à ne pas recommencer. En raison même de la nature de leurs troubles (nous l'avons décrit ailleurs plus en détail), ils sont incapables d'utiliser avec profit leur propre passé pour modifier leur comportement futur. Devant une situation identique, tout recommence comme avant. L'expérience désagréable est oubliée ou, si le souvenir est conservé, ils se protègent par l'un ou l'autre des mécanismes de défense que nous avons décrits sous le titre « le Moi délinquant et ses techniques » (*l'Enfant agressif. Le Moi désorganisé*, p. 169 sv.).

3. Capacité de subir douleur et frustrations sans désorganisation.

Pour qu'une punition puisse avoir des effets positifs, il faut que le sujet châtié soit capable de subir douleur et frustrations sans désorganisation trop accentuée. Nous demandons un effort à des enfants particulièrement troublés sur ce point. Leur tolérance aux frustrations est si faible, leur capacité de rester raisonnables sous le choc d'une expérience déplaisante est si peu développée, que toute punition les frappe sans qu'ils puissent y faire face. Le retrait d'un privilège, par exemple, même s'il est mérité, les expose à une situation intenable à laquelle ils réagissent par un accroissement des manifestations pathologiques. Toute suppression d'activité pour une durée quelconque (expulsion d'un jeu pour leur faire comprendre qu'ils ne méritent pas d'y participer, par exemple) les expose à l'ennui et les prive d'une structure qui contrôlait leur énergie agressive. De nouvelles réactions anxieuses et hostiles sont les conséquences inévitables de cet état de choses.

4. Rivalité entre camarades.

Nous retrouvons ici le problème des rivalités déjà mentionné dans l'alinéa sur les promesses et les récompenses.

Si un enfant est exclu d'une activité par punition alors que ses camarades continuent à y participer, il devient tellement jaloux et agressif envers l'adulte ou le groupe qu'il risque d'être submergé par la rage et la rancœur.

Réagir raisonnablement à un châtiment suppose un certain minimum dans l'organisation du Moi. Dès que nous avons affaire aux enfants dont nous nous occupons, la punition devient une technique inapplicable non seulement pour un but thérapeutique, mais pour un but éducatif ou même pour la simple tâche de contrôler superficiellement un comportement.

5. Contre-indications spéciales.

Mentionnons encore une variété de raisons spéciales qui deviennent parfois autant de contre-indications supplémentaires à l'emploi de cette technique pour tel ou tel enfant.

Des conditions de vie, qui nous paraissent éducativement et cliniquement valables, sont considérées par certains enfants comme difficiles à supporter ou même frustrantes. Sanctionner leur comportement en les excluant de telles situations est impossible, ce que nous considérons comme une punition devenant une récompense. Nous offrons au sujet le moyen de se replier sur lui-même, d'échapper à notre action et de régresser ainsi à un stade plus primitif.

Certains de nos jeunes bâtissent leur propre technique délinquante selon le schéma suivant : ils provoquent l'adulte, détruisent sans cesse les relations établies et se prouvent ainsi que le monde extérieur leur demeure hostile. Ils ont le don d'amener l'adulte à des interventions qu'ils interprètent comme des actes d'agressivité ou de revanche. L'éducateur risque de tomber dans ce piège. En punissant, il renforce les techniques défensives, car il fournit de nouveaux motifs de courroux et des alibis.

D'autres sujets présentent des tendances sado-masochistes et dépressives. Ils sont prêts à interpréter toute frustration involontaire comme une blessure infligée sciemment, ce qui accentue leurs sentiments d'être délaissés, maltraités, haïs ou repoussés. Chez ces enfants, la punition est particulièrement contre-indiquée puisqu'elle nourrit leur pathologie.

Il est évident (nous ne le mentionnons que pour être complet) que toute punition physique doit être exclue de notre travail. Même chez les enfants normaux, elle encourage la projection vers l'extérieur plutôt que l'intériorisation. Si l'intériorisation se produit sous la pression des sentiments de crainte et de culpabilité, elle entraîne le sujet dans le cercle vicieux des réactions sado-masochistes.

En fait, le clinicien se trouve en face d'un problème particulier. D'un côté, la conduite du jeune lui fournit des raisons évidentes de punir. D'un autre côté, plus l'enfant mérite un châtiment, moins il est possible de l'y exposer en raison de ses effets néfastes sur le Moi. Cet argument clinique semble le plus difficile à expliquer non seulement au public, mais aux éducateurs les mieux intentionnés. L'absence de punitions est fréquemment confondue avec le concept de liberté totale. La punition n'est pourtant que l'une des 17 techniques décrites pour contrôler la conduite! On pense généralement que la sanction apprend à respecter la réalité extérieure. Les éducateurs les mieux formés paraissent se sentir coupables s'ils n'utilisent pas cette technique, alors qu'il en existe beaucoup d'autres, à la fois plus effectives et plus accessibles.

Malgré ces réserves, la punition peut parfois rendre des services au clinicien.

Elle peut être employée pour tester l'amélioration du Moi. Lorsque l'enfant peut supporter un châtiment sans les réactions primitives décrites plus haut, nous pouvons être convaincus que son Moi s'est considérablement amélioré. Notre existence avec les Pionniers nous prouva la justesse de cette observation.

Comme nous cherchions un secteur où nous pourrions

faire un test de ce genre, notre choix se fixa tout naturellement sur le comportement des enfants transportés en voiture jusqu'à l'école; voici pourquoi :

a) Le danger était clair. Pour des garçons vivant dans une ville, le danger représenté par la circulation est plus facilement perceptible que toute autre réalité.

b) La punition offrait des avantages. Si un enfant manie sans précaution son couteau durant une séance de travaux manuels qu'il aime bien, il sera plus frustrant de lui dire : « Si vous continuez ainsi, je vais vous le confisquer » que de lui déclarer : « Quel merveilleux fusil vous fabriquez! Je désire que vous le fassiez et que vous ayiez du plaisir avec lui, mais si vous ne faites pas attention, je serai obligé de vous arrêter jusqu'à ce que vous soyez prudent. » Supprimer une satisfaction présente est un acte beaucoup plus frustrant que d'ôter le moyen d'obtenir cette satisfaction. En choisissant le comportement des enfants dans la voiture comme sujet de punition, nous possédions un avantage technique. S'il nous fallait passer à l'action, nous ne risquions pas d'être accusés de « vouloir les priver de leur plaisir » tel que de se rendre en un lieu, d'aller au cinéma, etc. Nous pouvions continuer à les approuver, tout en concentrant notre sanction sur le retrait de l' « objet ». En leur enlevant le moyen de transport, nous supprimions seulement certaines possibilités d'obtenir des satisfactions. Malgré ces avantages, il y avait trop de problèmes difficiles à résoudre pour que nous puissions employer un tel châtiment au début du traitement. Même si les garçons comprenaient que les dangers de la circulation justifiaient notre décision, ils n'étaient pas encore capables de faire face à d'autres facteurs. La frustration ressentie risquait de les jeter dans un état de confusion. Contraints d'appliquer une sanction, nous aurions été privés d'un certain nombre d'activités pourtant cliniquement nécessaires. Puisque la voiture servait à la fois pour aller en classe et faire des excursions, les jeunes auraient profité de l'occasion en s'attaquant à nos règlements scolaires. La suppression du moyen de transport aurait remis en question notre action individualisée, l'attitude d'un enfant faisant perdre le privilège de la voiture à tout le groupe. Il aurait fallu reconnaître les différences individuelles. Le lecteur peut s'imaginer les rivalités déclenchées par une décision de ce genre : le « bon » va à l'école ou au cinéma en voiture, tandis que les « méchants » restent à la maison ou prennent l'autobus!

Pendant longtemps, il fut encore plus simple et plus sage cliniquement d'avoir un personnel suffisant pour encadrer les jeunes. En les intéressant à une activité telle qu'un chant collectif, les chahuts pouvaient être complètement évités. Il fallait être attentif à la durée du séjour dans l'auto, préciser soigneusement qui serait assis devant et qui resterait derrière, quel éducateur assurerait l'encadrement. Contrairement à ce que de nombreux visiteurs semblaient penser, la menace d'une punition n'aurait pas été plus simple. Elle aurait pu être fatale à nos buts cliniques.

Plus tard, les Moi s'étant affermis et une « conscience » collective s'étant développée, nous pouvions sanctionner des dérogations manifestes. Après une semaine de troubles particulièrement sérieux, nous réunissions les enfants pour une discussion.

> *Le sous-directeur :* Les éducateurs viennent de me dire que vous avez été insupportables dans l'auto. Je vous réunis pour que nous discutions de cela, toute cette histoire ne pouvant plus durer. Cela va mieux pendant un moment puis cela empire à nouveau. Durant les deux dernières semaines, vous vous êtes comportés de plus en plus mal. L'un ou l'autre de vous pourrait être blessé ou tué dans un accident causé par votre conduite... Comment pourrions-nous arranger cette affaire?
>
> *Andy :* Oh Dave, ce sont Mike et Bill. Ils agissent comme des fous et commencent à jeter tout ce qu'ils trouvent. Tout le monde se met finalement à les imiter, les éducateurs s'énervent et arrêtent la voiture.
>
> *Le sous-directeur :* Et vous-même? Si je comprends bien, vous le faisiez aussi. Est-ce une excuse d'agir ainsi parce que les autres le font?
>
> *Mike :* C'est ce c... de Bill. Il commence toujours...
>
> *Bill :* Sale menteur, Mike! Tu sais très bien que c'est toi qui as pris ton sandwich et l'as jeté par la fenêtre ce matin. C'est pas vrai, Andy?
>
> *Mike :* O. K. Demande à Danny, il était assis près de moi... Danny l'ai-je fait?
>
> *Le sous-directeur :* Comme d'habitude, chacun rejette les torts sur les autres. Écoutez, nous nous connaissons maintenant depuis longtemps. Nous avons essayé de faire beaucoup de choses avec vous. Nous ne vous

avons pas embêté et je ne connais pas un seul endroit où l'on vous aurait laissé agir ainsi sans confisquer la voiture ou sans faire une chose de ce genre. Nous ne l'avons jamais fait parce que nous voulons que vous ayez du plaisir. Cette fois, il faut que cela cesse. Toutes les fois que je vous rassemble et que nous essayons de comprendre pourquoi cela arrive, nous ne trouvons pas de réponse. Nous allons donc avoir un nouveau règlement. Tous ceux qui ne seront pas capables de se conduire convenablement dans la voiture ne pourront plus l'utiliser pendant un certain temps. Combien de temps?... Je ne sais pas encore, mais c'est la seule manière d'en finir. Nous ne pouvons pas risquer un accident qui vous mettrait en danger ainsi que vos éducateurs. Nous ne pouvons pas non plus supprimer la voiture parce que certains garçons ne peuvent pas se conduire correctement... Il serait stupide de punir tout le monde. Chacun de vous assume maintenant sa propre responsabilité. Voici ce que cela signifie : si vous vous comportez dangereusement dans l'auto et si vous ne vous calmez pas lorsque l'éducateur vous le demandera, le jour suivant vous ne pourrez plus y monter. Cette interdiction sera non seulement valable pour l'école, mais pour les autres activités. Le transport en classe se fera par bus. Cela exigera de se lever plus tôt, et de manger de meilleure heure. Si le programme de l'après-midi suppose la prise de la voiture, le puni restera à la maison.

Mike : Et pour revenir de l'école à la maison?

Le sous-directeur : Par bus également.

Danny : Je ne vais pas être privé de la voiture à cause de sales bâtards...

Le sous-directeur : Je pensais m'être fait comprendre. Nous allons garder la voiture. Personne n'en sera privé à cause d'un autre. Celui qui ne sera pas sage ne l'emploiera pas. Même s'il ne reste qu'un garçon, celui-ci continuera à l'utiliser. Est-ce clair?

Pendant les quelques jours suivant cette discussion, les choses allèrent un peu mieux, puis Mike, Andy et Bill recommencèrent à agir de la même façon et il nous fallut mettre notre menace à exécution. L'incident se produisit le mercredi. Nous leur expliquâmes qu'ils seraient privés de la voiture le reste de la semaine. Ainsi le jeudi et le vendredi matin, on les réveilla de bonne heure, on leur donna le petit déjeuner avant les autres et on les conduisit à l'arrêt de l'autobus. Des rations de céréales prises avec une boisson chaude remplacèrent les déjeuners habituels car il n'était pas possible de surcharger l'emploi du temps déjà bien rempli de la cuisinière. Le vendredi, le groupe s'en alla en excursion. Les deux autres enfants restèrent dans la maison où ils furent occupés à diverses activités. Ils firent les aller et retour à l'école sans difficulté et, bien qu'ils aient menacé de fuguer, ils ne réalisèrent pas leurs plans. Ils apparurent capables de supporter la nouveauté d'une punition sans aucunes représailles. Après plusieurs entretiens où nous leur fîmes comprendre combien leur comportement était inadmissible, ils rejoignirent le groupe le samedi.

Nous n'aurions jamais risqué une telle expérience dans les premiers mois du traitement. S'ils nous avaient en effet violemment défié, nos buts cliniques n'auraient pu être atteints. Ils auraient soulevé de graves problèmes de discipline et toute leur pathologie aurait été ravivée, se cristallisant autour de la rivalité centrée sur les enfants et sur le rôle de l'adulte.

L'emploi des mots pourrait provoquer un autre malentendu. Le langage familier appelle parfois « punition » ce que nous décrivons comme une « simple restitution visant à réduire la culpabilité, l'agressivité et la honte. » Par exemple, si un enfant abîme les lits de ses camarades durant un accès de colère et si les raisons de cet acte ont été clairement définies de part et d'autre (les deux « si » nous paraissent des conditions formelles), il peut être bon de suggérer qu'il participe à la réparation. Un tel acte ne lui est pas « infligé ». C'est un geste pour revenir dans les bonnes grâces du groupe. Soigneusement maniée, une telle réparation peut être utile à l'enfant. Il lui épargne, ainsi qu'au groupe, des réactions secondaires de haine, des manifestations de revanche ou il lui évite des sentiments de culpabilité avec toutes leurs conséquences. Cela nous paraît indiqué dans tous les cas où il faut réduire la culpabilité. Nos enfants ne nous donnaient pourtant guère d'occasions de les aider à « payer ». Nous étions bien heureux lorsqu'ils manifestaient une simple lueur de culpabilité.

On peut faire un autre usage judicieux de la restitution. Elle nous permet de les faire « se frotter à la réalité », de leur faire sentir leurs responsabilités et percevoir la justice. Son emploi suppose déjà une bonne relation avec

219

l'adulte, une compréhension suffisante de la réalité et une certaine tolérance aux frustrations.

Durant le 14e mois de traitement, Mike se mit à chaparder. Il volait dans le bureau du principal, dans les tiroirs, dans les chambres du personnel. Il avait également pris un dollar à l'éducatrice principale. Il n'avait, bien sûr, jamais été puni pour cela. Nous sentions que la relation établie par Mike avec son éducatrice nous fournissait une chance de combiner notre entretien avec quelque forme de restitution. Voici comment nous nous y sommes pris :

> *Le sous-directeur* : Mike, que devons-nous faire pour cet argent que vous avez pris à Emily?
> *Mike* : Je ne sais pas.
> *Le sous-directeur* : Pensez-vous qu'il est normal qu'elle vous laisse cette somme?
> *Mike* : Non.
> *Le sous-directeur* : Rappelez-vous les autres fois où vous avez chipé quelque chose? Bien que vous ayez été découvert, nous ne vous avions rien reproché; nous vous avions seulement dit que vous aviez tort de voler, que tous les voleurs se heurtaient à de grandes difficultés...
> *Mike* (grognement).
> *Le sous-directeur* : Qu'en pensez-vous maintenant? Emily doit-elle perdre son argent parce que vous ne pouvez pas vous empêcher de voler?
> *Mike* : Je le lui rembourserai avec mon prêt. Combien de temps cela prendra-t-il?
> *Le sous-directeur* : Cela dépend combien vous paicrez à la fois. Si vous lui versez 15 cents chaque semaine, vous pourrez rembourser progressivement. Vous aurez encore 40 cents à dépenser pour votre usage personnel.

Mike continua à payer régulièrement 15 cents par semaine. Quand il eut remboursé 60 cents, nous oubliâmes le reste en accord avec Emily. Il avait fait un grand effort et s'était privé de beaucoup d'argent puisque la somme qu'il recevait chaque semaine était de 55 cents.

Un tel arrangement expose à certains risques. Il eut été imprudent de le tenter au début du traitement. Pour les parents et les éducateurs, nous voulons souligner combien semblable procédure doit être appliquée avec précaution, la plus petite anicroche pouvant désorganiser l'enfant au lieu de l'aider.

Voyons maintenant le problème des menaces. Dans le langage habituel, le mot « menace » est employé dans un sens très large. On l'utilise pour désigner un avertissement de ce genre : « Écoute, si tu cognes aussi durement sur ce clou, tu vas abîmer le bateau que tu es en train de faire. » Il se réfère aussi au comportement de l'adulte signalant qu'il va intervenir de façon imminente. Nous pouvons dire, par exemple : « Si vous continuez à chahuter ainsi dans la salle de veillée, il va nous falloir descendre et jouer à autre chose », ou : « Vous ne pouvez pas jeter ici le gros ballon, seulement le petit. Rappelez-vous notre règle; si vous ne vous arrêtez pas, je le confisquerai jusqu'à l'heure du jeu. »

Tant que le mot « menace » s'applique à des avertissements qui sont devenus nécessaires pour des raisons de sécurité, il n'y a pas de critique à formuler. Les techniques d'intervention protectrice, d'action par un signal, d'appel direct, etc. nous semblent faire partie du traitement. Nous aimerions pourtant être sûrs qu'il n'y a pas de confusion dans l'esprit de nos lecteurs entre ces réflexions destinées à préciser les limites à ne pas dépasser et la menace considérée comme précurseur de la punition. Si par « menace » nous n'entendons rien d'autre qu'une punition annoncée à l'avance, cette technique ne nous paraît pas à conseiller aussi longtemps que l'emploi des punitions est lui-même contre-indiqué.

Le fait de ne pas utiliser à Pioneer House la « punition » comme une technique (à cause des troubles de nos enfants et des hasards cliniques que suppose son emploi) ne signifie pas que des confusions n'existaient pas à ce sujet dans l'esprit des jeunes. Leur conception était aussi erronée que celle de n'importe quel groupe d'adultes non formés. Leur croyance en l'effet salutaire de la violence comme « punition » mettait notre sagesse clinique à dure épreuve. Comme tous les délinquants, ils tentaient souvent de nous provoquer afin de nous amener à des comportements qu'ils puissent interpréter triomphalement comme punitifs. Dans le cadre d'un climat thérapeutique total en internat, il était facile de faire comprendre ou de faire pressentir ce que nous ne pouvions pas exprimer verbalement. Notre règle d'acceptation totale nous permettait de faire accepter des actes tels que maintenir un enfant au cours d'un accès de colère. Les garçons savaient qu'il s'agissait simplement d'une réaction transitoire, due à l'urgence de la situation, et qu'elle n'entraînait pas de conséquences sérieuses. Nous sommes convaincus que les techniques les plus endurcies de mésinterprétation systématique du comportement de l'adulte, souvent employées par le délinquant, ne peuvent pas être contrées par la simple explication verbale; pourtant, elles peuvent être « agies » puis abandonnées dans le cadre d'un internat thérapeutique.

LIMITES DES TECHNIQUES. PRÉCAUTIONS ET AVERTISSEMENTS

Le chapitre sur les techniques en rapport avec la manipulation du comportement extérieur a pu nous amener à sortir de notre sujet. Avant de le terminer, il nous paraît nécessaire de repréciser un certain nombre de points.

1. Les 17 techniques décrites ci-dessus ne sont pas aussi séparées les unes des autres que les nécessités de la classification ont pu le laisser paraître. Lorsque nous essayons d'influencer le comportement extérieur de nos enfants, nous les combinons généralement entre elles.

2. Certains des termes utilisés pour les décrire sont des étiquettes qui désignent des règles dont les effets se font sentir tardivement. L' « ignorance intentionnelle » paraît ainsi très proche de ce que nous appelons ailleurs la « non-intervention stratégique ». Les adjectifs « antiseptiques » ou « hygiéniques » sont employés alternativement. Par exemple, vous pouvez « maintenir » un enfant afin de l'empêcher de commettre une bêtise et vous pouvez également le faire en pensant que cela lui « apprendra » à percevoir les limites permises et la réalité de l'existence. Dans les deux cas, la situation paraît identique; il existe pourtant une grande différence entre les deux attitudes. Dans le premier cas il s'agit d'un acte transitoire, dans l'autre cas il s'agit d'un outil clinique à long terme. Dans ce chapitre, toutes les techniques ne sont étudiées que par rapport à leur rôle d'intervention dans le comportement extérieur.

3. Après avoir sorti les outils de leur boîte, nous nous

sommes contentés de les inspecter rapidement. Leurs possibilités et leurs limites n'ont guère été examinées. À la question la plus urgente, nous n'avons pas répondu : quels sont les critères nous permettant de dire si nous faisons ou non un travail qui atteint les buts cliniques poursuivis? Tout ce chapitre reste évidemment dépourvu de sens tant qu'une réponse précise n'aura pas été donnée à cette question. Nous nous sommes attaqués à ce problème aussi bien dans nos réunions du personnel, dans nos séances de recherches que dans nos supervisions individuelles. Malheureusement, tout ceci doit encore faire l'objet de recherches.

4. Nous voudrions éviter particulièrement deux erreurs d'interprétation. Les personnes travaillant avec les enfants, qu'il s'agisse des parents ou des professeurs, ne doivent pas se leurrer. La littérature a toujours répondu vaguement à la question « comment intervenir? » Notre étude apparemment détaillée pourrait faire croire que notre liste de techniques apporte une réponse aux problèmes éducatifs ou thérapeutiques. Il n'en est rien. Elle ne fournit que certaines réponses à des demandes urgentes et n'étudie qu'un nombre limité de possibilités.

Le psychologue, le caseworker et le psychanalyste risquent d'être choqués par ce chapitre en voyant que nous adoptons certaines mesures dont la valeur leur paraît discutable. Il ne s'agit pas de vouloir substituer au processus thérapeutique des « trucs » pour intervenir. Toutes les fois qu'il nous faut agir, nous devons connaître ce que nous faisons cliniquement. Les faits nous ont appris que dans un travail quotidien avec des enfants agressifs, l'intervention d'urgence était une chose possible. Tant pour le clinicien que pour l'éducateur, il nous semble préférable d'établir une liste d'interventions adéquates au lieu de se contenter du mélange habituel d'idéaux thérapeutiques sabordés par les erreurs qui surviennent inévitablement devant les dures réalités de l'existence. Nous espérons que ce chapitre amènera le psychiatre et le responsable de groupe à faire des recherches plus approfondies dans ce domaine.

Chapitre IV

Techniques en vue de l'exploitation clinique des événements quotidiens

Dans le cadre d'un internat thérapeutique, il existe deux grandes variables qui constituent un tout et qui agissent l'une sur l'autre. La première d'entre elles est l'enfant lui-même. La seconde est le milieu qui modifie l'enfant et qui est modifié par lui. L'idée fondamentale est d'utiliser le milieu pour influencer le jeune et pour parvenir aux buts cliniques fixés. Trois aspects du milieu ont déjà été discutés en détail dans les chapitres précédents.

1. L'ambiance de l'internat thérapeutique; elle exerce un effet spécifique sur les enfants.

2. Le principe d'hygiène psychologique; il évite de traumatiser l'enfant en s'aidant de techniques particulières pour contrôler son comportement.

3. Le programme; il offre des activités qui essaient de maintenir un équilibre entre les possibilités de contrôle du moi et les impulsions.

Tous ces éléments sont indispensables pour réaliser un internat thérapeutique digne de ce nom. Il s'agit de conditions sans lesquelles un changement du Moi ne peut pas avoir lieu. Les améliorations constatées sont directement liées à leur présence dans le plan thérapeutique. Les outils visant le plus directement à une modification doivent cependant être recherchés dans un autre aspect du milieu. Il s'agit d'un secteur que nous intitulerons l' « exploitation clinique des événements quotidiens. » Nous essayons de nous attaquer directement à la pathologie. Afin de démontrer les interactions entre le milieu et les manifestations pathologiques, il sera nécessaire d'analyser la nature des troubles présentés (ce qui exige un travail clinique de longue durée), de définir les symptômes, les techniques et les changements constatés. Avant d'entreprendre cette tâche, il nous semble préférable de présenter les techniques elles-mêmes. A la suite de cette étude, nous examinerons dans leur ordre d'apparition certains symptômes constatés chez différents enfants afin de préciser le profil thérapeutique.

TECHNIQUES

1. Culture des symptômes.

Du fait des conditions de vie en internat, l'adulte se trouve au contact des symptômes manifestés par les enfants inadaptés et ne peut pas garantir que ses interventions cliniques soient fondées ou efficientes. La compréhension et la connaissance intime de la conduite ne se fait pas de façon magique. Si l'on veut exploiter cliniquement les événements quotidiens, le milieu doit entreprendre une tâche que nous désignons, faute d'un meilleur terme, sous le nom de « culture des symptômes ». Le milieu thérapeutique doit « cultiver » les symptômes afin de pouvoir passer au stade suivant : s'attaquer à la pathologie. La médecine antérieure à la découverte des remèdes « miracles » nous fournit une analogie. Si le malade avait un abcès, le médecin lui appliquait des compresses chaudes pour l'aider à mûrir avant de donner le coup de bistouri. Les symptômes de l'enfant inadapté doivent de même atteindre une certaine intensité et prendre une certaine forme avant que nous puissions intervenir cliniquement. Les différentes techniques utilisées dans le but de « cultiver » les symptômes peuvent être réparties en deux grandes catégories :

A) Non-intervention stratégique.
B) Intervention visant à exploiter la situation.

A. *Non-intervention stratégique.*

Dès que l'enfant entre dans un internat thérapeutique, le clinicien est submergé par les symptômes. Dans bien des cas cependant, ces manifestations ne peuvent pas être exploitées cliniquement; le Moi de l'enfant est encore trop perturbé pour que nous puissions espérer nous attaquer à sa pathologie. Le clinicien peut alors être amené à utiliser des stratagèmes pour diminuer l'expression des symptômes. A d'autres moments, il peut être important de les laisser s'exprimer. Si le Moi est déjà amélioré, si des relations positives sont établies et si le jeune commence à se sentir en sécurité, on permet ainsi de mieux s'attaquer aux manifestations pathologiques. Au lieu d'essayer d'atténuer ou de neutraliser temporairement un symptôme, on adopte délibérément une règle de non-intervention. Aucune action n'est entreprise pour le faire disparaître. On laisse s'exprimer les violentes réactions caractérielles qui étaient généralement contrôlées.

B. *Intervention visant à exploiter la situation.*

La non-intervention n'est pas toujours suffisante. Bien des fois, afin de permettre au symptôme de se manifester au lieu et au moment choisis, avec une intensité suffisante pour être utilisée avantageusement, il faut l'augmenter artificiellement. De même que l'environnement peut être employé pour l'apaiser ou le neutraliser temporairement, il peut contribuer à faciliter son expression. Le clinicien tente alors d'exploiter la situation en intervenant activement. Certains gestes sont volontairement accomplis pour réveiller et activer les manifestations symptomatiques.

L'emploi de cette technique obéit au même critère que celui de la non-intervention stratégique. Il ne concerne que des situations directement accessibles au traitement.

Il ne nous est pas possible de classer ces différents types d'intervention. Quels que soient leurs aspects, le but demeure constant : il s'agit d'accélérer volontairement l'expression des symptômes.

L'exemple suivant nous aidera à préciser certaines des difficultés soulevées par ces deux modes d'intervention.

Andy était l'un des enfants les plus soupçonneux du groupe. Il considérait chaque action de l'adulte comme une marque de rejet, quelles que fussent nos tentatives pour le satisfaire. L'atmosphère de la maison atténua très progressivement ses réactions paranoïaques, mais ses possibilités de régression demeuraient étonnantes. Durant le premier été, après un séjour d'environ six mois chez nous, le groupe fut envoyé au camp Chief Noonday pour une durée de cinq semaines. Le départ eut pour effet de réveiller les sentiments d'insécurité d'Andy. Il craignait de retourner chez lui, mettait quotidiennement à l'épreuve le personnel qu'il ne connaissait pas. A son retour, il manifesta les mêmes soupçons et les mêmes réserves qu'il avait déjà montrés au début de son traitement. Il était clair que cette réaction n'était que transitoire et qu'elle disparaîtrait au bout d'une à deux semaines, au fur et à mesure qu'il se réacclimaterait à la vie de Pioneer House. Nous avions deux manières de nous comporter. L'une était de paraître ignorer son attitude, en essayant de lui montrer que rien n'avait changé, qu'il était toujours aimé et qu'il disposait de la même affection. Sa crainte d'être rejeté ne trouverait plus ainsi de motifs pour persister. En raison de son amélioration, nous sentions cependant que cela pouvait être une bonne occasion de s'attaquer à sa conception pessimiste du monde adulte et de discuter plus clairement avec lui de son « problème ». Pour y parvenir, il nous fallait faire éclater sa mauvaise humeur afin de l'amener à des actes qui puissent symboliser son attitude et nous fournir un thème de discussion. Voici comment nous nous y sommes pris :

Joel et moi-même, nous emmenons aujourd'hui le groupe à Belle-Isle. Après le bain, Andy, qui est continuellement de mauvaise humeur depuis son retour du camp et qui a boudé toute la matinée, traîne, prétend ne pas entendre et flâne aux alentours avant de s'habiller et de venir manger. Au lieu de le presser ou de le cajoler, je le laisse agir ainsi jusqu'à la dernière minute. Je veux que sa conduite revête une forme extrême afin de la faire s'exprimer au grand jour. Après le lunch, il est encore plus irrité. Comme nous allons regarder les animaux, il reste à 20 pas environ derrière nous. Je commence à modifier la situation afin que son hostilité puisse s'adresser plus directement à nous. Andy étant à bonne distance pour entendre, je déclare au groupe : « Je veux que tout le monde reste ensemble durant notre tour à travers le zoo. Quand il sera temps de goûter, nous serons tous groupés et nous pourrons prendre une glace. Nous attendrons une vingtaine de minutes avant d'aller nous baigner puis, après la baignade, nous retournerons à la maison. » Je souligne que si nous n'agissons pas ainsi, nous serons obligés de nous presser et le bain ne pourra pas avoir lieu. Ma pensée est que, de toutes les formes possibles de rejet, Andy préférera une frustration orale pour consolider sa position paranoïaque. Il est vraisemblable qu'il arrivera en retard au goûter afin de me prouver que je ne veux pas le nourrir. S'il fait cela, en dépit de ma demande acceptée par tout le groupe, je serai en bonne position pour défier ses actes et pour lui demander pourquoi il ne veut pas venir. Comme il fallait s'y attendre, Andy nous a « perdus » avant que nous soyons arrivés à la buvette. Nous achetons une glace à chaque enfant et pour bien montrer au groupe que je ne suis pas « mesquin », je suggère d'attendre cinq minutes afin de permettre à Andy de se conformer à notre règle. Il apparaît au bout de cinq minutes environ et, dès qu'il me voit, il s'arrête, semble s'intéresser aux porcs-épics qui sont exposés près de la buvette. Je veux marquer sa présence et je redis à haute voix : « O. K., garçons, il est temps de partir. » En même temps, je me dirige vers le stand, achète une glace et la tends à Andy en lui disant : « Tiens, Andy, voici ta glace. Elle est encore froide. Dépêche-toi de la manger avant qu'elle fonde. » Le garçon se met à pleurer et tente de se défendre en m'accusant : « Vous aviez pourtant dit que vous ne donneriez pas à goûter si nous n'étions pas tous ensemble. » Il va ensuite sous un arbre et cache sa tête dans ses bras. Je lui dis : « Écoute, Andy. Durant toute la journée, tu as agi bizarrement, en refusant de coopérer comme si tu ne voulais pas sortir de ta coquille. Tu es resté éloigné de la buvette comme si tu m'en voulais ainsi qu'à Joel et à tes camarades. Personne ne t'ennuie ou ne te dit quelque chose et tu continues pourtant à être irrité et blessé. Je veux que tu aies ton goûter comme nous avons toujours voulu que tu disposes des choses préparées pour toi. Tu sais cela. Voici ta glace. Je ne te l'aurais pas achetée si je n'avais pas voulu que tu l'aies. Qu'est-ce qui ne va pas aujourd'hui? Avant d'aller au camp, tu semblais avoir fini de traiter les gens comme des ennemis même s'ils étaient chics avec toi. » Andy me regarde et prend la glace puis, sans un mot, il se lève et rejoint ses camarades qui se trouvent avec Joel. Comme nous marchons, je lui souffle : « Peut-être est-il dur de recommencer à avoir confiance en nous après le camp? » Il répond qu'il ne sait pas et je n'insiste pas. Il semble ensuite un peu moins soupçonneux et isolé. Il ne suscite aucune difficulté durant le reste de la journée (Réf. : 29.7.47, David WINE-MAN).

En résumé, nous n'avons fait aucune tentative délibérée pour modifier la bouderie d'Andy qui commence ainsi à « agir » ses suspicions et ses désirs d'être maltraité. Nous appliquons seulement la règle de non-intervention stratégique. En dehors de quelques précautions prises pour des raisons de sécurité (s'assurer, par exemple, qu'il n'est pas laissé en arrière), nous n'avons rien fait de spécial. Plus tard, le sous-directeur débute la première phase d'une intervention exploitatrice en édictant une règle : tout le groupe doit rester ensemble pour manger la glace afin de ne pas gaspiller trop de temps [1].

Cet acte incite Andy à persévérer dans son comportement paranoïaque. Il nous était possible de modifier totalement son attitude en détachant un ou deux adultes qui seraient restés près de lui. Il aurait été « gardé » et se serait retrouvé à l'heure à la buvette. Mais c'était le but inverse qui était cliniquement désiré. L'annonce de la règle

1. Dans *Verwahrloste Jugend*, AICHHORN offre quelques beaux exemples de ce type d'intervention réalisée dans son internat. Dans l'un des cas, il amène volontairement un enfant à fuguer afin de l'aider dans sa perception du monde extérieur considéré jusque-là comme un lieu plus enchanteur et plus agréable que l'institution. Il lui permet de comparer entre les deux réalités en le précipitant dans une situation conflictuelle où le garçon sera conduit à retourner à l'internat de son propre gré parce que ce dernier est en soi plus satisfaisant. Il est ainsi amené à développer un transfert positif envers l'institution, ce qui est nécessaire pour aboutir à une amélioration clinique. Dans un autre exemple, il met à découvert un symptôme de vol en exposant le garçon à une tentation. Il accroît ensuite le transfert positif, ce qui fait apparaître un sentiment de culpabilité au sujet de son acte. Lorsque le transfert est à son maximum, il lui révèle brusquement qu'il connaît son vol, ce qui détermine immédiatement la recherche anxieuse d'être aidé. Ces cas sont présentés en détail dans les chapitres 6 et 7 du livre.

ainsi que la non-intervention préparait le terrain et permettait l'entretien final où les problèmes d'Andy devaient être interprétés : « Tu agis comme si quelqu'un te blessait... Nous sommes réellement chics avec toi... Tu avais l'habitude d'agir de cette façon, mais tu semblais t'améliorer... Peut-être est-il dur d'avoir à nouveau confiance en nous après le camp... » Précisons nettement notre point de vue. Il n'est pas question d'entreprendre avec Andy une série d'entretiens ininterrompus au sujet de ses idées paranoïaques. Nous choisissons seulement les moments qui paraissent cliniquement justifiés. Il se présentera certainement d'autres occasions dont nous essaierons de profiter.

2. INTERPRÉTATION
DONT LE BUT EST DE « CONTRER LES ILLUSIONS ».

L'internat thérapeutique offre à l'enfant une expérience réelle, préparée antiseptiquement. La réalité présentée au sujet dont le Moi est faible doit être essentiellement « hygiénique » et son effet doit être calculé. Ce n'est pourtant pas suffisant. Aussi inoffensives que puissent être les actions de l'adulte et l'atmosphère générale de la maison, la nature même des troubles provoque une véritable distorsion de la réalité extérieure, le comportement du responsable étant mal interprété. Lorsque l'enfant « agit » certaines de ses attitudes irréelles, les moyens verbaux de communiquer étant impossibles à utiliser, l'adulte doit employer le cadre de l'internat thérapeutique pour « contrer les illusions ». Si les mots deviennent sans valeur et si la haine ressentie envers l'adulte réapparaît brusquement, détruisant la perception que « c'est un chic endroit où tout le monde m'aime bien et veut m'aider », l'éducateur se comporte de manière à prouver « qu'il n'en est pas ainsi. » « Comment pouvez-vous croire cela, à cette minute même où j'agis à l'opposé de ce que vous prétendez? » De tels faits se produisent journellement au cours de notre vie avec les Pionniers. C'est l'une des tâches les plus écrasantes pour un internat que de constituer une véritable chaîne de gestes et d'actions qui puisse contrer ces mésinterprétations du comportement de l'adulte.

Durant le goûter pris dans la voiture, Mike devient excité et commence à jeter des pelures d'orange. Dave (sous-directeur) lui demande d'arrêter en soulignant qu'il n'est pas permis de manger ainsi. Mike tend immédiatement son orange en disant : « Tenez, prenez-la puisque vous ne voulez pas que je la mange. » Dave lui précise qu'il n'a jamais parlé ainsi. « J'ai seulement dit que nous ne pouvions pas manger dans la voiture dans certaines conditions, par exemple, si l'on jetait partout de la nourriture. » Il lui souligne également qu'il ne lui a pas demandé de rendre son orange mais qu'il lui a juste donné un avertissement. « Taisez-vous, dit Mike, vous voulez me faire crever de faim. Vous ne voulez rien me donner. » Je lui offre à nouveau une orange en lui déclarant : « Allons, Mike, vous savez ce que Dave vous a dit, voici votre orange. » Il la prend sans autre commentaire. Il reste morose pendant une trentaine de minutes, mais ne porte plus aucune accusation (Réf. : 24.3.47, Pearl BRUCE).

Réagissant à une règle de sécurité par une attaque dirigée contre l'adulte, Mike n'abandonne pas son point de vue sur une simple assurance verbale faite par l'éducateur ou le sous-directeur. L'éducateur doit contrer son attitude en lui tendant une orange et en soulignant son acte par une remarque interprétative telle que : « Vous voyez, nous voulons réellement que vous la mangiez. » Il est important que Mike prenne l'orange et la mange, avalant ainsi littéralement le fruit et ses attaques.

L'enfant dont le Moi perçoit difficilement les liens de causes à effets interprète mal les événements extérieurs sur lesquels l'adulte n'a pas de contrôle et les intègre dans un schème dirigé contre lui.

Sur le chemin de retour de l'école, lorsque la voiture a des secousses, Danny proteste et accuse Bob (éducateur-chef qui conduit) de vouloir le tuer. Il répète son accusation en hurlant de rage lorsque Bob est obligé de s'écarter pour éviter une voiture. Je me penche et je dis à Danny qu'il peut s'asseoir sur mes genoux, ce qu'il fait avec empressement, mais tout en grognant (Réf. : 1.10.47, Paul DEUTSCHBERGER).

Le but de l'éducateur qui prend Danny sur ses genoux est d'exprimer ceci : « Regardez, Danny. Je ne veux pas que vous puissiez vous cogner et je vous protège avec mon propre corps. Comment de tels adultes peuvent-ils vouloir vous tuer? » Il est vrai que Danny a dirigé ses accusations contre Bob, le conducteur, alors que c'est Paul qui vient à son secours. Dans le cadre d'un groupe, l'enfant tend pourtant à réunir les adultes dans une même image, l'action de l'un se répercutant sur tous les autres. On réalise ainsi toute une série de points de référence à la réalité et l'image de l'adulte cruel, rejetant, insensible, peut être neutralisée [2].

3. ENTRETIEN DESTINÉ A SOULIGNER LES EXPÉRIENCES VÉCUES.

L'entretien dans un internat thérapeutique avec des enfants inadaptés est très différent de celui qui est réalisé dans le bureau d'un travailleur social ou d'un psychiatre [3]. La modification principale réside dans les questions de temps et de lieu. L'entretien sur rendez-vous n'est pas valable avec ces enfants car l'association d'attitudes caractérielles et d'expériences vécues explique que certains moments sont plus utiles que d'autres pour un échange verbal. Aucun rendez-vous ne pourrait évidemment les prévoir à l'avance. Le clinicien doit être constamment en éveil afin de souligner les périodes importantes. Il ressemble à l'actionnaire qui doit sans cesse tenir compte des cours du marché afin de savoir quand acheter et vendre. Il travaille selon les indications reçues et doit avoir l'initiative d'agir au moment opportun. Les questions de temps et de lieu ne sont pas les seuls éléments qui différencient ces entretiens des interviews classiques. Presque tous les entretiens en bureau sont interprétatifs, l'interprétation étant considérée comme le facteur le plus important pour obtenir un changement du Moi. La vie en internat thérapeutique semble élargir les fonctions de l'entretien, chacune ayant son autonomie et sa propre utilité.

Étudiées soigneusement, elles diffèrent les unes des autres, l'interprétation n'étant plus que l'un des moyens mis à la disposition du clinicien pour remplir sa tâche. Il

2. Le lecteur trouvera d'excellents exemples d'interprétations de ce genre dans les ouvrages de Bruno BETTELHEIM.
3. Pour obtenir des renseignements plus complets sur l'emploi des entretiens avec des enfants plus typiquement névrosés, nous conseillons au lecteur l'ouvrage d'Helen WITMER *Psychiatric Interviews with Children* (New York, Commonwealth Fund, 1946).

nous paraît possible de les classer sous les rubriques suivantes.

A. *L'entretien précise la réalité.*

Les enfants dont nous parlons semblent difficilement
percevoir leurs relations avec le monde extérieur [4]. Nous
avons essayé de nous attaquer à ce genre de troubles, tant
dans notre travail à Pioneer House qu'avec d'autres jeunes
rencontrés au cours des camps ou de travail en clubs. L'entretien qui essaie de préciser la réalité nous a semblé l'un
des moyens d'y parvenir. Sa fonction principale est de
rendre plus vivants certains éléments de la réalité auxquels le jeune est généralement sourd ou aveugle. Le clinicien vivant dans le même milieu que l'enfant peut recueil-
lir puis interpréter certains points qui sont « encore chauds »
et qui montrent son étrange méconnaissance du monde
extérieur. La réalité physique et la réalité sociale sont ainsi
précisées au sujet qui acquiert une vision plus précise de
la situation.

> Cet après-midi, nous partons faire une excursion
> en voiture dans la campagne. Comme nous nous arrê-
> tons pour boire, Mike se laisse brusquement tomber
> sur les mains et sur les genoux et commence à se
> traîner sur le sol. Il tortille ses hanches et fait des
> mouvements de coït. Il se met à lancer des cris per-
> çants et gigote sauvagement devant le reste du groupe.
> Je lui demande de se relever en lui disant que per-
> sonne n'agit ainsi en public. Après être retourné à la
> maison, je discute avec lui. Je souligne le point de
> façon plus précise. Il répond : « Qu'est-ce que j'ai fait? »
> Je lui réplique qu'il n'y avait rien de mal dans ce qu'il
> faisait et que s'il désirait agir de cette sorte pour
> « blaguer » à Pioneer House, je n'y voyais pas d'incon-
> vénient; mais j'ajoute que les gens n'agissent pas
> comme cela en public (Réf. : 2.5.47, David WINE-
> MAN).

Nous pensons que la conduite de Mike provenait alors
d'une véritable « cécité sociale ». Le cas aurait été bien
différent si une cause précise l'avait mis en colère ou si le
groupe s'était trouvé intoxiqué et désarmé. En d'autres
termes, son attitude n'est déterminée par rien de spéci-

---

4. Voir *l'Enfant agressif. Le Moi désorganisé*, p. 144.

fique, excepté le manque de contrôle de ses impulsions et sa difficulté à admettre les habitudes sociales. Ce qui est souligné dans cette interview, c'est que l'acceptabilité d'une conduite est différente suivant les situations. « En public, nous n'agissons pas ainsi » est le thème de l'entretien.

Dans d'autres circonstances, nous essayons de souligner les conséquences d'un acte, conséquences que le Moi ne semble pas percevoir.

> Sorti dans la cour, Danny jure à haute voix, sans se soucier des voisins et des réflexions de l'éducateur qui lui demande de s'arrêter. Finalement, un voisin passe la tête par la fenêtre et lui crie : « Vous feriez mieux de vous arrêter ou j'appelle la police. Vous ne pouvez pas parler ainsi. » Je demande alors à Danny de rentrer pour avoir une conversation avec lui.
>
> *Danny :* J'ai bien le droit de jurer autant que je le veux dans la cour!
>
> *Le directeur :* Non, vous ne le pouvez pas. N'avez-vous pas entendu le type à côté qui menaçait d'appeler les flics? Pour quel genre d'endroit passerait alors Pioneer House?
>
> *Danny* (il pousse un juron).
>
> *Le directeur :* Écoutez, Danny, vous devez vous observer quand vous êtes dehors. Les voisins ne peuvent pas accepter votre conduite. Que ce soit ou non dans votre cour cela n'a pas d'importance. Si vous continuez, le type appellera réellement la police. Que ferons-nous alors?
>
> *Danny :* Qu'ils aillent au diable!
>
> *Le directeur :* Que pourrons-nous leur dire? Comment pourrions-nous éviter des ennuis si cela allait jusqu'à ces extrémités? C'est très bien d'envoyer la police au diable, mais que ferons-nous quand elle sera là? Pensez-vous qu'elle acceptera ce genre de remarque?
>
> *Danny :* O. K., je ferai attention.
>
> *Le directeur :* J'espère que vous pourrez vous contrôler; sinon cela pourrait devenir très ennuyeux.
>
> (Réf. : 15.6.47, Fritz REDL).

Dans cet entretien, nous rendons plus visible et plus dramatique pour le Moi de Danny ce qu'il adviendrait si la police franchissait la porte de Pioneer House. Nous le mettons réellement en face des conséquences que cela entraînerait pour lui et pour nous. Nous essayons de lui faire percevoir l'avenir. Nous espérons ainsi freiner son obscénité qui est inacceptable et modifier son comportement futur face à l'environnement social.

Dans ce genre de discussions, il faut s'entourer au moins de deux précautions cliniques.

D'une part, on peut être tenté d'entamer un dialogue dans tous les cas où la réalité est mal interprétée. Une telle attitude serait désastreuse, car elle mettrait en branle une quantité énorme de résistances et provoquerait du ressentiment. Notre agenda clinique serait entièrement occupé par de tels entretiens.

D'autre part, l'entretien n'est réellement valable que si les rapports entre l'adulte et l'enfant sont positifs. Dans le cas contraire, chaque tentative faite par le clinicien pour représenter la réalité sera considérée comme un acte hostile.

B. *L'entretien tente de libérer les sentiments de culpabilité.*

L'enfant inadapté a beaucoup de mal à faire face aux sentiments de culpabilité [5]. Nous savons que son Moi possède une aptitude étonnante à les refouler dès qu'ils émergent dans le champ de sa conscience. L'enfant possède certains schèmes de valeurs qui sont encore intacts et qui déclenchent l'apparition de sentiments de culpabilité en rapport avec les actes commis, mais ce n'est pas suffisant. Le Moi est véritablement sourd aux appels de son Surmoi et l'acte pourtant perçu comme défendu se réalise. Il est également incapable de contrôler les sentiments de culpabilité qui ont été assez puissants pour franchir la barrière. En d'autres termes, ces sentiments terrassent le Moi. Réponses agressives et hostiles à l'égard du monde extérieur deviennent les moyens de défense établis contre la culpabilité ressentie. Notre entretien va tenter de libérer les sentiments de culpabilité latents et légitimes. Il va essayer de renforcer leur signification. S'ils se sont déjà dissous dans des réactions agressives, il oriente cette agressivité vers la source qui lui a donné naissance [6].

Le paragraphe suivant reproduit un entretien qui aide le Moi à découvrir un schème de valeur.

5. Voir *l'Enfant agressif. Le Moi désorganisé*, p. 124.
6. Sigmund FREUD a déjà montré les liens qui unissent culpabilité et agressivité dans *Criminalité et sentiment de culpabilité*, Collected Papers, vol. 4 (Londres, Hogarth Press, 1924).

C'est le jour de sortie de Bob (éducateur-chef). Mike insiste pour monter au premier étage et pour le réveiller juste après le petit déjeuner sous le prétexte de prendre un avion qu'il lui a demandé de garder. Son éducateur lui déclare qu'il devra attendre jusqu'à ce que Bob se lève, mais le garçon est intransigeant. Il se met en colère en déclarant qu'il ne se soucie pas de savoir si Bob est réveillé ou non. Ce qu'il veut, c'est son avion. Je lui dis : « Ne pensez-vous pas que Bob mérite de se reposer un peu? Après tout, il travaille beaucoup ici pour que vous et vos camarades vous ayiez de bons moments. Croyez-vous réellement que Bob doit être ainsi traité, en le réveillant de bonne heure le jour où il est de sortie? » Mike réagit étonnamment bien à cette réflexion. « Je crois que vous avez raison, Dave », dit-il simplement (Réf. : 1.2.48, David WINEMAN).

Nous avons souligné dans cet entretien une notion morale qui existait déjà à l'état latent, mais qui avait besoin d'un soutien spécial pour émerger jusqu'au Moi. Mike ne se contente pas de l'affirmation de l'éducateur lui disant qu'il ne peut pas faire cela. Pour un Moi plus normal, cela aurait sans doute signifié : « Écoutez, ne soyez pas dur envers ce pauvre Bob, attendez qu'il se réveille. » Mike a besoin de précisions supplémentaires. Notre lecteur peut se demander : « Supposez que Mike ne veuille pas abandonner son comportement. » Il nous semble cependant que l'entretien serait encore valable. Sa valeur ne réside pas nécessairement dans le fait qu'il parvient à faire naître la culpabilité. Il peut simplement renforcer une notion morale, même si les résultats ne sont pas immédiats.

Dans *le Moi désorganisé*, nous avons déjà décrit Bill, l'un de nos Pionniers, qui était anxieux après avoir commis un vol. La manière d'agir de son éducateur peut servir à illustrer la deuxième fonction de ce type d'entretien : redonner à l'acte agressif son sens premier; à savoir une réaction due au sentiment de culpabilité [7].

Bill, qui est habituellement en bons termes avec moi, se rebelle quand je lui rappelle qu'il ne doit pas envoyer les balles de golf dans la cour du voisin. Au lieu de me répliquer son habituel « O. K., Yo, Yo » et d'accepter la suggestion, il me répond d'un ton hargneux « oui, Maman » et envoie délibérément une

7. Voir *l'Enfant agressif. Le Moi désorganisé*, p. 126-127.

balle par-dessus le mur. Comme je lui répète que sa conduite n'est pas acceptable et que je vais être obligé de lui confisquer sa canne, Bill me la jette à la tête et s'enfuit. Cinq minutes plus tard, je le trouve essayant de forcer la porte du bureau avec une barre de fer; il pense que j'y ai caché le club. Je lui confisque son outil et je lui demande ce qui ne va pas aujourd'hui. Bill me répond qu'il veut amener le club à l'école (ce qu'il ne fait jamais). Je lui dis : « Que me racontez-vous? Vous ne l'emportez jamais à l'école? » Le garçon est intransigeant et refuse de partir, si bien que le groupe doit s'en aller sans lui. A mon retour, Bill est encore plus excité. Il fait un paquet de ses habits et déclare qu'il ne veut pas rester un instant de plus dans « cette sale boîte ». Je ne dis rien et me contente de rester près de lui. Je lui suggère finalement : « Quelque chose doit vous ennuyer et ce n'est sûrement pas la canne de golf. Qu'est-ce que cela peut être? » Bill refuse d'abord d'admettre quoi que ce soit, puis il finit par s'écrier : « Ce c... de Danny!... Il pense qu'il peut pousser tout le monde! » Je lui réponds que je n'ai pas vu Danny faire de mal à quelqu'un ce matin. Bill était-il bien sûr que c'était la raison de son irritation? Bill ne répond pas et j'ajoute : « O. K., si vous ne voulez pas me dire ce qui ne va pas... Je devine qu'il nous faudra l'oublier, mais cela vaudrait mieux si vous acceptiez de tout mettre au jour... » Finalement, le garçon me déclare dans un grand soupir : « Je n'ai rien gardé et je ne dois pas être grondé pour ce qui s'est passé. La nuit dernière, Mike est allé chez la vieille dame qui habite à côté, celle qui lui a donné des fleurs. J'étais avec lui et nous avons aperçu une liasse de billets. Mike m'a dit de surveiller la cour ce matin pour qu'il y retourne chiper le magot. Je l'ai fait mais je n'ai rien pris et je ne dois pas être grondé pour ce qui est arrivé. Le portefeuille est dans le garage (Réf. : 13.5.48, Joel VERNICK).

Dans cet épisode, l'éducateur aide Bill à réaliser que son comportement agressif de la matinée est lié à la culpabilité ressentie pour avoir participé au vol avec Mike. L'objectif à atteindre est éloigné. A travers de nombreuses sessions du même genre, nous essayons d'aider le Moi à se familiariser avec son besoin d'échapper à la culpabilité. Nous tentons de l'amener à se servir de cette culpabilité non comme une source d'agressivité, mais comme un moyen de la stopper. De cette manière, Bill sera capable de venir vers l'adulte qu'il aime et en qui il a confiance. Il se confiera à lui au lieu de se réfugier dans des mécanismes de défense destinés à nier la culpabilité [8].

Il nous faut souligner que ce genre d'entretien doit être utilisé avec de grandes précautions cliniques. Il est évident qu'il ne devra jamais être employé dans le cas d'un enfant montrant des signes évidents de culpabilité au sujet d'un acte. Il ne sera guère utile chez le classique enfant psychonévrotique qui manifeste trop souvent une sensibilité extrême et une forte culpabilité. Par exemple, on commettrait une grave erreur en accroissant les sentiments de culpabilité chez un enfant déjà écrasé par le remords parce qu'il ne peut pas contrôler son impulsion à voler dans le porte-monnaie de sa mère (le sujet admet ouvertement son acte et déclare : « Je sais que c'est mal; je ne veux pas agir ainsi, mais que puis-je faire? ») Nous avons affaire dans ce cas à une pathologie différente de celle dont nous parlons. Renforcer la culpabilité peut faire beaucoup de mal; cela risque d'amener l'enfant à se détruire ou à provoquer le châtiment en répétant sa mauvaise conduite. Nous ne devons employer cet entretien que si nous sommes absolument sûrs, sur la base d'observations directes et de l'histoire antérieure, d'avoir affaire à de solides mécanismes de défense dirigés contre la culpabilité; nous pouvons également l'utiliser si nous nous trouvons devant un déficit réel, chez un enfant donné, de la capacité à ressentir le remords ou, s'il le perçoit, à le tolérer suffisamment sans risquer de se réfugier dans l'agressivité.

C. *L'entretien permet d'exprimer les affects.*

A côté de son aspect interprétatif, la possibilité de faire exprimer les affects est l'une des fonctions les plus largement connues et acceptées de l'entretien thérapeutique. Sa valeur est admise dans presque tous les milieux, qu'il s'agisse de l'homme de la rue comprenant que « vous vous sentez mieux après avoir dit ce que vous avez sur le cœur » ou du psychiatre et du travailleur social parlant de « catharsis », « d'abréaction », etc. Le fait clinique significatif est que le Moi ressent un soulagement à pouvoir s'exprimer. Il est particulièrement utile d'aider l'enfant

8. Voir à ce sujet « Intériorisation des valeurs et développement de la personnalité » par Daniel MILLER et Max HUTT, *J. Soc. Issues*, 5 (4), 1949, p. 2-30.

sévèrement inadapté à trouver des moyens de réaliser de telles expériences. Ces enfants ont beaucoup de mal à utiliser le langage pour exprimer leurs émotions. Leur singulière incapacité à symboliser verbalement leurs sentiments les amène à employer l'action comme moyen d'expression. Nous soutenons et nous traitons le Moi en favorisant l'emploi des mots pour exprimer les affects. L'importance de cette fonction nous interdit de gaspiller les entretiens par de vaines tentatives d'interprétation (chose pourtant si tentante devant l'importance du matériel qui émerge). Il faut ainsi distinguer les entretiens où il existe un avantage clinique évident à drainer les sentiments grâce aux mots de ceux où l'interprétation permet une vue plus profonde du problème. L'observation suivante précisera notre pensée.

> Danny est plein de colère et d'amertume à son retour d'école aujourd'hui. Il est très agressif envers l'éducatrice principale et les autres membres du groupe. Je lui demande tranquillement si quelque chose ne va pas. Il feint d'abord de m'ignorer puis me dit : « Je veux vous parler en privé, Wineman. » Nous allons dans le bureau. Là, il s'assoit, met son menton entre ses poings et déclare : « Je ne retournerai pas demain à cette sale école. Tous les gars me taquinent parce que je pisse au lit et ils parlent à tout le monde de cela. Ils disent que mes organes génitaux sont petits, que j'ai un tout petit pénis, etc. » Il commence à pleurer et de grosses larmes coulent sur ses joues. « Je les tuerai, ces sales bâtards, c'est ce que je ferai. Ils ne cessent pas de m'énerver. » J'écoute sans presque rien dire et il me répète la même chose plusieurs fois. Je lui dis que je suis désolé d'entendre cela, que je sais combien c'est dur à supporter. « Je ne suis pas le seul à pisser au lit et ils le savent », me dit-il. Je lui confirme qu'il en est ainsi, plusieurs autres garçons ayant le même problème. Il semble plus calme à partir de ce moment comme si la confirmation de n'être pas le seul à se trouver en face de semblables difficultés l'avait rassuré (Réf. : 13.10.47, David WINEMAN).

De nombreux points pouvaient être étudiés durant cet entretien. Par exemple, nous pouvions souligner les éléments de castration dont bien d'autres aspects de sa conduite prouvaient l'importance. Nous pouvions explorer les problèmes sociaux : « Si vos camarades sont aussi taquins, c'est en partie à cause de votre manière d'agir.

Si vous tentiez de vous corriger, peut-être n'essaieraient-ils plus de vous ennuyer à l'école. » Nous sentions que rien ne garantissait la réussite de ce genre d'interprétation. Les éléments purement expressionnels étaient d'autre part si importants à ce moment que cela prenait le pas sur tout le reste. Danny communiquait sa colère, sa souffrance et sa confusion par le mode verbal au lieu d'utiliser l'agressivité brutale. Cette amélioration méritait d'être favorisée au maximum.

D. *L'entretien aide à redresser la réalité déformée.*

L'un des traits les plus frappants de nos jeunes est leur aptitude incroyable à utiliser des alibis contre leur propre conscience pour défendre leur impulsivité [9]. C'est particulièrement frappant, si nous comparons ce « don » à leur déficience habituelle dans les nombreux secteurs de leur personnalité où les valeurs morales sont mises en échec par leur conduite primitive et impulsive. Dans ces situations, le Moi semble brusquement hypertrophié; il remplit sa tâche avec une agilité et une efficacité étonnantes. L'alibi typique du délinquant suspecté de vol nous fournit le modèle classique de défense utilisé par le jeune inadapté. Toutes sortes d'arguments sont mis en avant afin d'empêcher l'éducateur de découvrir la vérité. Non seulement nos jeunes agissent de cette manière quand ils sont impliqués dans un vol, mais ils se comportent ainsi dans n'importe quelle situation considérée comme tabou. L'entretien destiné à rectifier la réalité déformée vise à découvrir les manières et les moyens de s'attaquer à ces mécanismes de protection envers le « ça ». Dans ce genre d'entretiens, le clinicien discute avec l'enfant sur les différents faits qui jalonnent sa vie en groupe et qui proviennent de son impulsivité. Il essaie de lui faire admettre son méfait, de le confronter avec une réaction caractérielle particulièrement inacceptable et, selon la nature des incidents, de lui faire sentir sa culpabilité et son manque de loyauté, etc. A moins d'amener l'enfant à reconnaître qu'il se trouve dans une situation où son impulsivité, part importante de sa symptomatologie, a joué un rôle, il n'est pas possible de

9. Voir *l'Enfant agressif. Le Moi désorganisé*, p. 169 sv.

trouver un moyen d'agir sur le Moi. Pour éviter tout malentendu, soulignons que nous ne considérons pas la discussion en elle-même comme un acte thérapeutique. Le point essentiel, c'est que sans elle aucun traitement ne pourrait être appliqué. L'exemple du jeune voleur le montre clairement. Si nous ne réussissons pas à lui faire admettre qu'il commet réellement un vol, tout travail avec lui devient illusoire.

Un élément entre souvent en jeu au cours d'un entretien de ce genre. Les jeunes semblent obéir à un véritable code du duel [10]. S'ils découvrent que l'adulte discutant avec eux manque d'esprit de suite, les attaque sans preuves suffisantes, insinue des faits non fondés, ils réagissent comme s'il était totalement dans son tort. L'erreur commise, l'adulte n'a même plus le droit de continuer la discussion, quelle que puisse être la situation véritable. Si le clinicien est assez habile pour éviter de tomber dans de tels pièges et pour suivre le code du duel, bien des résistances semblent se dissoudre et l'enfant finit par admettre sa complicité, même s'il se trouve ainsi transitoirement dans une position avantageuse.

L'exemple suivant, tiré de notre expérience à Pioneer House, est typique.

Bill, comme tous les autres Pionniers, éprouvait des difficultés constantes dans sa classe, malgré les efforts de l'instituteur et de l'école pour suivre les exigences cliniques de notre groupe. Un après-midi, il dut être ramené à la maison après une réaction agressive de sa part. Comme d'habitude, il était violent, projetant tous les torts sur son maître, l'injuriant abondamment et déclarant qu'il ne reviendrait pas à l'école où « on le maltraitait. » Le même jour, le directeur eut avec lui l'entretien suivant :

> *Le directeur :* Eh bien, Bill! je suis désolé d'apprendre que vous avez dû être ramené à la maison aujourd'hui. Que s'est-il passé?
>
> *Bill* (me regardant prudemment) : Ce sale professeur n'arrête pas de me pousser, de me forcer à m'asseoir, etc.
>
> *Le directeur :* Que vous a-t-il fait?
>
> *Bill :* Oh! Il s'est levé, m'a attrapé et m'a chassé.

10. Voir *l'Enfant agressif. Le Moi désorganisé*, p. 213.

Le directeur : Pourquoi a-t-il agi ainsi?

Bill : Comment puis-je le savoir?

Le directeur : Je veux dire, avait-il des raisons d'agir de cette manière?

Bill : Non.

Le directeur : Il m'est difficile de comprendre pourquoi votre professeur s'est brusquement levé, vous a attrapé puis vous a chassé de la classe.

Bill : Pourtant, il l'a fait.

Le directeur : Bill, je ne prétends pas qu'il ne l'a pas fait. Tout ce que j'essaie de découvrir, ce sont les raisons de son acte. Ne vous rappelez-vous pas quelque chose qui puisse expliquer ce qui est arrivé?

Bill : Non.

Le directeur : Écoutez, Bill. Il est invraisemblable que votre instituteur ait juste inventé cela. Il s'est sûrement passé quelque chose.

Bill : Ce c... de Joe (un gosse de l'école) n'arrêtait pas de me taquiner. Je lui ai dit d'aller au diable et K. (l'instituteur) est venu et m'a chassé.

Le directeur : C'est tout ce qui est arrivé?

Bill : Oui.

Le directeur : Joe est-il parti après que vous lui ayiez parlé?

Bill : Quoi?

Le directeur : Joe vous a-t-il laissé tranquille après votre réflexion?

Bill : Hé non. Alors, je l'ai poussé et il est encore revenu. Je lui ai donné une claque et il a commencé à pleurer.

Le directeur : Et après?

Bill : K. est arrivé et m'a demandé d'arrêter. Il m'a dit de m'asseoir.

Le directeur : L'avez-vous fait?

Bill : J'ai dit que je n'allais pas laisser ce sale singe m'ennuyer. Alors, K. m'a dit de m'asseoir.

Le directeur : L'avez-vous fait?

Bill : Fait quoi?

Le directeur : Vous asseoir?

Bill : Oui.

Le directeur : Pourquoi avez-vous dit tout à l'heure qu'il vous avait forcé à vous asseoir?

Bill : Il l'a fait.

Le directeur : Vous venez de déclarer que vous lui avez obéi et que vous vous étiez assis quand il vous l'avait demandé. Si vous l'avez fait, pourquoi vous a-t-il mis de force sur votre chaise?

Bill (silence).

Le directeur : Il y a quelque chose qui ne va pas, Bill.

Bill : Après s'être levé, il m'a dit de laisser Joe. Je lui ai répondu que je ne voulais pas voir abîmer mes affaires.

Le directeur : Qu'est-il arrivé ensuite?

Bill : Il m'a dit : « J'attends que vous soyez assis. » Je lui ai répondu d'aller au diable.

Le directeur : Où était Joe à ce moment-là?

Bill : A nouveau sur sa chaise.

Le directeur : Alors qu'est-ce qui vous ennuyait?

Bill : Je voulais être sûr...

Le directeur : Sûr de quoi?

Bill : ... Qu'il ne reviendrait pas. K. m'a dit : « Asseyez-vous. » Je lui ai répondu : « Je n'obéirai que si Joe reste au loin. »

Le directeur : Qu'est-il arrivé?

Bill : K. m'a dit : « Asseyez-vous. »

Le directeur : Et alors?

Bill : Il m'a assis de force.

Le directeur : Et ensuite?

Bill : Je lui ai dit : « Laissez-moi, sale p... »

Le directeur : Qu'est-il arrivé?

Bill : Il m'a emmené dans le couloir en me disant que je ne pouvais pas lui parler ainsi. Il a téléphoné ici et l'éducateur est venu me chercher.

Le directeur : En d'autres termes, vous avez refusé de vous asseoir et d'arrêter le combat.

Bill : Oui.

Le directeur : Lorsque K. vous a assis de force, vous lui avez tenu tête devant tout le monde.

Bill : Oui.

Le directeur : Qu'en pensez-vous?

Bill : Est-ce que je devais laisser ce sale Joe abîmer mes affaires?

Le directeur : Le faisait-il?

Bill : Non.

Le directeur : A quoi vous servait donc d'injurier votre professeur à cause de cela?

Bill (silence).

Le directeur : Ce n'était pas la raison de vos injures, n'est-ce pas?

Bill : Que voulez-vous dire?

Le directeur : Comment cela pouvait-il être la raison puisque Joe ne faisait plus rien?

Bill (silence).

Le directeur : Vous avez insulté K. parce qu'il vous demandait de vous asseoir; il ne disait pas que Joe avait raison d'abîmer vos affaires, n'est-ce pas?

Bill : Non.

Le directeur : Vous l'avez injurié parce qu'il vous a contraint devant tout le monde à rester sur votre chaise.

Bill : C'est exact.

Le directeur : Est-ce bien de votre part?

Bill : Il n'avait pas le droit de me forcer à m'asseoir. Je n'avais pas à m'asseoir si je ne voulais pas.

Le directeur : Dites-moi. Où pensez-vous que vous pourriez agir de cette façon? Dans quelle école pouvez-vous aller vers un camarade lorsque le maître vient de vous dire de rester à votre place?

Bill (silence).

(Réf. : 28.9.47, Fritz Redl).

Après une longue discussion, le directeur est finalement parvenu à mettre Bill en face de ses actes. Il lui a permis de prendre connaissance de l'un de ses problèmes réels : « vous agissez ainsi juste parce que vous voulez le faire. » En plus de la simple impulsivité, nous savons, bien sûr, la complexité clinique de cette conduite. Elle peut nous orienter dans deux directions, dont ni l'une ni l'autre ne paraissent valables ici.

1º Il existe des possibilités d'interpréter les raisons pour lesquelles l'enfant a traité son professeur de cette manière.

2º C'est une excellente occasion de lui faire une leçon de morale.

Les deux solutions doivent être exclues jusqu'à ce que de nombreux entretiens préparatoires aient résolu partiellement le problème de la faible perception par le Moi de la réalité. Tout ce que nous voulons lui montrer est d'avoir exploité une situation pour se conduire impulsivement et primitivement envers son professeur. Sa rouerie initiale, en refusant de divulguer ce qu'il a fait, en prétendant que son maître était un « pauvre type », doit être brisée dans l'entretien avant qu'il soit prêt à confesser son acte [11].

E. *L'entretien interprétatif.*

Comme son titre le suggère, cet entretien vise à interpréter les mécanismes mentaux afin d'influencer le Moi dans la direction clinique désirée. Son usage avec les enfants inadaptés suppose une certaine mobilité pour sélectionner les faits et les moments d'intervenir. Nous l'avons déjà décrit dans notre paragraphe « entretien destiné à mettre au point les expériences vécues. » Un tel cadre permet d'élargir les sujets d'interprétation. Compte tenu de ces sujets et du moment choisi, trois sortes d'entretiens deviennent possibles.

1º Interprétation de conduites récentes.

C'est une interprétation faite presque sur le moment. Elle traite d'un sujet encore « brûlant ». Sa rapidité prend toute sa valeur lorsqu'on se rappelle combien ces jeunes oublient rapidement leur part de responsabilité dans un comportement. Son emploi est malheureusement limité du fait que le Moi est généralement incapable de fonctionner correctement immédiatement après les faits. Toute interprétation directe suppose qu'un temps suffisant se soit écoulé pour que « la fumée de la bataille » se soit partiellement dissipée et que le Moi ait retrouvé quelques possibilités de contrôle.

> Ce soir Danny perd tout contrôle dans un combat avec Bill. Je l'emmène dans mon bureau pour l'apaiser; comme d'habitude, il commence à m'insulter et à me lancer toutes sortes d'obscénités. Je lui dis que je le laisserai retourner dans son groupe après s'être calmé. Au bout de cinq minutes environ, il paraît moins excité et m'affirme que si je ne le tiens pas il s'arrêtera de donner des coups de pied et restera assis. Je réponds « O. K. » et nous prenons chacun une chaise. Il commence alors à m'accuser d'être injuste parce que je n'agis pas avec lui comme avec les autres. Je le contredis patiemment en lui donnant des exemples où je me suis comporté de la même façon avec ses

11. Le lecteur trouvera plusieurs exemples intéressants de ce genre d'entretiens dans l'ouvrage d'Edmund BERGLER M. D., *Neurotic Counterfeit-Sex* (New York, Grune and Stratton, Inc., 1951).

camarades et je lui assure que je le retiens seulement dans les cas où il ne peut pas se contrôler. Il me dit à plusieurs reprises : « Je jure toujours comme cela lorsque je suis en colère. » Je lui suggère qu'il agit peut-être parfois d'une manière différente. Il se met en colère afin de pouvoir frapper et injurier autant qu'il le veut. Dès que cette interprétation lui est donnée Danny se met à hurler : « Ne dites pas cela. Ce n'est pas vrai. Non, je ne fais pas cela (Réf. : 16.12.46, Fritz Redl).

En refusant d'accepter l'interprétation, Danny montre qu'il est capable de la comprendre. Un temps suffisant s'est écoulé entre l'acte et la discussion pour que le Moi puisse retrouver sa fonction cognitive, même si ce qu'il perçoit lui déplait. L'interprétation eût-elle été faite plus tôt, elle serait tombée totalement à côté. Le refus d'accepter l'interprétation est en soi une marque de résistances profondes qui ne pourront être vaincues que par des moyens plus efficaces et de plus longue durée.

2º Interprétation après avoir protégé le Moi en l'isolant de la scène où les réactions caractérielles se sont produites.

Reprenons l'exemple de Danny. Dans son école, il se mettait continuellement en colère, ce qui l'avait fait venir à Pioneer House, car il dérangeait trop ses camarades pour demeurer dans une classe normale. Il devint bientôt clair que deux attitudes dominaient le tableau.

a) Il abandonnait presque volontairement le contrôle de lui-même à l'occasion de petits faits qui n'avaient guère de signification frustrante pour lui.

b) Une fois démarré, il perdait tout contrôle et se mettait dans une véritable colère devant laquelle ses défenses demeuraient encore très faibles. Nous sentions que le point stratégique à atteindre était le premier stade où, pourrait-on dire, il « jouait au malade ». Nos observations montraient qu'il commençait à contrôler ses symptômes à la maison, alors qu'il s'en révélait incapable dans son milieu scolaire. Des entretiens sur l'école auraient été très difficiles, l'enfant rejetant, en raison de ses motivations profondes, toute tentative pour lui montrer ce qu'il faisait. Il nous semblait que son renvoi pur et simple de la maison lui procurait du plaisir et constituait le principal motif de ses accès de colère réguliers. Il était donc important d'essayer d'interpréter son comportement à la première occasion.

Le sous-directeur : Danny puis-je parler un peu avec vous au sujet de vos difficultés à l'école?

Danny (ingénument) : Vous savez comment c'est, Dave. Ces types m'énervent et je ne peux pas me contrôler.

Le sous-directeur : En quoi vous énervent-ils?

Danny : Ils font beaucoup de bruit. Vous savez bien que je ne peux pas supporter cela!

Le sous-directeur : Ne pouvez-vous pas traverser le couloir pour vous rendre à la pièce de repos? Je sais que votre professeur serait bien heureux de vous laisser faire cela.

Danny : Je n'aime pas y aller.

Le sous-directeur : Savez-vous, Danny, ce qui, pour moi, ne va pas?

Danny : Quoi?

Le sous-directeur : Ici, à Pioneer House, nous avons l'habitude de vos colères. Nous savons que vous ne pouvez réellement pas vous contrôler. Il nous a semblé que vous avez commencé à vous améliorer, mais à l'école vous ne faites aucun progrès. Vous vous laissez aller. Je me demande pourquoi.

Danny : Je ne sais pas.

Le sous-directeur : Je pense que vous désirez être renvoyé à la maison. Je sais bien que vous vous y trouvez mieux qu'à l'école. Nous vous aimons et nous essayons de vous procurer le plus de plaisir possible. Il semble cependant que vous n'en ayez pas encore assez. Sentez-vous ainsi?

Danny : J'aime être ici.

Le sous-directeur : Peut-être essayez-vous de revenir à la maison pour avoir encore un extra.

Danny : Euh... Je ne pense pas que cela soit ainsi...

Le sous-directeur : Dites-moi, pourquoi n'essaierions-nous pas quelque chose? Lorsque vous sentirez que vous allez vous mettre en colère, vous m'appellerez; je m'arrangerai avec l'école pour que vous puissiez le faire. Je viendrai alors et nous discuterons sur-le-champ. Peut-être pourrai-je vous aider de cette manière.

Danny (pas de commentaire, pas de protestation).

(Réf. : 12.1.47, David WINEMAN).

Dans cet entretien, l'interprétation ne se contente pas de souligner le mécanisme du laisser-aller. Elle donne également à Danny une motivation de sa conduite : « vous voulez retourner ici parce que vous y éprouvez davantage de satisfactions. » En proposant à Danny de venir à l'école chaque fois qu'il en aura besoin, l'adulte montre qu'il manifeste son attention et qu'il veut aider le garçon. Il modifie en même temps le lieu où se dérouleront désormais les entretiens; ils seront tenus à l'école. L'interprétation vise ainsi deux buts :

a) Elle permet au Moi de mieux percevoir ce qui est arrivé.

b) A travers cette connaissance, elle prépare le chemin pour une meilleure acceptation des exigences de la réalité.

3º Interprétation anticipée des manques de contrôle afin de renforcer les défenses contre la montée subite des symptômes.

Des signes précurseurs annoncent plus ou moins à l'avance l'invasion imminente du Moi par des pulsions impossibles à contrôler. Certaines réactions caractérielles apparaissent, révélant ainsi les premières atteintes. Si l'entretien est fait suffisamment tôt pour avertir l'enfant de ce qui se prépare en lui, cette connaissance peut aider le Moi à s'opposer à l'invasion. C'est particulièrement vrai si le Moi s'est déjà identifié positivement à nos buts thérapeutiques. Dans le cas de Danny, par exemple, nous avons pu souvent aider le garçon à contrôler ses accès de colère en le prévenant de ce qui allait se produire.

> Ce soir, Danny est irrité par l'activité prévue qui le fait rester dans la salle de travaux manuels. Le reste du groupe est, par contre, intéressé à graver les plaques destinées à être suspendues dans les chambres. Danny s'assoit dans un coin, l'air menaçant. Joel, qui est de service avec le groupe, lui parle et tente de lui suggérer d'autres activités à entreprendre, mais Danny refuse la discussion excepté pour lui dire qu'il veut faire ce qu'il désire. Joel essaie patiemment de lui montrer que ce n'est pas vrai (nous sommes allés au York la nuit dernière). Rien n'apaise la colère froide de Danny. Joel doit finalement rejoindre le reste du groupe dans l'atelier. Je suis alors dans la salle de séjour et j'observe la scène. Je me dirige vers le

garçon et je lui dis : « Danny, savez-vous que vous allez vous mettre réellement en colère? Vous agissez toujours de cette façon avant d'éclater. Je sais que vous êtes déçu par le programme, mais à quoi vous servira de vous mettre dans tous vos états? » Il ne fait pas attention à moi et marche fièrement à travers la pièce. Il ramasse un illustré et le jette par terre. J'ajoute : « Attention! Dans dix minutes vous serez vraiment en colère; vous jetterez les objets sur le sol et vous les briserez. Je vous demanderai de stopper et vous m'injurieriez. Vous ne serez plus alors capable de vous arrêter, mais maintenant vous le pouvez. Qu'en pensez-vous? » Il me regarde et s'assoit l'air boudeur. Je lui demande s'il aimerait que nous fassions ensemble quelque chose et il me répond : « Allez au diable! » Je réplique : « Je suis désolé que vous vous sentiez cafardeux, mais cela vaut mieux que de perdre tout contrôle. » Environ une demi-heure plus tard, il arrive enthousiaste à mon bureau. Il s'est bâti un plan de travail pour lui-même. Il nettoie les étagères de la bibliothèque où se trouvent quelques livres déchirés et quelques magazines. Puis-je l'aider à tout jeter derrière la maison? Je le félicite, puis je vais avec lui porter les débris et les brûler dans l'allée (Réf. : 6.5.48, David WINEMAN).

Bien sûr, tout ceci aurait été impossible au début du traitement. Danny avait fait de réels progrès et il était en termes suffisamment bons avec le personnel pour que nous puissions utiliser une technique semblable. Le Moi avait pourtant besoin de ce « surplus de puissance » pour faire face à l'attaque imminente. La sécurité et la satisfaction des besoins de base avaient été progressivement assurées durant les 17 mois de traitement précédents et l'enfant éprouvait moins le besoin de se livrer à des accès.

F. L'entretien constructif.

Nous savons encore mal comment l'enfant acquiert peu à peu la conscience de son Moi [12].

Chez le sujet normal ou chez le névrosé classique, le Moi semble capable d'entreprendre deux types d'activités essentielles dans cette évolution. L'enfant peut générale-

---

12. Voir Percival M. SYMONDS, The Ego and the Self (New York, Appleton-Century-Crofts, Inc., 1951), et Jeanne LAMPL-DE-GROOT, « Neurotics, Delinquent and Ideal-Formation », dans Searchlights on Delinquency, éditeur K. R. Eissler (New York, International Universities Press, Inc., 1949), pour l'analyse de certains problèmes soulevés par les liens entre la perception de soi et la conduite.

ment construire une image précise de lui-même à n'importe quel moment. Il voit « quel genre de type il est ». Il possède un Moi idéal et sait ce qu'il aimerait être. Si nous reprenons notre expression, il connaît « quel genre de type il aimerait être ». Les Moi de nos sujets sont sérieusement appauvris quant à ces deux facultés. Très lentement et subtilement, au fur et à mesure que l'influence thérapeutique commence à se faire sentir, on voit apparaître une vague image d'un Moi idéal. Par exemple, alors que Mike se tient près de son professeur qui essaie de contrôler l'un de ses camarades en colère, on l'entend dire : « Regardez ce type; je lui ressemblais à mon arrivée à Pioneer House. » De telles expressions révèlent l'apparition d'une nouvelle image du Moi, image qui provient de l'introjection des schèmes de valeur adultes. Ces images sont encore si fragiles qu'il est nécessaire de les renforcer directement par l'intermédiaire de ce que nous appellerons l' « entretien constructif ».

> Aujourd'hui, Andy, retrouvant ses vieilles habitudes, jette un livre à la tête de Bette (éducatrice) parce que son travail est tombé sur le sol et s'est brisé. Je discute avec lui et souligne que, malgré sa déception normale, il n'avait aucune raison de se tourner contre Bette. Andy reste silencieux et j'ajoute : « Je suis sûr que vous n'agirez pas ainsi la prochaine fois. » Andy se met à rire et me répond qu'il a toujours agi ainsi. Je lui dis : « Oui, c'est justement ce que je veux vous expliquer. Vous en aviez l'habitude, mais vous ne le ferez plus désormais parce que vous commencez à pouvoir dominer des petites choses de ce genre. Vous savez que ce n'est pas la faute de Bette et que c'est mesquin de se venger ainsi sur elle » (Réf. : 2.1.48, David WINEMAN).

Cet entretien suppose qu'il existe déjà une conception nouvelle du Moi. Nous ne tentons pas de créer l'image de soi, nous tentons de la renforcer afin d'en faire un outil capable de contrôler l'impulsivité [13].

---

13. On peut trouver un condensé de certains des éléments thérapeutiques contenus dans la relation entre l'image de soi et la conduite dans l'article de James BENJAMINS, « Changes in Performance in Relation to Influences upon Self-Conceptualization », *The Jn of Abnormal and Soc. Psych.*, vol. 45, n° 3, juillet 1950, p. 473 à 480. Voir également G. ALLPORT, *Personality : A Psychological Interpretation* (New York, Henry Holt, 1937) et G. MURPHY, *Personality* (New York, Harper, 1947).

G. *Entretien de groupe.*

Compte tenu de quelques modifications dues à la situation en groupe, on peut utiliser en entretiens collectifs les différentes stratégies décrites pour les entretiens individuels. Les buts de l'interview peuvent rester identiques. Par exemple, nous employions fréquemment des entretiens destinés à faire exprimer les sentiments ou à redresser la réalité déformée à Pioneer House aussi bien que dans le Group Project ou dans les camps d'été. Il est fort important de savoir dans quels cas il faut utiliser l'entretien collectif et l'entretien individuel. Entre autres choses, la réponse dépend des possibilités de verbalisation d'un groupe qui risque d'être submergé par des phénomènes d'excitation collective. Le but visé est également essentiel. Par exemple, interroger le groupe pour discuter le problème de l'un de ses membres ne sera entrepris que si cela paraît le seul moyen de le résoudre. Cela demeure vrai, même si ce problème a des dimensions psychologiques collectives telles que des brutalités, des vols, etc. Il est crucial de savoir quelle influence aura la réaction du groupe sur l'individu et sur ses difficultés. Sans vouloir discuter les critères de son emploi, disons que l'entretien collectif est un instrument thérapeutique valable et qu'il peut servir les mêmes buts cliniques qu'un entretien individuel. L'exemple suivant est un résumé d'une intervention de groupe.

A la suite d'un violent chahut collectif au cours de plusieurs visites à Pioneer House, j'ai une discussion avec les enfants au sujet de leur besoin d'agir ainsi. Chacun se vante d'abord fièrement de ce qu'il ait été « le plus infernal ». Danny devient presque hypomane et se dispute avec Andy la première place. Mike, Bill et Larry renchérissent de leur côté. Je leur dis que nous savons exactement ce que chacun a fait; c'est pourquoi je désire parler avec eux aujourd'hui. J'agis ainsi délibérément, car ils commencent à revivre si intensément leur conduite de ce matin qu'ils risquent de se plonger dans une phase nouvelle d'excitation. J'ajoute : « Si nous pouvions découvrir les raisons pour lesquelles vous avez agi de cette façon, je pense que cela vous aiderait à ne pas répéter la même chose à la prochaine occasion. Qu'en pensez-vous? » Danny déclare qu'il sait pourquoi Andy s'est comporté ainsi.

Il voulait « jouer au dur ». Andy réplique : « Et vous, gros plein de soupe, pourquoi l'avez-vous fait? » Danny s'agite sur sa chaise et répond qu'il a toujours été comme cela. Mike accuse solennellement Andy qui essayait de justifier son attitude en accusant l'éducateur d'avoir égratigné sa jambe avec une pierre. Je reprends ce point en demandant à Andy : « Quel est votre avis là-dessus? Est-ce ainsi que cela s'est passé? » En colère, Andy essaie de réfuter l'accusation, mais doit finalement reconnaître la faiblesse de son argumentation. Je dis alors que c'était souvent l'un des comportements adoptés par Andy : ennuyer, puis rejeter la responsabilité sur quelqu'un d'autre. Andy répond : « Bien sûr, tout le monde sait que je suis un em... » Comme le reste du groupe se moque de lui, je rappelle que chacun a participé au chahut. Il ne s'agit pas seulement d'Andy. Mike se met à pousser des cris perçants. J'accélère un peu le débat. « Pourquoi agissez-vous ainsi quand des visiteurs viennent vous voir? » Danny répond magnanimement : « Sans doute, parce que nous voulons tous jouer aux durs! » Le groupe acquiesce. J'ajoute : « Ainsi, vous voulez vous donner en spectacle afin qu'on vous remarque, c'est cela? » Bill réplique : « Ils croiront que nous sommes des types spéciaux et ils viendront aux spectacles que nous leur donnerons! » Je leur dis : « Votre idée de vouloir vous faire remarquer des visiteurs n'est pas mauvaise. Ce qui est discutable, c'est la manière dont vous vous y prenez. Nos visiteurs seraient heureux de voir les choses que vous pouvez réaliser. Andy, par exemple, sait chanter. Et Danny aussi. Si nous établissions un programme, cela serait très bien. Ce n'est pas en courant de-ci de-là, en faisant du bruit et en jurant que nous les impressionnerons. Je ne pense pas que nous devions recommencer. Qu'en pensez-vous? Pouvons-nous trouver quelque chose afin que vous puissiez passer un bon moment avec nos visiteurs? » Ils répondent favorablement à cette suggestion. Ils vont même jusqu'à lancer des idées pour réaliser un « superspectacle », discutent des moyens d'inviter tous leurs amis, des prix des places, etc. Je leur suggère de préparer une activité de ce genre avec l'éducateur et nous terminons la réunion sur ce projet (Réf. : 29.2.47, David WINEMAN).

Nous voyons que de nombreux éléments différents sont en jeu. Le groupe avoue d'abord sa responsabilité et revit les actes du matin. Nous révélons et nous interprétons à Andy ses mécanismes de projection aussi bien que son désir de « se montrer » Le reste des jeunes accepte spontanément l'argument du garçon et se montre capable d'admettre le thème du « spectacle ». A partir de là, l'entretien essaie de reconstruire. Le sous-directeur souligne et accepte leur besoin de se faire remarquer par les visiteurs et fait des suggestions afin de découvrir un moyen de se comporter de façon plus acceptable. Le phénomène le plus intéressant de cet entretien est le fait qu'ils admettent spontanément le symptôme et reconnaissent qu'ils essaient de se « donner en spectacle ». Il aurait été difficile d'obtenir le même résultat par un entretien individuel en l'absence du soutien émotionnel du groupe et de l'acte initiateur d'Andy qui jouit d'un grand prestige. C'est l'une des raisons pour lesquelles l'entretien collectif peut être très efficace s'il se produit alors que les liens entre le groupe et l'adulte sont positifs. Il est évident qu'il existe non seulement des facteurs individuels mais collectifs dont il faut tenir compte dans un semblable entretien. Il est important d'apprécier cliniquement les indications et les contre-indications.

STRATÉGIE TOTALE ET MOUVEMENT CLINIQUE

Traiter un symptôme suppose une action collective associant les différentes techniques que nous avons déjà décrites séparément et illustrées par quelques courts exemples. L'interaction de ces différentes techniques sera plus facile à démontrer si nous suivons un seul symptôme à travers ses différents modes d'expression au cours de la vie en internat thérapeutique. Dans ce but, nous présenterons les dossiers de certains des enfants de Pioneer House. Nous ne prétendons cependant pas représenter toute l'histoire des événements cliniques liés à un cas particulier, ni tous les enfants.

1. Soutien donné au Moi a l'occasion d'une rivalité entre enfants.

L'histoire de Bill nous révèle qu'il existe, entre autres problèmes, une rivalité intense et ouverte entre lui et son frère légèrement plus âgé. Dans l'internat thérapeutique, nous observons qu'au lieu d'un simple déplacement de cette hostilité sur les autres enfants, Bill se défend contre

254

elle en étant étonnamment généreux, en distribuant aux autres ses cadeaux, sa nourriture, etc. Il refuse ainsi d'admettre son agressivité et gagne les enfants à sa cause en jouant le personnage du frère « bon et généreux ». Ce comportement se modifie peu à peu, Bill centrant finalement toute son admiration et son amour sur Andy qui est l'un des garçons les plus doués de l'école (en classe, aux travaux manuels, en sports, etc.) et qui est le leader indiscuté du groupe. Cette position privilégiée d'Andy amène sans doute Bill à le choisir comme substitut de son frère parmi les autres membres de Pioneer House. Andy est réellement le « chéri du groupe », comme le frère de Bill était le favori de sa mère. Le fait que les adultes de la maison n'aient pas de préférés ne supprime pas cette possibilité. Les performances supérieures d'Andy nourrissent les fantasmes de Bill. Même si les adultes ne le montrent pas, ils le préfèrent sûrement puisque, selon la conception de Bill, l'enfant supérieur, celui qui est le meilleur à l'école et partout serait le favori de ses parents. C'est donc contre l'hostilité éprouvée envers Andy que se fixent ses plus fortes défenses. La subjugation complète de Bill par Andy le rend incapable de satisfaire un grand nombre de ses propres impulsions. Il semble avoir abandonné l'autonomie d'une partie de son Moi, en vivant pratiquement à travers le Moi d'Andy. Ses préférences au point de vue nourriture, habillement et activités deviennent bientôt identiques à celles de son ami. Alors qu'il fait le récit d'un rêve au cours d'un repas, il dit : « Qu'est-il arrivé ensuite, Andy? » Une autre fois, comme on le presse de venir à table pour le dîner, il réplique : « Pourquoi irai-je? Andy n'a pas faim! » Ses notes tragi-comiques deviennent encore plus nettes lorsque Andy, dont la volonté de puissance est stimulée par l'abnégation de Bill, commence à se comporter sadiquement envers son camarade. Bill subit cela sans se plaindre, l'acceptant comme une part de son adaptation à Andy. Fait significatif, il se met en colère lorsque le personnel intervient au cours de ces épisodes brutaux. « S'il me donne des gifles, c'est mon droit. Occupez-vous de vos affaires! » déclare-t-il alors à l'éducateur.

Bill durant le premier stade de la « culture des symptômes ».

Au cours de ce premier stade, nous suivons constamment la règle de non-intervention. Nous n'essayons pas de discuter l'abnégation de Bill envers Andy, ni d'intervenir dans sa relation afin de briser le lien qui est nettement pathologique. Même si nous faisions de telles tentatives, elles échoueraient et nos efforts pour éviter l'exploitation sadique d'Andy seraient détruits par les réactions de Bill. Ce comportement, cependant, nous amène à un genre d'intervention qui nous permettra d'exploiter la situation. Nous pensons que son masochisme le conduira à une attitude paranoïde. Il se sentira persécuté, mais non par Andy. C'est plutôt contre nous que son hostilité se fixera. Nous commençons à intervenir délibérément dans les transactions sado-masochistes qui s'établissent entre les deux garçons, afin que Bill devienne fâché envers nous, nous injurie, nous dise : « Éloignez-vous de nous, gêneurs! » De cette manière, en le protégeant contre les attaques de son camarade, nous espérons constituer une réserve de souvenirs où nous l'aurons protégé. Nous l'utiliserons lorsqu'il nous accusera de blâmer l'agressivité d'Andy à son égard. Cette intervention à une autre signification plus subtile. Elle veut dire : « Andy est mesquin. Nous n'aimons pas cela. Nous voulons qu'il arrête. » Cela stimule la propre agressivité cachée de Bill qui ne sera pas atteint aussi longtemps que son Moi refusera d'admettre la véritable conduite d'Andy.

Il nous faut contrer les « illusions ».

Andy est particulièrement méchant avec Bill aujourd'hui. Il le frappe vicieusement avec son bâton de hockey durant une partie qui se déroule dans la cour. Bill arrive en pleurs dans la maison. « Cette damnée Pioneer House... Vous n'avez pas le droit de me faire cela! Je veux retourner chez ma mère. Je ne reste plus ici. » Il monte au premier étage et commence à plier ses affaires. Je le suis et je m'assois dans la chambre en entamant le dialogue suivant :

> *Le sous-directeur :* Je suis désolé qu'Andy vous ait frappé avec son bâton.

256

Bill : Oui, tout arrive ici. Vous n'êtes qu'une bande de sales bâtards...

Le sous-directeur : Comment pouvez-vous dire cela?

Bill (silence).

Le sous-directeur : Pensez-vous réellement que nous vous faisons du mal? Est-ce que nous vous avons donné des gifles, transformé en esclave? Non, Andy fait ces choses, pas nous et vous le laissez faire. Chaque fois que nous essayons de dire quelque chose pour l'arrêter, vous nous faites des reproches. Maintenant, brusquement, vous commencez à nous blâmer.

Bill : Allez au diable tous autant que vous êtes! Je veux retourner chez ma mère!

Le sous-directeur : Réellement, si vous n'êtes pas heureux ici, Bill, vous pouvez retourner chez vous. Nous vous aimons et nous désirons que vous restiez, mais nous ne vous forcerons pas à demeurer. Vous n'êtes pas dans une prison, mais, si vous partez, vous devez savoir que ce n'est pas à cause de ce que nous vous avons fait; c'est à cause de ce que vous voulez qu'Andy vous fasse.

Attaqué si nettement, Bill se calme, fait sa valise plus lentement et l'abandonne finalement. Comme il commence à remettre ses affaires en place, je quitte la chambre en lui disant : « J'espère que vous vous sentez mieux » (Réf. : 12.3.48, David WINEMAN).

Nous avons donc commencé à nous attaquer au mécanisme de défense de Bill : le déplacement de sa haine ressentie à l'égard de son frère. Comme il ne peut pas exprimer ouvertement son agressivité envers Andy, il la fixe sur nous. Nous sommes ceux qui l'injurient; nous sommes ses persécuteurs. Par ce manège, il réalise deux choses. Tout d'abord, comme nous l'avons déjà mentionné, il nous donne le rôle d'attaquants. Deuxièmement, en nous considérant comme des images parentales, il nous dit : « Vous ne vous souciez pas de ce qu'il me fait. Vous l'aimez davantage. » Il fait brusquement surgir en lui l'image de la bonne mère qui devient *dea ex machina*. Il veut retourner chez sa mère. Il a ainsi complètement renversé les faits cliniques, tels que son histoire personnelle nous les a révélés. Les adultes de l'internat thérapeutique deviennent les mauvais parents, ses propres parents devenant les bonnes images. Ils le protégeront de nous et de la brutalité fraternelle. Notre entretien tente de s'attaquer à cette fausse interprétation des faits. Nous lui disons :

a) « Vous voulez qu'Andy vous fasse ces choses. »

b) « Nous avons essayé de vous protéger. »

Nous lui rappelons les noms qu'il nous a donnés. Cela détruit ses fausses conceptions et nous distingue de la mère réelle qui ne peut pas avoir essayé de le protéger. Durant nos entretiens, notre attitude a été si nettement protectrice qu'il ne peut plus persévérer dans ses illusions. C'est tout ce que nous voulons faire pour le moment. Il n'est pas prêt à supporter des interprétations telles que « Pourquoi croit-il ces choses, pourquoi nous accuse-t-il à la place d'Andy ou même pourquoi veut-il qu'Andy soit méchant avec lui? » Comme il ne peut plus si facilement rejeter le blâme sur nous et comme il est incapable de décharger directement son hostilité sur Andy, nous devons nous attendre à une modification des symptômes.

Nous interprétons et nous faisons découvrir à Bill les raisons de son agressivité envers son frère.

Juste avant le dîner, Andy commet une petite méchanceté à l'égard de Bill. Il se moque de ses performances scolaires en base-ball devant la plupart des garçons et des éducateurs. Bill se met immédiatement en colère mais se force à rire comme un fou. Incapable de maîtriser son agressivité, il danse autour d'Andy et commence à le frapper légèrement. Andy réagit sur-le-champ et Bill, prétendant alors qu'il plaisantait, transforme l'épisode en jeu de gosse. Durant le dîner, Bill réplique aux injures lancées par Andy qui demeure à peu près calme. Après le souper, les enfants errent à travers la salle de veillée sans que rien de particulier ne se produise. Andy est juché sur le rebord de la fenêtre. Il lit un illustré tout en gardant un œil ouvert sur ce qui se passe dans la pièce. Larry est couché sur le plancher, le nez enfoui dans un livre, mais l'oreille aux aguets. Bill se promène désœuvré, tandis que les deux autres garçons écoutent des disques. Bill ramasse brusquement un album de disques vide et l'élève au-dessus de la tête de Larry. Il se tourne vers Andy et lui demande s'il doit frapper Larry avec l'album. Andy hausse les épaules et dit : « O. K. » Bill laisse alors tomber le recueil sur le crâne de son camarade qui pousse un cri de rage, tandis que Bill danse de joie. J'ai donné un avertissement à Bill alors qu'il se préparait à frapper Larry, mais il l'a ignoré. Je le sors de la salle de veillée et le conduis dans mon bureau où nous nous asseyons pour discuter. Je suis volontairement direct, en raison de son attitude méfiante.

Le sous-directeur : Quelle est cette idée de frapper ainsi Larry? Il ne vous avait rien fait.

Bill (en riant) : J'en avais envie.

Le sous-directeur : Écoutez, je sais ce qui vous ennuie. Vous êtes en colère contre Andy. J'ai vu avant le dîner que vous vouliez déclencher une bagarre avec lui, mais vous vous êtes arrêté. Vous rejetez maintenant tout votre courroux sur Larry.

Bill (surpris) : C'est vrai.

Le sous-directeur : Pourquoi ne donnez-vous pas une gifle à Andy si vous êtes fâché contre lui?

Bill : Parce que c'est mon patron.

Le sous-directeur : Que voulez-vous dire par « patron »?

Bill : Il est mon patron, c'est tout, et je ne le frapperai pas.

Le sous-directeur : S'il vous faut un patron qui fait tout ce qu'il veut sans que vous puissiez vous défendre, c'est votre affaire; cela me paraît étrange, mais si vous le voulez ainsi nous vous laisserons. Pourtant, nous ne pouvons pas vous permettre de frapper les autres sous prétexte que vous êtes en colère contre votre patron. C'est impossible.

Bill : Je ne le cognerai pas, c'est mon patron.

Le sous-directeur : O. K., mais vous ne pouvez pas vous venger pour autant sur vos camarades. Une autre chose : je vous ai vu lui demander la permission de frapper Larry jusqu'à ce qu'il vous dise O. K.

Bill : Bien sûr, puisqu'il est mon patron!

Le sous-directeur : C'est encore une autre histoire, n'est-ce pas Bill? C'est votre patron et il vous indique ce qui est bien et mal. Si vous voulez qu'il agisse ainsi, nous ne vous en empêcherons pas. Pourtant, nous pensons que c'est également un problème. Nous aimerions mieux que vous puissiez décider seul de ce qui est bien ou mal. Nous ne pouvons pas vous laisser faire quelque chose juste parce qu'Andy dit que c'est bien, alors que c'est mal. Est-ce clair?

(Réf. : 8.4.48, David WINEMAN).

Au cours de cet entretien, nous essayons d'expliquer à Bill la signification de son agressivité. Nous soulignons d'abord qu'il ne peut pas maltraiter un autre enfant qui ne lui a rien fait. Nous éloignons de lui le bouc émissaire sur lequel il a déplacé son agressivité : « Quelle est cette idée de frapper ainsi Larry? Il ne vous a rien fait. Nous ne pouvons pas permettre cela. » Nous interprétons également le déplacement de son hostilité : « Vous êtes fâché contre Andy. Au lieu de l'attaquer, vous frappez Larry. Qu'en pensez-vous? » Nous poussons même l'explication plus loin : « Votre agressivité n'est pas réellement dirigée contre Larry; elle l'est contre Andy. » Nous faisons un pas de plus dans l'interprétation en lui faisant remarquer qu'il ne déplace pas seulement son agressivité d'Andy sur Larry, mais qu'il projette son Surmoi sur Andy. « Je vous ai vu lui demander la permission de frapper Larry jusqu'à ce qu'il vous dise O. K. »

Nous essayons de mettre son Moi au défi. « C'est étrange d'avoir besoin d'un patron qui vous fait tout ce qu'il veut sans que vous puissiez vous défendre. Pourquoi avez-vous besoin d'un patron, nous pensons qu'il y a là quelque chose de bizarre. » Mais nous n'allons pas plus loin sur ce thème. Nous voulons seulement le signaler pour l'utiliser éventuellement plus tard. Nous désirons que notre réflexion soit suffisamment « vivante » pour garantir l'apparition d'un lien dans la mémoire. Ce lien, « c'est étrange d'avoir besoin d'un patron », sera repris dans les interprétations futures lorsque le Moi sera assez amélioré pour faire face à son histoire personnelle à ses niveaux les plus profonds. Le besoin de créer l'image du « bon frère » ainsi que la transformation de son agressivité en manifestations masochistes pourront être explorés. Nous attendons le moment où son agressivité sera directement centrée sur Andy. Il déplacera alors toute la responsabilité sur le garçon. Nous réutiliserons son « dossier » en lui disant : « Vous avez bâti ceci. Rappelez-vous le temps où vous ne viviez que pour Andy. Tout ce qu'il voulait était O. K. S'il vous battait, vous l'acceptiez. Si nous tentions de l'arrêter, vous nous traitiez de sales bâtards. Vous vous rappelez? Vous souvenez-vous du moment où vous avez commencé à changer? Vous essayiez de rejeter les torts sur nous-mêmes. Nous étions vos persécuteurs. Vous rappelez-vous? Nous vous avons dit qui était le vrai responsable : vous-même. Nous avons souligné que vous pouviez retourner chez votre mère comme vous aviez menacé de faire, mais que si vous le faisiez, il ne vous serait pas possible de partir avec l'idée que nous voulions vous voir battu par Andy. Vous avez commencé à frapper les autres garçons, tels que Larry qui ne pouvait pas vous répondre. Vous avez tapé dessus parce que vous étiez en colère contre Andy. Il demeurait votre patron et il ne fallait pas le toucher. Vous rappelez-vous? Nous vous avons dit que c'était étrange. Vous ne pouviez pas frapper les autres garçons parce que vous étiez fâché contre Andy. Vous vous êtes finalement décidé à frapper Andy et vous combattez tout le temps contre lui. »

Cela sera « l'invitation à la danse. » A partir de ce stade, en nous servant des faits passés où la conduite d'Andy était franchement pathologique, nous pourrons commencer à rechercher les motivations de son comportement. « Pourquoi vous êtes-vous retenu si longtemps? Votre attitude n'était-elle pas un peu semblable à celle que vous aviez avec votre frère? » L'histoire clinique de Bill se termine malheureusement ici. Le dernier stade ne s'est jamais matérialisé en raison de la fermeture prématurée de la maison. Six mois ou un an auraient été nécessaires pour que le Moi puisse profiter de ce genre d'entretiens. Cela peut paraître exagéré au lecteur. Les événements dont nous avons parlé ont pourtant pris 14 mois à se développer. Pas plus que de commander à une lésion tuberculeuse de guérir parce que le sanatorium va fermer, nous ne pouvons accélérer l'évolution psychologique sous le prétexte d'épargner énergie humaine, temps ou argent.

2. AIDER LE MOI A SE DÉBARRASSER D'UNE PHOBIE NOCTURNE.

Les modes de réponse de l'enfant sévèrement inadapté à l'anxiété, à la crainte et à l'insécurité, diffèrent grandement de ceux du sujet normal ou du névrosé classique [14]. Chez l'enfant névrosé, les manifestations anxieuses, par exemple, peuvent se fixer sur des phobies de l'obscurité, crainte d'attaquants, etc. (le sujet peut utiliser de nombreux autres types de défense contre le danger). En contraste, l'enfant sévèrement inadapté ne peut guère employer ce matériel pour se débarrasser de ses problèmes intérieurs. Son Moi devient-il capable de construire une phobie ou l'agressivité issue de conflits intérieurs se pro-

14. Voir *l'Enfant agressif. Le Moi désorganisé*, p. 92.

jette-t-elle au-dehors, il est tellement engagé dans ce fantasme qu'il ne lui est plus possible de faire face aux effets de la phobie elle-même. Un enfant plus intact qui bâtit ce genre de symptôme est capable d'utiliser son environnement et ses relations pour contrebalancer certains des éléments de sa crainte. Il court vers l'adulte pour se protéger des attaquants présumés. Il insiste pour dormir dans une chambre avec une petite lampe allumée ou avec la porte ouverte. Nos enfants ne paraissent pas capables de se défendre de cette manière. S'ils développent semblables fantasmes, leur seul moyen de s'y opposer est de se réfugier dans la colère et dans les réactions agressives.

Le cas de Mike illustre les difficultés énormes où se trouve le Moi dans des circonstances semblables.

La nuit, il devenait extrêmement violent. Son agressivité diffuse revêtait des formes variées en liaison avec une classique phobie nocturne où les gens lui semblaient venir dans sa chambre pour l'attaquer. Son Moi était ainsi engagé dans la tâche difficile de faire face aux conflits intérieurs issus de son passé. Tant qu'il n'était pas prêt à contrôler la phobie elle-même, nous ne pouvions pas préciser quels étaient les conflits en cause. Il lui fallait d'abord apprendre à tolérer l'existence de la crainte, à utiliser l'environnement afin que les réactions agressives ne submergent pas la cause même de la peur, raison première du comportement violent. Toute notre stratégie thérapeutique visait à conduire l'enfant au stade où il pourrait commencer à parler avec nous de ses préoccupations phobiques. Cela signifiait que nous devions intervenir durant son sommeil en le protégeant des attaques. Nous l'éloignions de la scène (la chambre sombre), nous nous asseyions avec lui, nous l'apaisions et nous le contrôlions. Dans le paragraphe suivant, nous détaillerons les modes de comportement révélés par ces cauchemars et nos façons d'intervenir.

« Je le tuerai ce p..., hou! hou! (il pousse des gémissements perçants), oui! oui! » Tout en criant ainsi, il donne des coups de pied, frappe l'oreiller, le lit, les couvertures, etc. Mike rit en même temps sauvagement, s'approche de Larry dont le lit est près du sien, le gifle, touche avec son gros orteil ou son pied les régions du corps exposées par Larry. Si le garçon proteste, il semble brusquement le percevoir comme l'un de ses attaquants imaginaires et l'attaque violemment. Nous devons généralement l'éloigner de la chambre lorsqu'il atteint ce stade. Durant les 10 ou 15 minutes suivantes, il persévère dans le même comportement. Nous le calmons progressivement par des phrases appropriées telles que « O. K., Mike », ou « Allons, restez tranquille », etc. Il commence à revenir à lui et s'apaise. Nous restons près de lui tandis qu'il somnole. Nous lui disons : « Prêt à retourner? » et il réplique : « O. K., Dave ou Fritz » selon le responsable qui est avec lui.

Action directe pour prouver à Mike l'inexistence de ses attaquants.

Nous n'essayons pas de supprimer la source de ses problèmes et nous n'espérons pas modifier sa phobie. Nous offrons un soutien direct au Moi qui réagit à l'existence même de la phobie par une désorganisation presque totale. En intervenant comme nous le faisons, nous participons à la phobie elle-même, car nous prenons le rôle des attaquants. Nous entrons dans le fantasme et, pendant un bref instant, nous n'attaquons pas; nous contredisons ainsi les données de sa phobie.

Nous essayons d'atteindre deux buts en même temps :

1. Nous soutenons le Moi en nous substituant partiellement à lui afin qu'il ne réagisse pas à ses craintes de façon aussi sauvage et incontrôlée.

2. Mike transférant momentanément les craintes phobiques sur nous-mêmes, nous les contredisons par notre conduite.

Il faut 12 mois (avec une succession d'améliorations et d'aggravations) avant de pouvoir parler avec Mike de sa phobie. Les réactions aux fantasmes deviennent progressivement moins violentes. Notre attitude influence la structure phobique en réduisant certains de ses caractères effrayants. Nos efforts pour éloigner Mike de ses craintes deviennent de moins en moins épuisants et d'autres indications nous prouvent que nous approchons du moment où nous pourrons parler avec lui. Le garçon commence en effet à rationaliser ses sentiments au lieu de les « agir ». Il devient capable de développer et d'utiliser des idées directement liées à son affectivité.

Par exemple, un incident éclate dans la voiture; l'un des garçons se fâche avec son éducateur et demande de retourner à la maison sous la pluie. Il fait très froid et l'enfant (Danny) risque d'être complètement trempé. Il relève juste d'une bronchite et l'éducateur fait peur à Danny en l'avertissant que s'il reste dehors il risque d'attraper une pneumonie. Cela le fait réfléchir et il décide de retourner dans la voiture. L'anxiété de Danny contamine le reste du groupe et Mike se met à parler de la mort. Les garçons commencent alors une fascinante discussion collective. Chacun exprime ses fantasmes et ses craintes au sujet de la mort et des choses qui l'ennuient lorsqu'il se réveille au milieu de la nuit. Cela représente un gain important pour chaque Moi, car les Pionniers n'auraient jamais été capables autrefois de faire ainsi face à l'anxiété et à la menace. Il serait trop long de reproduire toute la discussion. Nous transcrivons seulement la participation de Mike.

> *Mike :* Je sens que je deviens un singe. Un gorille m'attaque et me fait tourner par ma queue. Il me cogne contre le mur et les objets environnants. Quand je me réveille, je dis : « J'espère que mon frère Pat ne mourra jamais. » Il est le meilleur frère qu'un type ait jamais connu. Quand les gosses du voisinage essayaient de me battre, Pat les rossait parce qu'ils s'attaquaient à quelqu'un de plus petit. Il pouvait rosser aussi leurs frères aînés. Juste avant de mourir, je ferai un trou dans ma poitrine (il fait les mouvements appropriés), j'en sortirai mon cœur et j'en mettrai un nouveau; je resterai ainsi vivant; je vivrai toujours...
>
> (Réf. : 13.2.48, Betty BRAUN).

Le comportement de Mike est différent par rapport aux premiers mois. Nous le voyons aux prises avec des réactions anxieuses centrées sur la crainte de mourir et de se détruire. Son Moi acquiert, dans une telle situation, un pouvoir magique afin de trouver les moyens de faire face à cette menace. Il défiera la mort en enlevant son cœur et en le remplaçant par un autre. Ce fantasme le protège totalement de l'anxiété. Autrefois, son Moi aurait réagi en cherchant à se prouver dans un sens littéral ses possibilités de résister à la destruction. Il serait devenu hyperactif, aurait attaqué les adultes ou peut-être les autres enfants. Son Moi s'est donc amélioré. Il tend à éliminer

son besoin de nier l'anxiété en l' « agissant », ce qui caracté-
risait ses tentatives antérieures lorsqu'il se trouvait devant
de tels problèmes.

Ce genre de matériel commençant à émerger librement
en présence des adultes identifiés au groupe, il devenait
utilisable au cours d'entretiens individuels. Les difficultés
phobiques semblaient particulièrement approchables. Un
soir, deux semaines environ après l'incident relaté, il fallut l'éloigner à nouveau de sa chambre. Comme d'habitude à cette phase, il s'apaisa rapidement et sans grandes
difficultés. En raison des progrès accomplis, il nous parut
utile de discuter avec l'enfant.

> *Le sous-directeur* : Dites-moi, Mike, qu'avez-vous donc
> eu cette nuit?
>
> *Mike* (Il ne répond pas. Il commence à utiliser ses
> résistances habituelles, telles que ramasser différents
> objets sur mon bureau : trombones, crayons, etc. Il
> joue avec ces objets).
>
> *Le sous-directeur* (soulignant le but de l'entretien) :
> Allons, Mike. Cela se produit déjà depuis un certain
> temps et vous avez dû être éloigné plusieurs fois de
> votre chambre. Vous avez sûrement une idée de ce
> qui vous ennuie.
>
> *Mike* (Il s'amuse avec les différents objets. Il ne fait
> aucun commentaire).
>
> *Le sous-directeur* : Rappelez-vous ce qui s'est passé
> dans la voiture, il y a environ deux semaines? Tout
> le monde parlait des choses qui les ennuyaient durant
> la nuit. Vous souvenez-vous de ce que vous avez dit?
>
> *Mike* (Il paraît intrigué) : Non, quoi?
>
> *Le sous-directeur* : Vous rêviez que vous étiez un singe.
> Un gorille vous attrapait par la queue...
>
> *Mike* (Il répond magnifiquement, abandonne toutes
> les résistances et commence à parler sérieusement) :
> Oui, Dave; vous savez pourquoi j'étais inquiet cette
> nuit-là?
>
> *Le sous-directeur* : Pourquoi?
>
> *Mike* : Parce que j'ai peur de l'obscurité.
>
> *Le sous-directeur* : Je le savais depuis longtemps.
>
> *Mike* : Comment?
>
> *Le sous-directeur* : J'avais vu que vous ne restiez
> jamais dans votre chambre lorsque les deux autres
> garçons n'y étaient pas; c'est pourquoi il est temps,
> je pense, de parler de toutes ces choses.

Mike (Il s'intéresse totalement à la conversation) :
Je ne suis pas seulement effrayé lorsque mes camarades ne sont pas dans la chambre. J'ai peur même
lorsqu'ils y sont (il souligne le terme). J'essaie de me
couvrir la tête avec les couvertures et les draps mais
cela ne m'aide pas. Je n'aurais pas la frousse si ma
mère et mon père dormaient avec moi. Je veux être
dans un endroit où il y a de la lumière et des gens.

Le sous-directeur : C'est pourquoi vous devenez violent, n'est-ce pas? Quand vous êtes effrayé, vous devenez violent (j'appuie sur le mot). Vous faites beaucoup
de bruit et Bob (éducateur chef) ou moi-même, nous
venons dans votre chambre pour vous tranquilliser.
Vous ne voulez pas rester dans votre chambre parce
que vous avez peur. Vous faites tellement de bruit
que nous sommes obligés de vous écarter. Même si
nous devons vous tenir pour vous calmer, vous ne
vous en souciez pas aussi longtemps que nous sommes
avec vous.

Mike (hochant la tête) : L'obscurité n'est pas la seule
chose dont j'ai peur.

Le sous-directeur : Non?

Mike (Il compte sur ses doigts) : Je crains de traverser
la rue parce que je pourrais être renversé par une
voiture. J'ai peur de marcher seul dans les bois, j'ai
peur de tirer sur la sonnette d'entrée. Vous savez
pourquoi? Un gosse que je connaissais vint un jour
à la porte de sa propre maison et vous savez ce qui
est arrivé? Sa mère vint lui ouvrir; une hache tomba
sur son crâne et le fendit.

Le sous-directeur (pas de commentaire).

Mike : J'ai rêvé l'autre nuit que Henk Greenberg me
frappait avec un grand morceau de bois et me tra-
versait la poitrine. Je devins alors un magicien et je
me changeai en lion puis en gorille. Ils me chassèrent
à travers les bois et m'attrapèrent.

Le sous-directeur : Qui était « ils » dans le rêve?

Mike : Les types qui attrapent les animaux sauvages.
Ils me prirent et me mirent dans une cage.

Le sous-directeur : Il semble que vous ayez deux
genres de rêves : dans le premier, des choses énormes
et puissantes vous attaquent; dans le second, vous
devenez gros et fort comme deux animaux sauvages
et personne ne peut vous blesser.

Mike (Il rit mais ne fait aucun commentaire).

A la suite de ce dialogue, Mike raconta une histoire
compliquée où il allait avec son père dans la forêt.
Ils étaient poursuivis par un ours. Il dessina l'animal,
les endroits respectifs où ils se trouvaient. Après

s'être ainsi libéré de ce qui le préoccupait, il retourna tranquillement au lit (Réf. : 23.2.48, David WINE-MAN).

Grâce à des entretiens soigneusement préparés, nous amenons Mike à trouver des moyens nouveaux de maîtriser ses craintes.

L'essentiel de notre entretien réside dans l'interprétation d'un mécanisme : la tendance du Moi à réagir à l'anxiété par l'agressivité. Nous n'essayons pas de découvrir la source de ses fantasmes. Il est encore trop tôt pour agir ainsi. Nous nous contentons de relier la conduite au fantasme : « Quand vous êtes effrayé, vous devenez violent. » S'il est vrai que Mike est plus calme, il nous faut pourtant prendre de grandes précautions. Nous voulons consolider les gains acquis pour deux raisons :

1. Nous savons que le stade atteint par le Moi offre d'extraordinaires possibilités de régression à des mécanismes de défense primitifs. Nous lui avons déjà fait comprendre et accepter l'existence de ces mécanismes pour qu'il les reconnaisse en cas de rechute. Nous avons ainsi une base de départ pour faire appel à la perception cognitive du Moi dans les moments de danger réel. Nous pouvons dire : « Allons Mike; vous savez bien que si vous êtes aussi vilain, c'est parce que vous avez peur. Discutons un peu de tout cela. » 2) Cette interprétation supprime les réponses aux stimuli intérieurs et extérieurs qui sont générateurs d'anxiété. En lui montrant la relation qui existe entre son comportement et sa phobie, nous élargissons nos moyens d'action. Il nous est possible de la relier à toutes les situations d'urgence dans lesquelles il peut se trouver. Nous voulons que « violence » acquière une signification symptomatique. Si nous observons, par exemple, que l'enfant devient agressif parce qu'il arrive dans une nouvelle école, parce qu'il rencontre un instituteur inconnu, parce qu'il se livre à un jeu nouveau, etc., nous pouvons essayer de réagir de la façon suivante : « Eh bien, Mike, vous vous énervez de nouveau! Vous souvenez-vous que cela arrive toutes les fois que l'on vous fait peur? Qu'est-ce qui se passe en ce moment? Qu'arrive-t-il? » Nous tenons compte des situations nombreuses où les réponses agres-

sives sont des moyens d'échapper à l'anxiété ou de la refuser et cet entretien marque le début d'une attaque à long terme dirigée contre ce mécanisme. Grâce aux interviews futures, nous essaierons de faire comprendre de plus en plus profondément cette notion : « la peur vous rend violent. » Ce n'est que beaucoup plus tard que nous nous attaquerons à d'autres questions telles que : pourquoi pensez-vous que ces choses vous effraient tant? Non seulement ces discussions permettent d'approfondir les motivations, mais elles constituent une nouvelle manière de faire face à la crainte. L'enfant accepte d'en parler. C'est à la fois un moyen de s'exprimer et d'interpréter. Nous espérons que l'entretien se substituera progressivement à « l'acting out ». Il est intéressant de noter que, dans l'entretien du 23 février 48, le style de Mike ressemble plus à celui d'un enfant névrosé classique que lors des deux ou trois premiers mois de traitement. Il fallut douze mois pour aboutir à ce résultat, en soutenant intensivement son Moi grâce aux interventions protectrices nocturnes.

Terminons le récit de Mike en soulignant l'importance de prévoir le moment optimum pour agir. Il est clair que Mike sera plus disposé à parler de son problème à l'heure du lit. Il est alors plus anxieux et plus conscient de ses besoins de dépendance envers l'adulte puisque sa phobie apparaît chaque soir. Lorsque le Moi est consolidé et lorsque les relations deviennent positives, il n'est plus nécessaire de tenir aussi soigneusement compte du moment où les symptômes apparaissent.

3. Troubles d'un Moi
se libérant progressivement de la crainte.

Avec certains de nos Pionniers, notre tâche clinique était d'endiguer l'agressivité torrentielle qui se manifestait à travers leurs comportements.

Avec d'autres, nous nous trouvions en face du problème opposé. Dans leur cas, l'agressivité ne pouvait pas être libérée, jusqu'à ce que l'environnement puisse garantir que leur conduite dirigée contre l'adulte ne serait pas sanctionnée par des brutalités ou par un abandon. Durant les huit premiers mois de traitement, Larry fut docile et passif. A peine une fois manifesta-t-il une hostilité plus sérieuse que bouderie et entêtement. Lorsqu'il se trouvait face à l'échec au cours de jeux ou d'activités diverses, il devenait rageur, mais ces réactions demeuraient très infantiles (essentiellement cris et trépignements). Jamais, durant cette période, il ne détruisit du matériel, n'abîma du mobilier ou n'attaqua l'adulte, actes que les autres enfants commettaient journellement. Son intérêt principal résidait dans la passive réception orale de satisfactions libidinales offertes par l'adulte. Sa manie de « sucer » était si intense qu'il vivait littéralement en parasite de l'environnement clinique.

Nous savions, par exemple, qu'un enfant aussi rejeté que Larry emmagasinait à l'égard de l'adulte des sentiments de haine qui apparaîtraient nécessairement un jour (il avait vécu six ans dans un médiocre placement familial puis était resté deux ans et demi avec un beau-père qui, dans ses périodes d'ivresse, le traitait avec tout le raffinement d'un gardien de camp de concentration, allant jusqu'à le menacer de le tuer d'un coup de fusil). Larry avait appris à réprimer ses plus faibles manifestations d'agressivité au cours de son existence que nous pouvons considérer, sans exagération, comme entièrement dominée par la crainte; nous savions cela depuis notre premier contact.

> Durant le trajet de la maison à Pioneer House où je l'emmène pour la première fois, Larry exprime sa curiosité envers les différents objets de ma voiture. Il est surpris lorsque je lui explique leur utilité et lorsque je l'encourage à tourner le bouton d'éclairage qu'il a correctement reconnu. Je l'invite également à faire fonctionner la radio, mais il hésite en déclarant qu'il vaut mieux ne pas jouer avec un tel appareil; cela peut être dangereux s'il tourne le mauvais bouton. Il note que la clé de contact de la voiture paternelle se trouve de l'autre côté (là où il est assis). Il est visible qu'il ne veut pas trop se renseigner parce qu'une telle connaissance serait dangereuse et risquerait de l'amener à désobéir (Réf. : 29.11.46, Fritz Redl).

Compte tenu de l'expérience terrifiante faite avec le beau-père, il n'est pas difficile d'imaginer ce que signifie pour Larry le mot « dangereux ». Avec un enfant dont les pulsions agressives ont été traumatisées, une partie du traitement consiste à patienter et à favoriser la libération de cette masse d'agressivité refoulée dans l'inconscient. Tant que Larry n'y parvient pas, il ne peut pas abandonner sa passive relation orale avec l'adulte. Bien que cette conduite satisfasse des besoins infantiles jamais réalisés, elle s'oppose à la maturité future et à l'expression de l'agressivité. Seul, un internat thérapeutique peut atteindre le but visé. Nous avons, en effet, de bonnes raisons de penser qu'une fois l'agressivité libérée, elle s'exprimera sur un mode tellement primitif et avec une telle intensité que seul un personnel spécialisé pourra la contrôler. Nulle part, un enfant aussi traumatisé que Larry ne sera capable d'abandonner ses mécanismes de défense, excepté dans un climat où l'absence totale de réactions hostiles pourra être garantie. Tout en contredisant par notre attitude sa conception d'un monde hostile, nous lui apportons la nourriture affective dont il a été privé. Nous espérons qu'il se produira tôt ou tard un tournant où émergeront ses sentiments envers son beau-père. Nous pratiquons dans ce but une politique d'attente et de non-intervention. Il y a une grande différence entre le cas de Larry et celui de Bill ou de Mike que nous avons décrits au début de ce chapitre. Dans le cas des deux premiers garçons, nous étions en face de troubles manifestes du comportement. Chez Larry, les troubles manquent et n'existent qu'à l'état latent. Il nous faut les réveiller avant de pouvoir les traiter. Le fait d'être aimé le détache peu à peu des fondements de ses craintes. L'événement suivant, survenu au huitième mois de son séjour, le démontre clairement.

> Durant notre promenade, cet après-midi, Larry et moi, nous passons devant une brasserie située à deux blocs de la maison. Larry commence à parler des hommes qui boivent. Quand il sera grand, jamais il ne boira. À partir de cette réflexion, il se plonge directement dans l'histoire de son beau-père qu'il appelle « mon papa »; c'est la première fois, depuis le début de son séjour, qu'il nous parle ainsi. « Oui, c'est quelque chose de ce genre... Il devenait complètement fou quand il avait bu. Il rentrait à la maison et devenait terrible... Il criait contre moi sans raison. Une fois, j'oubliai de nourrir mon chien Quenni et il me frappa, me donna des coups de pieds et vociféra. C'est pourquoi j'ai peur d'aller chez moi. Je hais

mon père; ma mère, elle est bonne et j'aime ma maison, mais je hais mon père, surtout quand il est saoul. Je ne peux jamais dormir tranquille. Mon père, il discute toute la nuit et fait tant de bruit que je ne peux pas m'endormir et que j'ai peur de ce qu'il peut faire. Je préfère rester avec vous. » Il me répète cette histoire au moins à quatre reprises. Chaque fois, il me demande anxieusement en se pendant à ma main : « Vous comprenez cela, Emmy? » Je lui assure que je comprends. Comme nous arrivons à la maison, je lui dis : « nous sommes vraiment heureux de vous avoir parmi nous, Larry » (Réf. : 3.8.47, Emily KENER).

Par un mécanisme d'association, ses souvenirs ont été réveillés en passant devant le bar, mais nous pouvons voir que les forces répressives sont moins efficaces. Le Moi fait à présent face à sa détresse et le niveau de maturité est surprenant lorsqu'on se rappelle combien le comportement du garçon était infantile. Bien sûr, sa conduite cache encore une grande dépendance vis-à-vis de l'adulte, mais le Moi est maintenant capable d'exprimer verbalement ses sentiments, ce qui représente une amélioration considérable dans son aptitude à établir un lien.

Larry découvre de nouveaux moyens de communiquer grâce à l'entretien qui lui permet de s'exprimer.

Nous pouvons noter que notre éducatrice principale, sensible à la nouveauté et à la profonde signification des changements, n'engage guère de dialogue. Elle écoute et devient ainsi un élément essentiel qui rassure, réconforte et accepte. Nous n'attendons rien de plus actuellement de l'entretien. Le Moi n'est pas encore capable de comprendre la source de ses difficultés et d'accepter des remarques liées à son histoire personnelle. Nous voulons seulement permettre aux sentiments de s'exprimer et assurer ainsi un contrôle de l'anxiété. Il est extrêmement important que le personnel soit capable de diagnostiquer immédiatement la signification du matériel verbal et de se situer correctement par rapport à lui. Il ne s'agit pas de considérer seulement son rôle. Notre éducatrice principale avait une bonne formation clinique et était capable de s'engager dans des techniques de casework. Il est vrai que nous aurions pu désirer confier les entretiens interprétatifs au caseworker de la maison afin de ne pas surcharger notre éducatrice. Le problème n'est pas tant celui de la répartition des rôles que celui des besoins du Moi à un moment particulier. Si le caseworker de la maison ou même le psychiatre avaient été avec Larry, ils se seraient comportés de la même manière que notre éducatrice (il est cependant douteux, pour des raisons évidentes, que Larry aurait eu les mêmes possibilités de les utiliser). Nous reconnaissons ici le besoin ressenti par le Moi de partager avec un autre une pensée perturbée, car c'est un élément important de l'expérience humaine que nos enfants n'ont pas eu l'occasion d'employer dans leur vie antérieure.

Changement du Moi. Apparition des « acting out ».

Nous arrivons maintenant à un stade qui peut paraître paradoxal à première vue dans notre raisonnement clinique. En raison de cette liberté nouvelle de verbaliser ses sentiments, signe certain d'une amélioration du Moi, Larry commence à « agir » ses fantasmes en devenant terriblement agressif envers ses éducateurs.

> Au cours d'un pique-nique réalisé ce soir avec le groupe, Bill attrape soudainement mes organes génitaux, tandis que je marchais avec lui sur le sentier conduisant à notre feu. Je lui interdis formellement ceci mais, à mon grand étonnement, le docile Larry saute brusquement sur moi et répète le même acte. Comme je lui rappelle mon interdiction, il commence à sauter aux alentours, à me donner des bourrades puis se met hors de ma portée, court dans les buissons et me jette des pierres ainsi qu'au groupe situé près du feu. Joel (aide-éducateur) lui demande de s'arrêter et lui annonce que nous sommes prêts à rôtir la pâte de guimauve. « Venez, lui dit-il, si vous acceptez de vous calmer. » Cela le met en colère et il ramasse une brique, s'approche de Joel tout en levant le projectile. Joel vient vers lui et tente de l'apaiser en lui soulignant que nous ne pouvons pas accepter cette façon d'agir. Larry se met alors à hurler, tape du pied, mord, essaie de frapper Joel. Ce comportement persiste 25 minutes environ, l'éducateur se contentant de le maintenir (Réf. : 18.8.47, John HADDAD).

Le paradoxe apparent réside en ceci : chez Mike, cité dans l'exemple précédent, la capacité de conceptualiser les sentiments se développe à partir du besoin qu'il éprouve de les « agir ». Chez Larry, la même étape de développement du Moi n'aboutit pour le moment qu'à des « acting out » extrêmement primitifs. Supposons un instant que son comportement soit la conséquence de l'attaque sexuelle commise par Bill dont il aurait subi la contagion. Il est vrai que Larry imite l'action de Bill en saisissant les organes génitaux de l'éducateur. Mais il ne s'agit pas d'une réaction agressive secondaire à l'intervention de l'adulte. L'action est pour elle-même, sans justification. Larry a d'autre part été exposé à des conduites identiques durant les huit mois précédents. Jamais, elles n'ont provoqué autre chose qu'un effet de choc, avec repli sur soi-même et recherche anxieuse de la présence de l'adulte. Il semblait que l'enfant avait besoin de se donner l'assurance qu'il ne serait pas critiqué pour avoir été présent. Larry manifeste aujourd'hui une attitude inverse. Son Moi s'identifie à l'acte. Il le réalise et révèle son agressivité, le Moi étant plus tolérant et se libérant peu à peu de ses craintes. Alors que Mike, incapable de faire face à l'angoisse, niait son existence par l'agressivité, Larry, incapable de faire face à l'agressivité, la nie par crainte de la destruction. Le Moi s'améliorant, Mike peut la reconnaître et accepter l'anxiété sans réactions agressives. Parallèlement, Larry se permet d'exprimer ses désirs destructeurs envers l'adulte sans craindre une destruction totale bien que ses attaques ne soient pas entièrement délivrées de l'anxiété.

Trois considérations cliniques orientent notre manière de nous comporter devant cette libération d'une quantité massive d'agressivité jusque-là refoulée.

1. Il nous faut d'abord limiter cette nouvelle puissance. Nous ne pouvons pas permettre à Larry de nous mettre en pièces sous le prétexte qu'il doit prendre sa revanche sur son beau-père en transférant ses sentiments sur le personnel masculin de la maison. Si nous le laissions agir ainsi, nous l'amènerions à une régression totale qui ne serait guère thérapeutique.

2. La révolte soudaine de Larry contre les contrôles adultes nous force à assurer la protection du groupe qui pourrait être effrayé ou séduit par son comportement. Comme l'incident reporté le démontre, il nous faut donc intervenir au cours des attaques elles-mêmes. Larry doit

cependant être assuré que notre attitude de base, faite d'amour et de compréhension, n'a pas changé. Il nous faut suivre religieusement toutes les règles de l'intervention antiseptique.

3. Maintenant qu'il est capable de verbaliser ses actes, nous avons la capacité de contrôler certains d'entre eux grâce aux techniques d'entretien. C'est au moment où les violences se produisent que nous devons tirer profit de cette nouvelle possibilité. Peu après l'incident du 18 août 1947, nous trouvons un moment favorable pour réaliser un entretien de ce genre.

Après le souper, Larry est avec moi dans le bureau. Il me demande de compter l'argent recueilli au cours d'une quête faite puis abandonnée l'année dernière par les Pionniers (il s'agissait d'une quête organisée sur la propre initiative des garçons dans le but d'acheter un drapeau qu'ils voulaient mettre dans la cour principale). Il est de bonne humeur et il me semble possible de profiter de la situation pour bavarder avec lui de ses difficultés récentes. Comme il a fini de compter l'argent, je lui propose de discuter de « ces choses qui sont arrivées la semaine dernière ». « Vos camarades et vous, vous êtes allés dans le parc pour un pique-nique avec Joel, vous rappelez-vous? » Il acquiesce immédiatement puis attend la suite avec un regard entêté et défiant. Je lui explique que je n'ai rien dit sur le coup parce qu'il me semblait trop énervé pour être capable de discuter. Maintenant que tout est redevenu calme, nous pourrions peut-être essayer de voir ce qui l'ennuyait tant. Larry essaie de minimiser l'incident en disant que c'était « une petite chose ». Je le contredis en lui disant : « Je ne sais pas si nous pouvons appeler cela une petite chose. Vous avez menacé Joel avec une grosse pierre et vous vous êtes tellement énervé lorsqu'il vous a demandé de vous arrêter qu'il fut obligé de vous tenir pendant vingt bonnes minutes. » Il admet avec un petit gloussement de triomphe que j'ai sans doute raison. Je lui demande s'il connaît les causes de son irritation envers les éducateurs. Était-il ennuyé par quelque chose? Il reste vague et je continue à le questionner : « N'est-ce pas de cette manière que vous agiriez si quelqu'un était vraiment méchant avec vous? » « Oui », me réplique-t-il. « Pensez-vous que Joel fut réellement méchant? » « Non », me dit-il, il ne pensait pas ainsi. « Tout cela devient alors fort mystérieux. Vous vous êtes mis dans une grande colère mais vous êtes incapable de savoir pourquoi. » Larry ne répond pas. Il

reste immobile et regarde droit devant lui. J'attaque
à nouveau : « Je me demande, Larry, si, ayant été
traité de façon fort méchante autrefois, vous ne vou-
driez pas agir de la même façon maintenant. » Sa
réaction est étonnante. Sa défiance et son entêtement
s'effacent de son visage qui prend un aspect infantile et pleurnicheur. Ses yeux se remplissent de larmes
et c'est avec beaucoup de difficultés qu'il me répond.
« Il y a une personne que je déteste, c'est mon père.
Il était très méchant, pour les choses les plus futiles.
Quand il avait bu, il ne savait plus ce qu'il faisait et
devenait terrible. Il se mettait en colère pour la plus
petite bêtise que vous puissiez commettre. » Larry
devient complètement immobile et reste ainsi une
minute environ avant d'ajouter : « Il y a une chose
que je n'oublierai jamais; c'est le jour où il a braqué
sur moi son fusil chargé en disant qu'il allait me tuer.
Il a fait cela deux fois. Je désire qu'il fasse à son
tour toutes les corvées. A chacune de ses fautes,
quelqu'un se mettra en colère et se comportera avec
lui comme il l'a fait pour moi. » Je lui dis que je me
rendais compte combien son existence avait été pénible.
J'ajoute : « Ici, à Pioneer House, les choses sont différentes. Vous pouvez le voir, maintenant que vous êtes
resté longtemps avec nous. Quand ces souvenirs de
votre beau-père reviennent à votre mémoire, cela
vous ennuie beaucoup. Nous pourrons discuter de ces
choses toutes les fois que vous le désirerez. » Larry
hoche la tête, mais ne répond rien. Il me quitte bientôt
pour rejoindre le reste du groupe (Réf. : 18.8.47, David
WINEMAN).

*Nous préparons Larry à faire face aux difficultés de son
histoire personnelle.*

Dans cet entretien, nous soulignons d'abord à Larry
la disproportion de ses réactions : « Vous agissez comme si
quelqu'un était vraiment méchant avec vous. » Nous faisons ensuite appel aux fonctions cognitive et sélective de
son Moi : « Quelqu'un est-il méchant avec vous? » A cette
question, Larry admet que personne ne le maltraite. Nous
l'amenons à s'interroger sur son comportement : « Pourquoi êtes-vous alors si fâché? » Nous voulons souligner son
manque de réalisme dans le choix des réactions. A partir
de là, l'entretien parvient à un sommet. Il donne à Larry
l'occasion de préciser ses difficultés qui proviennent de ses
relations difficiles avec son beau-père. Nous lui posons dans
ce but la question suivante : « Avez-vous été traité d'une

manière qui puisse justifier votre façon d'agir? » Cette question permet à Larry d'exprimer l'affect originel dont l'« acting out » découle. Mais il le fait dans le cadre strict de l'entretien, en verbalisant ses sentiments et ses idées, sans avoir à les agir. Nous lui assurons notre sympathie. « Je comprends ce que vous avez dû ressentir. Il y a bien des choses que vous désireriez voir arriver afin que votre beau-père sache ce que vous avez vous-même enduré. » Nous glissons une phrase qui interprète et rassure à la fois : « Les choses sont différentes à Pioneer House; tout le monde vous aime. » Cela signifie :

1. Ce n'est pas le lieu où peuvent apparaître de tels affects.

2. Personne ne vous fera du mal, même si vous agissez de cette manière.

La dernière partie de l'entretien tente de préparer des discussions futures axées sur ses difficultés : « Peut-être ces souvenirs vous gênent-ils. Nous pourrons en parler toutes les fois que vous le voudrez. » Cette dernière réflexion est importante, car nous espérons accroître le désir et le besoin d' « agir » l'hostilité ressentie envers le beau-père par l'intermédiaire de l'entretien. En résumé, ce dialogue combine les fonctions suivantes.

1. Il permet d'exprimer les sentiments. Il fournit un moyen de décharger les affects qui tirent leurs origines dans la relation établie avec le beau-père.

2. Outre ce rôle d'expression, on peut signaler trois autres buts :

a) Défier le Moi en l'amenant à évaluer sa conduite.

b) Interpréter le transfert en comparant les situations passées et présentes.

c) Préparer le terrain pour des entretiens ultérieurs.

Notre observation expose quelques-unes des étapes franchies pour nous attaquer aux besoins les plus primitifs de Larry et pour améliorer le fonctionnement de son Moi. L'espace ne nous permet pas de continuer cette description. A partir de ce stade, nous avons constaté, cependant, que les réactions infantiles diminuaient et que le garçon prenait conscience de ses problèmes intérieurs, des relations existant entre son agressivité et son histoire personnelle.

4. Premier round avec un « Moi délinquant ».

Nous avons noté dans *le Moi désorganisé* que le Moi de nos enfants présentait deux caractéristiques déconcertantes : d'une part, une atrophie sérieuse de leur Moi ne leur permettait pas de s'attaquer positivement aux difficultés journalières; d'autre part, une hypertrophie étrange leur assurait une maîtrise du monde extérieur et de leur propre conscience toutes les fois qu'il leur fallait défendre la liberté d'exprimer leurs impulsions. Nous avons étudié cette atrophie dans le chapitre « le Moi qui ne peut pas accomplir » et l'hypertrophie dans le chapitre « le Moi délinquant et ses techniques » [15]. Bien sûr, nous n'avons jamais voulu dire que ces deux caractéristiques du Moi se révélaient séparément au cours de la vie de l'enfant comme on peut le voir dans les deux phases d'une psychose maniaco-dépressive. Elles sont étroitement entremêlées et la vie journalière nous permet de constater qu'elles fonctionnent comme une entité. Au cours de la journée, l'accent est cependant mis sur l'un ou sur l'autre aspect, et, pour des raisons pratiques, nous étudierons ces troubles comme s'il s'agissait de faits cliniques séparés. Dans ce paragraphe, nous nous proposons d'exposer certains de nos efforts thérapeutiques pour traiter le Moi délinquant d'Andy. Ce garçon est bien connu de nos lecteurs, puisque nous avons souvent parlé de lui dans nos deux ouvrages [16].

Qui. Moi?

Si nous n'avions pas connu à l'avance l'histoire personnelle d'Andy, la première nuit nous aurait déjà fait pressentir les forces significatives qui se mouvaient en lui. Comme nous nous y attendions, notre première soirée avec le groupe fut infernale. Les enfants traînaient partout et l'excitation psychologique du groupe était telle qu'il nous fallut les énergies combinées du personnel pour l'apaiser.

15. Voir *l'Enfant agressif. Le Moi désorganisé*, chapitres III et IV.
16. Voir *l'Enfant agressif. Le Moi désorganisé*, p. 60, 63, 104, 108, 135, 157; et dans le présent volume, p. 94, 98-99, 137, 162, 163, 167-198. 187-189, 199, 203-204, 228-230, 251, 252-253, 254-261.

La conduite d'Andy était la plus frappante car elle révélait la violence de ses symptômes : infantilisme et impulsions délinquantes s'associaient pour réaliser un paquet explosif. Il était l'émeutier par excellence. Courant comme un fou à travers la maison, il encourageait les autres à se cacher et à fuir les éducateurs qui cherchaient à les ramener dans leurs chambres. Il avait inventé un cri de bataille : « hee... how! » qui semblait électriser les autres. Son « hee... how » était l'appel de clairon qui fanatisait ses camarades.

... Finalement, lui et Joe descendent dans la cave et grimpent sur le tas de charbon dont chaque boulet devient un projectile. Joe remonte, mais Andy, en sautant du coffre, pose son pied sur une pelle et tombe. Il commence immédiatement à pleurer et pousse des cris perçants. Je le prends dans mes bras et je l'emmène au rez-de-chaussée. Son pied saigne et je dépose le garçon sur un divan dans la salle de veillée. Emily (éducatrice principale) et moi-même, nous examinons la coupure. Andy continue à gémir comme si son cœur allait se briser. La coupure est superficielle. Nous la nettoyons et mettons un pansement. Emily continue à bercer la tête d'Andy sur ses genoux tandis que je soigne la blessure. Il s'arrête finalement de pleurer et demeure assis comme tout engourdi. Je dis à Andy que je suis désolé de le voir blessé, mais je lui fais remarquer qu'il est dangereux de courir dans la cave obscure et inconnue de lui. Il me regarde et crie : « Je n'ai rien fait! » Je réplique : « Que voulez-vous dire? Vous couriez à travers la maison, de bas en haut et de haut en bas, n'est-ce pas? » Il s'écarte d'Emily, le bébé s'éveille en lui et il déclare en furie : « Fils de p..., pourquoi ne parlez-vous pas aux autres? Pourquoi me blâmez-vous pour tout? » « Andy, lui dis-je gentiment, je ne vous blâme pas pour ce qu'ils font. En réalité, je ne vous fais aucun reproche. Je vous dis juste que c'est trop bête que vous soyez blessé » « Je n'ai rien fait; j'ai mal au pied et tout ce que vous faites, c'est de me parler. Je veux aller au lit. » Il continue à me regarder avec irritation et hostilité, bâille et refuse de prononcer un seul mot. Je le conduis à son lit où, apaisé, il s'endort bientôt (Réf. : 1.12.46, David WINEMAN).

Andy se coupe le pied et exploite la situation. Il ne semble pas sensible aux soins qu'on lui prodigue, mais lorsque le sous-directeur lui fait remarquer sa part de responsabilité dans l'incident, il se rend brusquement compte du danger dans lequel son infantilisme l'a placé et il se réfugie dans la méfiance et dans l'argumentation. Les yeux encore humides et le pied douloureux, il tente d'éloigner de lui toute possibilité de regretter son acte. « Pourquoi me blâmez-vous? Je n'ai rien fait, fils de p...! » Notre hypothèse, fondée sur les événements de la première nuit, n'est pas erronée. En vivant avec nos Pionniers les premières semaines et les premiers mois de chaos, nous voyons qu'Andy continue à nous traiter comme si nous étions l'ennemi tout-puissant contre lequel il doit prendre de grandes précautions. Notre désir de lui apporter affection et protection gêne ses impulsions délinquantes. C'est particulièrement vrai lorsque nous nous attaquons à ses difficultés et lorsque nous essayons de lui fournir des sources de satisfaction.

> A la fête de Noël, surtout au moment de la distribution des cadeaux, Andy semble déprimé. Il est étrange de voir qu'il n'ouvre pas ses paquets. Comme il n'enregistre aucune réaction de notre part, il les défait un à un, puis s'isole sans commentaire. Il s'agit de cadeaux qu'il a finalement accepté de demander après un entretien laborieux avec l'éducatrice principale sur ce qu'il aimerait avoir pour Noël. Il agit aussi prudemment que si nous lui avions donné une attrape-surprise. L'état de dépression passe rapidement et une vague d'hostilité et d'irritabilité lui succède, comme nous invitons les garçons à se coucher une heure plus tard après avoir pu jouer avec leurs nouveaux jouets, les examiner mutuellement et les comparer. Il est encore plus détestable et se révèle particulièrement méchant à l'égard d'Emily ainsi que de Fritz (directeur) (Réf. : 21.12.46, David WINEMAN).

Cette observation est assez claire pour se dispenser de commentaires. Notons que l'hostilité d'Andy envers l'éducatrice principale et le directeur de la maison, qui joue certainement le rôle du père, n'est pas un simple accident. Ces images parentales satisfont actuellement ses besoins d'amour et sont ainsi les plus grandes menaces pour son Moi délinquant.

« Chirurgie » pour les besoins d'amour étouffés.

Andy semble étouffer ses besoins d'amour afin de maintenir son attitude d'opposition envers l'adulte, ce qui lui permet de se donner le droit d'exploiter agressivement son environnement [17]. Aussi longtemps qu'il persistera dans cette attitude, il échappera à toutes possibilités de changement. Comme si cela n'était pas assez sérieux, des complications secondaires apparaissent, ses succès le rendant encore plus malade. Il se laisse mourir de faim, mais nous en rend responsable. Non seulement son système impulsif est aisément victorieux, mais en se privant d'amour, il se bâtit des motifs d'accusation. Malgré ces efforts, notre première tâche clinique est de trouver des moyens de « désemmêler » ses besoins d'amour torturés et compliqués afin de rendre possibles les satisfactions.

Nous accomplirons ce travail grâce au milieu thérapeutique, tant par le programme que par notre action personnelle.

Que pouvons-nous utiliser pour désarmer Andy? Quels seront les moments favorables où nous pourrons exploiter cliniquement la situation? Afin de montrer au lecteur que cet enfant ne présente pas seulement des épisodes transitoires d'irritation, de ressentiment et d'hostilité, reprenons notre dossier de la fin du premier mois.

> Andy s'est définitivement construit un personnage. On peut le résumer en ces termes : excitateur du groupe, provocateur d'accès orgiastiques. Son arme principale semble résider dans le fait qu'il ne ressent aucune gêne à se comporter de façon primitive. Il peut se livrer à des manifestations sexuelles (se masturber en public, se montrer nu à la fenêtre, combattre sexuellement avec les autres enfants) sans révéler la moindre honte. Les vestiges de culpabilité que peuvent avoir gardés les autres membres du groupe sont balayés par la « déculpabilisation magique » de l'acte initiateur d'Andy. Il a inventé un mot clé « hootchy kootchy » qu'il lui suffit de prononcer pour amener n'importe quel membre de son groupe à des jeux sexuels. Il n'est pas seulement le centre de la contagion au point de vue sexuel. Sa manie de jeter avec sang-froid n'importe quel objet, par exemple, a contaminé sérieusement le groupe. S'il existe quelqu'un dans la maison capable de garder vivant un code collectif corrompu, c'est bien Andy, avec sa méfiance chronique, son besoin constant de chahut et de bagarres, son intérêt direct pour tout ce qui est généralement considéré comme conduite « instinctive » (Réf. . 30.12.46, Fritz REDL).

17. Voir *l'Enfant agressif. Le Moi désorganisé*, p. 207, « Étrangler ses besoins d'amour, de dépendance et d'activité. »

Non seulement Andy est violent, mais il a une perception fausse des efforts que nous faisons et n'ose pas les prendre au sérieux. Fréquemment, au milieu d'un chahut monstre, il tombe par terre comme s'il s'était fait mal (« je me suis tordu la cheville » est le principal prétexte), met sa tête dans ses bras et sanglote la face contre le plancher. Quand nous nous approchons pour lui venir en aide, il saute sur ses jambes et crie triomphalement « hee... how. » Comme cela nous rappelle notre première nuit! Même s'il s'agit de « trucs », il n'en demeure pas moins qu'il prouve ainsi son besoin intense d'affection et d'intérêt. Au lieu de le gronder et de lui donner l'ordre de stopper ses gamineries (ce qu'une partie de son Moi espère peut-être secrètement), nous entrons délibérément dans son jeu. Afin qu'il ne pense pas que nous sommes dupes, nous lui faisons savoir que nous avons compris son manège, mais nous l'entourons d'affection et rions avec lui de sa plaisanterie. Nous recherchons les moments sûrs (sûrs pour lui) où il peut nous permettre d'exprimer notre amour sans avoir à nous combattre.

> Ce soir, Andy vient me voir et me demande de le frictionner avec un liniment après un match de lutte organisé dans le cadre du programme avec Mike. Ses muscles en ont besoin, me dit-il, et j'accède à son désir, profitant de ces rares moments où cet enfant solitaire accepte des contacts corporels positifs (Réf. : 1.2.47, Emily KENER).

Puisque Andy aime « nous rouler », pourquoi ne l'aiderions-nous pas à le faire grâce à un cadeau choisi pour lui. Revenant d'un voyage, le directeur de la maison lui offre une baguette de magicien, ce qui lui fait grand plaisir.

Il nous est possible de profiter d'autres circonstances. Le principe adopté est de respecter les limites qu'Andy s'est imposé et d'entrer dans son jeu quand il désire recevoir des marques d'amour de la part de l'adulte. A la différence de Larry, trop avide de se blottir sur nos genoux, il nous faut aider Andy à découvrir l'affection. Il nous faut faire passer l'amour « en contrebande » et tromper la vigilance de son Moi délinquant. C'est la première étape dans notre chirurgie des besoins d'amour étranglés. Andy a besoin que les pilules d'amour soient enrobées. Leur goût ne doit pas être trop prononcé sous peine d'être refusées ou rejetées. Une fois avalées, elles ont pourtant l'effet désiré.

Un outil auxiliaire : l'entretien destiné à faire percevoir la réalité.

En nous servant de nos dossiers, étudions certaines des idéologies professées et utilisées par Andy dans sa campagne diffamatoire contre le monde adulte.

> Andy avait l'habitude de lancer une accusation amère et méprisante contre les membres du personnel : « Ah! les éducateurs, grognait-il, ils nous font tout ce qu'ils veulent. Nous, les gosses, nous ne pouvons rien faire! » Nous avons d'abord suivi fidèlement la règle de non-intervention, même au point de vue verbal. Malgré nos efforts, Andy persévérait dans son attitude. Durant le cinquième mois, nous commencions à attaquer ce problème avec lui au cours d'entretiens individuels.
>
> *Le sous-directeur :* Lorsque vous n'aimez pas quelque chose, Andy, vous nous accusez d'en faire à notre tête et de ne pas laisser libres les garçons.
>
> *Andy* (Il me regarde et se contente de répéter comme un perroquet ce que je viens de dire).
>
> *Le sous-directeur* (faisant appel à l'orgueil d'Andy) : Allons, Andy. Vous avez sûrement autre chose à répondre. Vous êtes assez intelligent pour employer vos propres mots.
>
> *Andy* (d'un ton maussade) : Eh bien, c'est vrai. Nous ne faisons jamais ce que nous voulons.
>
> *Le sous-directeur :* Après cinq mois passés à Pioneer House, pouvez-vous réellement prétendre que, dans cette maison, les garçons n'ont pas l'occasion de faire ce qu'ils aiment?
>
> *Andy :* Oui.
>
> *Le sous-directeur :* Avec le programme que nous organisons, tous les lieux où nous nous rendons, toutes les choses que nous faisons? Laissez-moi vous demander : vous souvenez-vous d'un endroit où vous avez vécu en ayant plus de plaisir?
>
> *Andy :* J'ai vécu autrefois avec ma grand-mère et elle me laissait faire ce que je voulais. Elle me donnait tout le temps des bonbons.

Le sous-directeur (se rappelant l'histoire d'Andy et sa vie sans direction chez sa grand-mère) : Je n'ai jamais déclaré que nous vous laissions faire tout ce que vous vouliez. J'ai seulement dit que vous faisiez une foule de choses amusantes. Prétendez-vous qu'il n'en est pas ainsi?

Andy : Peut-être pas.

Le sous-directeur (Il clôt l'entretien sur une question interprétative) : Je me demande alors pourquoi vous persistez à parler ainsi tout le temps...

Au cinquième mois, nous commençons à nous opposer à la propagande irréelle d'Andy en lui mettant devant les yeux la réalité. Nous mettons le mot « irréel » entre guillemets pour une raison : nous voulons dire que s'il croit en partie à ce qu'il dit, il se rend également compte du peu de fondement de ses affirmations. Durant les cinq mois de son séjour, nous lui avons présenté la réalité et nous essayons à présent de toucher la part raisonnable de son Moi en l'amenant au raisonnement suivant : « Écoutez, comment pouvez-vous croire tout cela plus longtemps? Si cela n'existe pas, est-il bien normal de continuer à l'affirmer? » Nous savons qu'Andy n'abandonnera pas aussi facilement son attitude; mais la prochaine fois qu'il se mettra en colère, la prochaine fois qu'il retombera dans ces situations à la faveur d'une activité ou d'une question de règlement, nous pourrons disposer d'un moyen d'action. Nous lui dirons : « Voyons, Andy. Nous avons parlé de tout cela à plusieurs reprises; cela ne correspond pas à la réalité. Vous l'avez déjà admis dans une discussion antérieure. » Nous exploitons ainsi les événements de chaque jour, ce qui ne peut se faire que dans un internat, et nous profitons des possibilités suivantes :

1. Nous contredisons 24 heures sur 24 les fausses conceptions de la réalité.

2. Nous sommes prêts à intervenir au moindre indice d'une défaillance du Moi.

3. Nous suivons l'évolution du Moi; depuis le début de notre tentative thérapeutique, nous aidons l'enfant à retrouver les expériences passées (c'est le cas de notre entretien cité en exemple), en sachant profiter des moments

où les liens avec le passé peuvent être ravivés par la bonne humeur, la cajolerie, la fermeté ou par toute autre attitude.

En utilisant les moments où nous pouvons doser l'amour et en les combinant à des entretiens, à des attaques directes contre les défenses délinquantes, nous parvenons à dompter peu à peu le Moi. Il nous faut cependant répondre rapidement à une autre question fascinante : à quel moment le Moi est-il suffisamment amélioré pour que nous puissions nous permettre de traiter le Surmoi?

Le groupe est utilisé comme un pont pour accroître la sensibilité du sujet aux valeurs morales. Conséquences pour le Surmoi [18].

Nous avons indiqué dans *le Moi désorganisé* que nous ne pouvions pas envisager le traitement du Surmoi avant que le Moi soit suffisamment amélioré pour être capable de faire face aux sentiments de culpabilité sans trop se désorganiser. Cela signifie amélioration tant du point de vue de l'atrophie que de l'hypertrophie. Dans le cas d'Andy, nous présenterons seulement quelques notes cliniques montrant nos premières tentatives faites dans ce but. Elles ne datent que des derniers mois du traitement. Il nous fallait auparavant rendre le Moi capable de répondre aux conditions énumérées ci-dessus. Les observations suivantes ont été prises huit à dix mois après le dernier entretien transcrit dans ce livre. Durant ce laps de temps, de nombreuses autres interviews du même genre eurent lieu, permettant de surmonter peu à peu les mécanismes de défense du Moi délinquant.

D'après ce que nous avons dit au sujet d'Andy, le lecteur a pu se rendre compte que le garçon bénéficiait d'un statut élevé dans le groupe. Celui-ci fut d'abord lié à sa liberté d'attitude, comme l'indiquaient nos premières observations. Il dépendait ensuite de sa supériorité dans les travaux (manuels, scolaires, sportifs, etc.). Andy fut ainsi pendant longtemps le meneur du groupe. Cela nous fut d'une grande utilité pour discuter directement avec lui des problèmes des valeurs. Le lecteur se rappelle sans doute que, dans le cas de Bill (page 254 sv.), il fallut dire au garçon

18. Voir l'*Enfant agressif. Le Moi désorganisé*, « la Complexité de la restauration du Surmoi », p. 249.

que nous l'avions vu utiliser Andy comme représentant de son Surmoi. Il fut nécessaire de faire remarquer la même chose à Andy en lui soulignant que tout le groupe l'utilisait de cette manière et que bien des choses indésirables arrivaient à cause de lui. Il combattit d'abord durement l'idée même qu'il ait pu influencer quelqu'un d'autre, mais graduellement il admit ce fait. L'étape suivante était de discuter avec lui, non pour lui souligner qu'il avait une telle influence (ce qui, après tout, n'était pas en soi un problème moral), mais pour lui faire comprendre *ce qu'*il soutenait dans les autres enfants.

> *Le sous-directeur* : Écoutez, Andy; je sais que vous avez fait un signe à Mike et que vous l'avez encouragé à jeter son sandwich sur Tom (conducteur de la voiture pour aller à l'école).
> *Andy* : Eh bien quoi? Puis-je l'empêcher de le faire s'il me le demande?
> *Le sous-directeur* : Non, vous ne le pouvez pas. Mais ce qu'il vous a réclamé, était-ce bien ou non? Est-ce même prudent? Après tout, c'était stupide de la part de Mike de jeter son sandwich sur Tom. Supposez qu'il ait perdu le contrôle de sa voiture?
> *Andy* : Pourquoi ne parlez-vous pas à Mike?
> *Le sous-directeur* : Je le ferai, mais ne rejetez pas les torts sur un autre. Vous savez que vous avez de l'influence sur vos camarades. Je ne dis pas que c'est mal; toute bande de garçons a un chef. Tout ce que je voudrais vous dire est ceci : pensez-vous un peu à ce qui se passe devant votre nez? Réfléchissez-vous à quoi vous êtes mêlé lorsque les camarades font quelque chose après vous?
>
> (Réf. : 12.2.48, David WINEMAN).

Commencer un tel entretien avec Andy avant que nous ayons pu établir une relation positive aurait été, bien sûr, une folie. Nous aurions aiguisé sa méfiance à l'égard d'un outil puissant et dangereux qu'il aurait pu retourner contre nous. Nous avons également souligné que nous ne critiquions absolument pas le fait que le garçon soit un meneur. Son rôle de leader était seulement la base qui nous permettait de discuter avec lui sur les valeurs morales. Certains signes nous montrèrent bientôt que notre travail sur le Surmoi n'était pas inutile. Un jour, sur le chemin de retour à l'école, Andy prit l'initiative de soutenir le nouvel éducateur que le groupe essayait de chahuter dans la voiture. « Si Bob (éducateur habituel) était ici, déclara-t-il, vous n'agiriez pas de cette façon. »

Il est temps maintenant de couper court à nos remarques sur Andy. Nous espérons que le lecteur a perçu nos efforts pour nous attaquer à la délinquance du garçon et à son impulsivité. Dans ses derniers mois à Pioneer House, il manifestait un intérêt accru envers l'adulte et il n'y avait plus que l'ombre de l'ancien Andy replié sur lui-même, amer et hargneux. Il existait encore une certaine ambivalence, l'enfant semblant osciller entre son égocentrisme antérieur et sa nouvelle capacité d'établir librement des relations objectales avec le monde adulte. Nous n'étions qu'au premier round. Pour Andy aussi, la fermeture de la maison fut une tragédie. Sa lente évolution vers la maturité aurait encore demandé de longs efforts cliniques et supposé bien des échecs. Nous ne pouvions espérer parvenir à ce but que dans un milieu totalement thérapeutique.

RÉSUMÉ

Nous avons essayé de décrire un certain nombre de techniques qui, dans le cadre d'une thérapeutique globale, pouvaient influencer directement la pathologie de l'enfant. L'environnement thérapeutique est conçu comme un outil qui peut être utilisé soit pour apaiser, soit pour provoquer l'apparition de symptômes. Tout dépend de l'utilité clinique d'une telle conduite et des conditions dans lesquelles elle apparaîtra. Les symptômes sont ainsi cultivés afin de permettre au clinicien de les attaquer. Cela lui donnera des possibilités stratégiques relativement plus grandes que si tout était simplement laissé au hasard. Tandis que nous créons et que nous développons des événements cliniquement fertiles, nous favorisons les entretiens afin de pouvoir centrer notre action sur des tendances qui nous paraissent particulièrement utiles à traiter à ce moment-là. « L'entretien par rendez-vous » employé dans les psychothérapies classiques doit être abandonné. Le but de l'entretien ne se borne pas à une simple interprétation mais tente de soutenir et de réparer les fonctions du Moi. Non seulement il aide celui-ci à découvrir ses difficultés intérieures, mais il lui permet de mieux connaître la réalité extérieure et de trouver ses propres moyens de faire face à la culpabilité. Dans certains cas, il souligne les défenses du Moi qui refuse d'abandonner son impulsivité et son entêtement. Il lui donne la possibilité d'exprimer ses sentiments et de surmonter le choc traumatique dû aux conditions de vie antérieures. Dans d'autres cas, il aide à bâtir et à renforcer les images positives du Moi qui sont le fruit du traitement et qui peuvent être exploitées pour permettre une meilleure intégration de l'enfant à l'existence journalière. Les fonctions de l'entretien sont multiples et dépendent des besoins manifestés par l'enfant inadapté au cours de sa vie en internat.

Épilogue

GAINS THÉRAPEUTIQUES.
FERMETURE DE PIONEER HOUSE. SUITES

Le lecteur est sans doute curieux de connaître les plans que nous avons tracés pour les cinq enfants en traitement lors de la fermeture prématurée de Pioneer House.

N'importe quel clinicien aurait reconnu que les enfants n'étaient pas encore prêts à retourner complètement dans la communauté. Dans le cadre de la médecine classique, praticiens et public auraient été frappés de stupeur si un événement analogue s'était produit. Pensez à un groupe de chirurgiens chargé d'une opération délicate et dangereuse. Il a préparé le malade à supporter le choc d'une telle intervention. Le patient reprend des forces et se trouve prêt pour l'opération au bout de plusieurs mois de travail. On la commence et imaginez que l'on vous dise alors : « Arrêtez tout. Vous ne pouvez pas continuer; cela coûte trop cher, vous ne traitez pas assez de gens, le coût par tête est trop élevé! » Dans le cadre d'efforts psychothérapeutiques aussi délicats et dangereux qu'une intervention chirurgicale, c'est ce qui est arrivé à Pioneer House. Si nous avions pu nous procurer de l'argent pour continuer le traitement nous n'aurions pas renvoyé ces enfants, aucun fondement clinique ne nous y autorisant. Ironie du sort, l'époque de notre fermeture coïncidait avec une période thérapeutique qui nous permettait d'espérer des changements définitifs. Bien que nous sachions que le traitement réel avait à peine commencé, nous avions des preuves nombreuses que des modifications importantes des personnalités s'étaient produites. En voici quelques-unes :

CAPACITÉ ACCRUE D'UTILISER LES MODES VERBAUX D'EXPRESSION.

Aussi bien dans cet ouvrage que dans le Moi désorganisé, nous avons signalé que nos enfants éprouvaient beaucoup de difficultés à symboliser verbalement leurs sentiments et leurs conflits. Ils les « agissaient » immédiatement. Nous commencions à noter des changements dans ce domaine. Ils s'exprimaient plus librement, formulaient des idées sur eux-mêmes, sur leurs relations sociales et sur le monde extérieur.

CAPACITÉ ACCRUE D'UTILISER POSITIVEMENT DES IMAGES SYMBOLIQUES.

Ils commençaient à pouvoir utiliser des images positives des lieux et des gens. Le terme « Pioneer House » revenait de plus en plus fréquemment dans leurs conversations. Son emploi témoignait parfois d'une certaine nostalgie : ainsi, ils disaient : « Vous rappelez-vous lorsque nous sommes venus à Pioneer House? Cela fait combien de temps? Nous avons eu du plaisir à nous faire poursuivre par les éducateurs... » Ou : « Ne faites pas cela; vous allez créer des ennuis à Pioneer House » (si l'un des garçons blasphémait en public, par exemple). L'image positive de la maison restait constante, tandis que changeait leur propre image. Ils étaient plus conscients de leurs fautes et capables d'un meilleur contrôle sur eux-mêmes. Les aspects positifs et négatifs de leur conduite se référaient à l'image de la maison.

DIMINUTION DE LA MÉFIANCE ÉPROUVÉE A L'ÉGARD DE L'ADULTE. CAPACITÉ DE RECEVOIR DE L'AFFECTION.

C'était l'un des changements les plus frappants. Il était révélateur de comparer leurs réactions à la réception d'un cadeau au début et à la fin de leur séjour. Au début, nous étions injuriés et raillés, même lorsque nous tentions de leur faire plaisir. Plus tard, ils manifestaient réellement leur reconnaissance. Il semble qu'il y ait eu une réduction importante de leurs mécanismes de défense contre l'adulte.

Capacité accrue de faire face au règlement.

Au fur et à mesure que leurs relations s'amélioraient avec le monde adulte, les réactions des enfants envers le règlement devinrent plus réalistes. Les règles n'étaient plus autant considérées comme des preuves de la mesquinerie adulte et les garçons comprenaient mieux leur nécessité pour une vie commune.

Diminution des principaux symptômes.

Si toute thérapie ne doit pas être basée sur la disparition des symptômes, elle est cependant intéressée à leur évolution. Son succès est en partie lié à leur réduction. C'est ce que nous avons nettement observé à Pioneer House. Colères, vols, cécité sociale, réactions aux frustrations diminuèrent. Le problème de l'accroissement de la tolérance aux frustrations était particulièrement fascinant, parce que la réussite de nombreuses activités dépendait de sa résolution. Par exemple, la longueur du programme était fonction de lui. Leur capacité accrue d'utiliser les activités était étroitement liée à leur pouvoir de sublimation ainsi qu'à leurs possibilités d'employer les images de satisfactions antérieures. Parce qu'ils supportaient plus facilement l'insécurité, la crainte, l'anxiété et les nouveautés, ils pouvaient mieux s'adapter aux activités et devenaient capables de contrôler leurs tendances impulsives. Comparées à leur indifférence du début, leurs possibilités de percevoir leur propre contribution à des manifestations caractérielles furent sans doute l'une des plus importantes améliorations. Nous avons désigné dans *le Moi désorganisé* par « sagesse dans l'appréciation des moyens » la capacité de choisir la manière la plus raisonnable de faire face à une situation donnée. Parallèlement à un meilleur contrôle des réactions dues à l'échec, aux fautes et aux succès, nous avons constaté une amélioration de cette capacité. Les garçons commençaient à se montrer sensibles à de nouvelles valeurs morales; ils se révélaient plus aptes à supporter des sentiments de culpabilité sans réactions agressives.

DISPARITION RAPIDE DES ATTAQUES MAL FONDÉES.

Qu'arrivait-il durant une régression? Même lorsque nos enfants retrouvaient leur vieille symptomatologie, elle n'avait pas la même intensité qu'autrefois. On pouvait les confronter plus facilement avec la réalité (en particulier en ce qui concerne les attaques paranoïdes dirigées contre l'adulte). Il fut moins nécessaire de contredire leurs illusions et, quand il était inévitable de le faire, les résultats étaient obtenus plus rapidement. Fait encourageant, nos jeunes se révélaient capables de faire face à un réveil soudain de leurs problèmes personnels. Les situations qui leur rappelaient le passé traumatisant devenaient de moins en moins nombreuses.

CAPACITÉ ACCRUE D'UTILISER LES RESSOURCES DU PROGRAMME.

Impulsivité diminuée, meilleure perception de la réalité sociale, modération, tout ceci permit d'utiliser de plus en plus les ressources offertes par la communauté. Les enfants pouvaient, par exemple, à la fin de leur séjour, participer pendant une courte période de temps à des activités organisées par l'Y. M. C. A.[1]. Il fallait, bien sûr, doser soigneusement une telle activité qui devait rester proche de celles auxquelles les garçons s'étaient identifiés à Pioneer House. Le seul fait que nous puissions cependant y penser constituait un grand changement. Les enfants se révélaient capables de supporter des compétitions, il nous parut possible de les faire participer peu avant la fermeture de la maison à des matches de base-ball ou à d'autres activités extérieures.

Voici donc quelques-uns des changements constatés. Comme nous ne pouvions pas espérer continuer notre tra-

1. Y. M. C. A. : organisation de jeunesse catholique aux U. S. A. *(Note du traducteur.)*

vail dans des conditions différentes de celles offertes par Pioneer House, nous avions le choix entre deux possibilités : soit renvoyer les enfants chez eux, soit les placer dans des familles de substitution. Nos enquêtes sociales révélaient que les conditions familiales ne s'étaient pas suffisamment modifiées durant le séjour des garçons pour garantir leur retour avec un pronostic favorable. La seule solution était de les confier à des familles choisies aussi soigneusement que possible, en combinant ce placement avec une supervision étroite et un soutien intensif. Ce plan fut adopté pour quatre de nos jeunes, après avoir discuté avec eux et après avoir obtenu le consentement de leurs parents. Le cinquième enfant fut renvoyé chez lui, car ses troubles (en particulier, ses difficultés d'établir des relations positives avec les adultes) étaient d'une telle intensité que le meilleur placement familial associé à la meilleure supervision n'aurait pas pu supporter sa conduite. Durant les trois derniers mois de Pioneer House, une bourse nous ayant été versée par la Junior League pour l'organisation d'un service de suite d'un an, nous étudiâmes un certain nombre de placements familiaux, en sélectionnant finalement quatre d'entre eux qui nous semblaient offrir les meilleures possibilités. Combiné avec ces placements, le programme associait les moyens thérapeutiques et diagnostiques suivants :

1. Supervision continuelle du placement par l'ancien sous-directeur de Pioneer House, un caseworker de valeur. Ce travailleur social avait l'avantage de contacter les enfants au nom de son affiliation à Pioneer House. Nous fournissions ainsi une aide efficace aux garçons eux-mêmes, aux parents réels et aux familles de substitution.

2. Consultations régulières et tests afin de suivre l'évolution des sujets.

3. Contacts personnels fréquents avec l'ancien personnel de Pioneer House (réunions, excursions individuelles, etc.).

4. Les présents de Noël, d'anniversaire ou ceux offerts à d'autres occasions permettaient d'apporter des symboles d'affection et des marques d'intérêt du type de ceux que n'importe quelle famille montre à un enfant qui s'éloigne.

5. Aide supplémentaire pour les difficultés scolaires

qu'il fallait prévoir, au moins durant les mois de transition (contacts entre l'école et le caseworker, cours particuliers).

6. Continuation d'une thérapie de groupe sous la forme du Club des Pionniers. Nous favorisions ainsi un groupe de transition durant la période de réajustement. Cette thérapie était confiée à un éducateur spécialement formé au group work avec ce type d'enfants.

Notre programme de suite comprenait également la mise à jour des dossiers de tous les enfants et des comptes rendus de réunions de groupe, tant dans un but de recherche que dans un but de traitement.

Nous n'essaierons pas ici d'évaluer l'évolution des garçons après leur sortie, car cela prendrait trop de place. Nous espérons reprendre ultérieurement ces observations afin d'en faire une publication. Nous voulons seulement faire quelques commentaires.

Les améliorations constatées étaient suffisamment solides pour se maintenir intactes durant les huit mois qui suivirent la fermeture. Tous nos enfants, à l'exception d'un sujet, durent pourtant retourner dans leur foyer deux à trois mois après leur départ de Pioneer House. C'était principalement dû à deux facteurs.

1. Comme nous l'avons déjà signalé, ces enfants n'étaient pas prêts à interrompre un traitement pour se rendre dans un placement familial.

2. Les familles choisies avec beaucoup de soin et de réflexion n'étaient pas capables de les manier avec la sagesse clinique qui était nécessaire.

Leur retour dans leurs propres familles les réexposèrent à des situations traumatisantes parfois incroyables. Même ainsi, les modifications signalées plus haut demeurèrent d'abord intactes. Ils se révélaient capables d'utiliser les relations établies avec nous afin de discuter des difficultés auxquelles ils avaient à faire face dans leur propre milieu et ils se montraient sensibles aux interprétations données.

Danny, qui avait été traumatisé par un père alcoolique et brutal et dont la mère avait divorcé juste avant son entrée à Pioneer House, se retrouvait dans une situation presque identique. Sa mère s'était remariée au même type d'homme, sa propre névrose l'ayant apparemment conduite à rétablir une relation sado-masochiste. Violentes querelles entre les parents, attaques au couteau par le beau-père, provoquèrent rapidement l'apparition des mêmes mécanismes qui étaient la cause des fureurs de Danny lors de son admission à Pioneer House. Avant que ces manifestations réapparaissent, il pouvait rendre visite au caseworker, lui amener ce matériel et, pendant peu de temps, tirer profit des interprétations : « Oui, Danny, nous savons combien tout cela vous pèse et vous énerve. C'est exactement ce qui arrivait lorsque votre propre père vivait encore avec votre mère. Vous allez vouloir éclater à nouveau; mais cela ne servira à rien. Appelez-moi toutes les fois que vous serez préoccupé. Vous pouvez vider votre sac ici, autant que vous le voulez. Si vous le faites à la maison ou à l'école, vous ne ferez qu'aggraver la situation. »

La chose étonnante fut que Danny se révéla capable de suivre ce conseil pendant un certain temps. Notre Danny qui dans ses premiers jours à Pioneer House refusait de voir la réalité au point qu'il nous accusait de ne pas vouloir le nourrir après s'être bourré d'aliments! Notre étonnement ne pouvait pourtant pas être de très longue durée. Aussi excellent que puisse être le Moi d'un enfant (celui de Danny était loin d'être excellent), pouvait-il faire face indéfiniment à un tel milieu? Essayant désespérément d'éviter cet environnement, il se mit à fuguer puis à commettre des larcins de plus en plus importants. Il fut arrêté finalement par la police et envoyé dans une institution pour délinquants.

Tous nos enfants ne subirent pas un tel sort. En raison de la complexité des facteurs qui intervinrent dans leur existence, nous ne pouvons pas savoir exactement pourquoi certains s'améliorèrent et d'autres non. Excepté Larry qui put bénéficier d'une thérapeutique satisfaisante, la plupart des améliorations constatées s'évanouirent lentement. Nous avions ainsi la confirmation que ces garçons ne pouvaient pas s'adapter à d'autres milieux que celui d'un internat thérapeutique.

Nos enfants qui « haïssent » redevinrent des enfants « dont personne ne voulait ». Il nous est difficile d'oublier le spectacle de ces rechutes progressives et de ces forces difficilement implantées dans leurs personnalités puis gaspillées. Notre satisfaction scientifique d'avoir entr'aperçu les mystères de leur pathologie est une maigre consolation.

Nous avons encore du mal à croire que dans l'une des plus riches cités des États-Unis, connue mondialement pour ses réalisations techniques, il était impossible d'organiser des moyens thérapeutiques suffisants pour sauver ces cinq vies humaines.

Remerciements

Dans *le Moi désorganisé*, nous avons eu l'occasion de remercier un grand nombre de personnes qui rendirent possible l'existence de Pioneer House : le Pioneer House Board of the Junior League, Inc. de Detroit, notre commission technique, nos nombreux amis dans la communauté. Nous sommes maintenant heureux d'exprimer notre reconnaissance à ceux qui supportèrent le lourd fardeau du traitement lui-même.

Pensons d'abord à ceux qui partagèrent l'existence journalière de nos enfants : Emily Kener, l'éducatrice principale, Bob Case, notre éducateur chef, Joel Vernick, Vera Kare et Barbara Smith, nos éducateurs résidents, témoignèrent de qualités professionnelles et morales que nous ne sommes pas prêts d'oublier. L'équipe englobait d'autres éducateurs à temps partiel : Betty Braun, Pearl Bruce, Shirley Danto, Paul Deutschberger et Lucietta Irwin qui étaient alors étudiants en Field Work à l'école de Social Work, de l'Université de Wayne. Leur travail fut épaulé par les efforts de John Haddad, Betty Kalichman, Henry Maier et Marion Nassau durant un été et par ceux de Norman Ferin et de Wade McBride à d'autres moments.

Le traitement dans un internat thérapeutique repose autant sur les gens responsables du confort physique que sur le reste du personnel. Il nous faut souligner tout l'amour que notre cuisinier, Cleo Tuggle, mit dans son travail et l'admirable patience de ceux qui étaient responsables des problèmes d'intendance, Tom Tuggle, Etta et Sue Ware.

Les recherches entreprises et l'observation journalière surchargeaient les dossiers. Seul un excellent travail de secrétariat pouvait venir à bout de cette tâche. Barbara Simonds et Jean Meldrum ont droit à toute notre admiration. Ils étaient aidés par Madame Joan Hall et Madame Catherine Flannery, de la Junior League de Detroit, qui étaient toutes deux volontaires.

Notre programme essayait de s'intégrer au maximum dans la communauté, ce qui supposait de nombreuses aides extérieures. Notre reconnaissance s'adresse particulièrement à Mademoiselle Mary Barker du Detroit Girl Scout qui nous fut d'un grand secours ainsi qu'à Mademoiselle Joyce Jopling de la bibliothèque municipale de Detroit qui nous offrit si largement l'accès de ses livres et de ses revues. Nous avons déjà mentionné dans *le Moi désorganisé* les grands services rendus par les écoles publiques de Detroit, la police de Canfield, les clubs de garçons de Detroit, la section d'éducation artistique de l'Université, etc.

Quand des raisons financières nous forcèrent à fermer Pioneer House, il nous fallut renvoyer les enfants dans la communauté alors qu'ils étaient à peine au milieu de leur traitement. Nous n'aurions même pas pu entamer ce travail si nous n'avions pas bénéficié de l'aide de nombreux amis. Nous pensons ici à notre service de suite, en particulier au précieux concours des personnes suivantes : Madame John W. Blanchard de la Junior League, Madame Abigail Bosworth de la Children's Division of the State Child Welfare Department, Mesdames Théodore R. Buttrick, John C. Garlinghouse et Daniel Goodenough de la Junior League, Mademoiselle Sara Kerr du Detroit Visiting Teachers, le docteur W. Mason Mathews de la Merill Palmer School, notre président de Conseil d'Administration, Madame Annie McCormick du Family Service of Oakland County, Michigan, Mademoiselle Doris Reuel autrefois de la Lutheran Charities, Inc.

C'est grâce au docteur William C. Morse, directeur à Walter Zach, responsable du programme, des éducateurs Glen Core, John Maturo, Edward Norris et Lee Salk de l'Université de Michigan Fresh Air Camp qu'il nous fut possible de faire participer nos enfants à la vie d'un camp durant les étés de 1948 et de 1949. Seules, leur profonde croyance en notre travail et une véritable identification en nos tâches cliniques leur permirent de faire face à la désorganisation massive que présentèrent nos enfants devant cette suppression momentanée de l'internat thérapeutique. Le docteur Esther McGinnis, ancien directeur de la Merill Palmer School, nous permit d'utiliser les installations de son camp durant l'été de 1950 où nos garçons firent un excellent séjour sous la direction de Joel Vernick et d'Edward Holmberg. Nous le remercions de cette autorisation.

L'une des tâches les plus difficiles au moment de la fermeture fut de trouver des placements familiaux adéquats pour nos Pionniers. Les personnes suivantes nous furent d'un très grand secours : Monsieur Albert A. Ball et Monsieur A. E. Ramsay du Michigan Children's Institute, Mademoiselle Zoe Gross de la Children's Division of the State Child Welfare Department, Madame Ella Zwerdling qui faisait alors partie du Jewish Social Service Bureau de Detroit.

Une fois revenus dans la communauté, nos Pionniers furent envoyés à diverses écoles qui durent déployer de grands efforts pour s'adapter à nos jeunes et manifestèrent un amour réel à l'égard de nos enfants. Nous désirons remercier pour leur zèle et pour leur courage Madame Mildred Konstanzer, Monsieur Richard Kulka, Monsieur Delmar Pardonnet, Mademoiselle Hattie M. Smith et Mademoiselle Caroline Smith.

Le docteur Martha Ericson Dale, du service psychologique du Merill Palmer School, mérite notre reconnaissance pour ses analyses de Rorschach qu'elle fit durant la période de suite. Le docteur Mathews guida également cette phase du travail.

Une fois que les enfants échappèrent à notre action thérapeutique, les efforts des autres cliniciens revêtirent évidemment une extrême importance. Nous avons apprécié en particulier les services de Madame Mordecai Falick, spécialiste en dyslexie, de Monsieur David Faigenbaum, psychologue au tribunal pour enfants de Oakland County Michigan, de Ralph D. Rabinovitch, M. D., chef du service d'enfants, Institut de Michigan et du docteur Marie I. Rasey de l'Université de Wayne.

Comme dans *le Moi désorganisé*, nous exprimons notre reconnaissance à Monsieur Seymour Riklin du Département de Philosophie, Université de Wayne, qui nous aida à préparer ce manuscrit. Nous devons à Madame Jean Schnaar le long travail de l'édition. Notre liste ne serait pas complète si nous ne remercions pas encore pour leurs nombreux services et pour leur supervision, aussi bien pendant qu'après le fonctionnement de Pioneer House, le docteur Bruno Bettelheim de l'Orthogenic School de Chicago, Illinois, le docteur Norman Polansky et Mademoiselle Mary Lee Nicholson de l'école de Travail social de l'Université de Wayne, le docteur Editha Sterba de la Société psychanalytique de Detroit.

La préparation de cet ouvrage fut partiellement rendue possible grâce à une bourse versée par la « Division of Mental Hygiene, United States Public Health Service » (Research Grant MH 94).

Appendice[1]

QUELQUES RENSEIGNEMENTS SUR LES ACTIVITÉS MENTIONNÉES DANS CE TEXTE

Pour les lecteurs qui n'auraient pas lu *le Moi désorganisé*, nous aimerions résumer brièvement les différents projets qui constituèrent les antécédents cliniques de nos deux livres.

Pioneer House, internat pour préadolescents sévèrement inadaptés, fut organisé en septembre 1946. Trois mois furent consacrés au travail d'organisation et à la formation complémentaire du personnel; c'est en décembre 1946 que les premiers enfants arrivèrent à notre maison. L'internat était situé à Detroit, près de l'Université de Wayne où la Junior League, qui soutenait financièrement notre programme, avait acheté une petite maison[2]. Pioneer House fonctionna jusqu'en juin 1948. Il fallut alors le fermer, car il nous était impossible de trouver des sommes suffisantes pour garantir son bon fonctionnement.

---

1. La matière de cet appendice représente un résumé du premier chapitre du livre de Fritz REDL et David WINEMAN, *le Moi désorganisé;* ce chapitre est intitulé : « la Maison des Pionniers : une nouvelle expérience ».
2. Pioneer House fut exclusivement financé, durant cette période, par la Junior League de Detroit. Aucun parent des enfants qui nous étaient confiés ne pouvait payer une somme suffisante pour assurer la marche de la maison. Le coût par garçon était évidemment élevé, bien que le directeur exerçât bénévolement ses fonctions, ainsi que plusieurs spécialistes à temps partiel.

LE PERSONNEL

Notre personnel, en comptant les membres travaillant à mi-temps et à plein temps, comprenait approximativement dix personnes : le directeur et le sous-directeur (les auteurs du livre), une éducatrice principale et, durant la deuxième année, un éducateur à plein temps. Cinq étudiants de Field Work de la Wayne University School of Public Affairs and Social Work, qui faisaient ainsi des stages de casework, de group work et des thérapies de groupes. Un consultant en group work qui était alors le sous-directeur du « Detroit Group Project » nous aidait à préparer notre programme pour les jeunes. Il y avait en plus un cuisinier, une femme de ménage, deux domestiques à temps partiel et une secrétaire.

Dossiers.

Nous conservions trois types de dossiers à Pioneer House :

1. Dossier de groupe gardé par l'éducateur, où nous transcrivions chaque jour les principaux événements de la vie du groupe.

2. Observation individuelle sur chaque enfant, établie par l'éducatrice principale et par le sous-directeur.

3. Une analyse du programme journalier qui nous fournissait une étude détaillée des réactions des enfants aux diverses activités. Elle était également faite par les éducateurs.

SÉLECTION FINALE.
CHANGEMENTS DE POPULATION

Nous avions d'abord choisi un groupe de six enfants parmi 30 à 35 dossiers qui nous avaient été envoyés par différentes agences sociales. Il ne nous est pas possible de détailler les critères de notre choix. Tous les garçons provenaient de milieux dont les niveaux socio-économiques étaient très bas. Ils nous avaient été adressés sous l'étiquette de prédélinquants ou de délinquants. Parmi leurs symptômes, nous pouvons citer : hyperagressivité, vol, mensonge, fugues, violences. Dans leurs milieux, on les considérait comme des « durs ». Leur âge variait entre 8 et 11 ans. Parmi les facteurs dont nous tenions compte, citons : le Q. I., la santé, l'état physique, les capacités de s'intégrer à un groupe, l'intensité des réactions caractérielles, les niveaux d'agressivité ou de timidité.

De ces six enfants préalablement choisis, trois seulement se révélèrent capables de bénéficier de l'existence de Pioneer House, les trois autres étant trop profondément perturbés pour s'adapter à un internat aussi ouvert que le nôtre. A ce moment, nous acceptâmes un autre enfant qui devint l'un des membres permanents du groupe. Deux mois plus tard, un nouveau sujet fut intégré. Ces cinq garçons constituèrent notre population stable. Deux autres sujets furent encore admis, mais ils nous quittèrent au bout de deux mois environ. Il fallait en effet un mois et demi à trois mois pour déterminer si un enfant pouvait s'adapter à notre milieu thérapeutique. Le tableau suivant donne le nombre des enfants, leurs dates d'admission et de sortie, la durée de leur séjour.

Tableau A.

Nom (Pseudonymes)	Age	Date d'admission	Date de sortie	Durée du séjour
Danny	10	1.12.46	23. 6.48	19 mois
Larry.	8	1.12.46	23. 6.48	19 mois
Andy.	9	1.12.46	23. 6.48	19 mois
Mike	9	1. 2.47	23. 6.48	17 mois
Bill.	9	1. 4.47	23. 6.48	15 mois
Henry	10	1.12.46	30.12.46	1 mois
Joe.	9	1.12.46	5. 2.47	3 mois
Sam	9	1.12.46	5. 2.47	3 mois
Harry	9	5. 4.47	20. 5.47	1 mois ½
Donald. . . .	10	15. 4.47	20. 6.47	2 mois
Total = 10.				

Nos observations ont surtout trait aux cinq premiers garçons, leur séjour ayant été le plus long.

Nous possédons des informations sur les enfants qui nous ont quittés avant la fermeture de la maison. Trois d'entre eux sont en prison ou en centres d'éducation surveillée, un autre s'est adapté médiocrement à sa communauté, un cinquième a quitté la ville avec sa famille, ce qui nous a empêché de le suivre.

LES ENFANTS. QUE LEUR EST-IL ARRIVÉ AVANT LEUR ENTRÉE ?

Ce paragraphe est destiné à montrer au lecteur les faits saillants de l'existence antérieure de nos jeunes ainsi que les relations entre leurs symptômes et leur milieu.

Place des adultes dans leurs vies. Presque toujours, nous avons remarqué que les relations entre l'enfant et l'adulte étaient profondément perturbées : foyers dissociés, classique réaction en chaîne des placements familiaux suivis de séjours en internat, constellations d'adultes indifférents, parfois cruels et brutaux sont les thèmes habituels de leurs histoires personnelles. Dès que les enfants nous étaient confiés, leurs parents semblaient s'en désintéresser presque entièrement. Leur principale réaction était : « Nous sommes heureux que vous les ayiez; la vie est si tranquille sans eux. » Bien rares étaient les instants où nous entendions les jeunes rappeler un moment heureux de leur enfance. Il ne semblait y avoir ni oncles, ni tantes, ni cousins ou amis qui se soient suffisamment occupés d'eux pour laisser un souvenir durable. Ce vide explique en partie les difficultés qu'éprouvaient ces enfants à établir un lien avec le monde adulte, leur haine et leur méfiance.

Place des frères et des sœurs. Les relations entre frères et sœurs étaient caractérisées par une rivalité ouverte, par un état de tension (avec querelles, prises de bec, etc.) La plupart de leurs frères et sœurs présentaient eux-mêmes des difficultés émotionnelles. Nos Pionniers étaient cependant considérés comme les « pires » par les parents. Il y avait généralement des facteurs psychologiques qui prédisposaient ces derniers à faire de telles discriminations.

La mère de Danny estimait qu'il ressemblait à son ancien mari (divorcé), qu'elle haïssait pour sa brutalité, sa promiscuité, son refus total d'assumer les responsabilités familiales. Dans les nombreux entretiens que nous avions avec elle, elle nous répétait souvent : « C'est tout le portrait de son père. » Elle lui rappelait constamment ce fait, lui disait qu'elle aurait préféré avoir une fille, le critiquait constamment.

Les beaux-parents se comportaient souvent de façon typique, favorisant ouvertement leur progéniture et attisant ainsi les rivalités entre les enfants.

Andy revint chez son père à l'âge de 6 ans, après avoir passé ses cinq premières années dans plusieurs familles successives. Sa belle-mère était indifférente à son égard. Elle surprotégeait les trois autres enfants et chargeait le garçon de toutes les corvées, le critiquait et le réprimandait continuellement. Il projetait à son tour toute son hostilité et son sadisme sur ses frères et sœurs; il était éternellement jaloux.

Il nous semblait que peu de choses avaient été faites dans ces familles pour améliorer les relations entre frères et sœurs. Dans chaque famille, pour une raison ou pour une autre, l'enfant placé était le plus durement traité et rejeté.

Vie à l'école et dans la communauté. L'adaptation de ces enfants à l'école était toujours précaire. C'était dû en partie à l'extrême faiblesse de leur Moi qui se révélait incapable de surmonter les difficultés inhérentes à la vie scolaire, en partie à leurs comportements agressifs et à l'exploitation qu'ils en faisaient. Certains traits leur étaient particulièrement familiers : stupidité apparente en ce qui concerne les matières scolaires, mensonges, brutalités, vols, obscénités, fugues. Ou bien la succession rapide des placements ne leur avait jamais permis de connaître leur véritable « milieu », ou bien leurs comportements étaient devenus légendaires dans leur quartier. La sécurité qu'ils auraient pu retirer de cette relative stabilité était détruite par leur réputation de « mauvais garçons ».

Événements traumatiques au cours de leur existence. Leurs histoires personnelles nous révélaient des traumatismes si nombreux que nous pourrions dire : l'événement bénin était l'exception. Jamais, sans doute, notre travail clinique antérieur avec de classiques sujets névrosés ne nous avait montré tant de souffrances.

Liens manquants dans leurs vies. Il semble que ces enfants n'aient pas bénéficié des situations que l'on considère ordinairement comme « bonnes » « heureuses » ou « chanceuses ». Voici une liste des principaux liens qui nous ont paru manquer dans leurs existences.

1. Facteurs permettant une identification à l'adulte, sentiments d'être aimés et d'être acceptés, encouragement à accepter les valeurs et les standards du monde adulte.

2. Occasions de bénéficier d'activités récréatives valables.

3. Occasions d'établir une relation positive avec autrui.

4. Occasions d'établir des liens avec la communauté, de sentir que l'on appartient à quelque chose, d'être connu et aimé par des gens autres que ses parents.

5. Constitution d'une structure familiale qui ne soit pas désintégrée.

6. Sécurité économique pour les besoins de base et les nécessités de l'existence.

LE « DETROIT GROUP PROJECT » ET SON CAMP D'ÉTÉ.

Le « Detroit Group Project » fut fondé en 1949 par Fritz Redl. C'était une agence destinée à rendre service aux autres agences en offrant aux enfants qui lui étaient confiés une thérapie de groupe. Il est financé par le « Council of Social Agencies of Metropolitan Detroit » et patronné par l'école de Travail social de l'Université de Wayne. Il doit son développement à Madame Selma Fraiberg, à Madame Marabel Beck et à Mademoiselle Mary Lee Nicholson qui le dirigèrent successivement, à Monsieur Paul Deutschberger, l'actuel directeur, à tout son personnel et à la remarquable collaboration des agences avec lesquelles il travaille. Ce projet occupe à présent trois membres à plein temps, une secrétaire à plein temps et quelques étudiants en Field Work de l'Université de Wayne. Il bénéficie des services d'un Conseil d'Administration constitué par des citoyens très connus et respectés de Detroit. A l'heure où nous écrivons ces lignes, il s'occupe de 8 clubs situés dans divers quartiers de Detroit et totalisant environ 80 enfants de 8 à 13 ans. Bien entendu, il ne tient pas compte des questions de culture ou de race.

Le camp d'été était une extension du « Detroit Group Project ». Il fonctionna durant les étés de 1944 à 1947. Il se déroulait près de Middleville dans le Michigan, sur le territoire appelé « Chief Noonday » qui appartient au « Michigan State Départment of Conservation ». A la clôture de son bail, le « Council of Social Work » supprima son aide financière, ce qui entraîna la fermeture du camp. A côté de son propre budget, le camp était supporté financièrement par le « Charitable Relief, Inc. » dont les présidents, Monsieur et Madame Fred Johnson, ont droit à toute notre reconnaissance pour leur participation enthousiaste. Il reçut également une aide de la « McGregor Foundation », du « Mendelsohn Fund », du « Tribute Fund » et de diverses autres associations. Non seulement le camp était ouvert aux enfants, mais il était un moyen de formation pour les étudiants en travail social, psychologie clinique et éducation à travers les États-Unis. Un superviseur à plein temps, spécialiste en casework et en group work, se chargeait des cours et des séminaires à l'usage des éducateurs stagiaires. Le camp était également patronné par l'école de Travail social de l'Université de Wayne qui fournissait des crédits et mettait Fritz Redl à notre disposition, à la fois comme directeur et comme instructeur. De nombreuses personnes donnèrent une impulsion à nos efforts pour faire un véritable travail clinique avec les enfants inadaptés. Nous remercions particulièrement : Mademoiselle Estelle Ellston, Madame Marabel Beck, Madame Selma Fraiberg, Mademoiselle Mary Lee Nicholson, Monsieur Robert Rosema, Monsieur Benjamin Rubenstein, Mademoiselle Dorothea Sullivan et, bien sûr, tous les membres de notre personnel dont les noms sont trop nombreux pour en établir une liste. Le camp s'occupait à la fois de 80 enfants durant six à huit semaines et disposait d'un encadrement s'élevant à 54 personnes. Toutes les cliniques et toutes les agences sociales qui nous envoyaient des enfants avaient avec nous de nombreux contacts avant et après le camp. Nous échangions avec eux des rapports concernant l'évolution psychologique de chaque enfant et le développement des groupes. Ces enfants étaient âgés de 7 à 15 ans. Le camp était mixte et interracial.

Index

313

TABLE DES MATIÈRES

CET OUVRAGE
A ÉTÉ COMPOSÉ
ET ACHEVÉ D'IMPRIMER
PAR L'IMPRIMERIE FLOCH
À MAYENNE EN MAI 1986

ISBN 2-215-00873-3
N° d'édition : 86080. N° d'impression : 24158.
Dépôt légal : 1ᵉʳ trimestre 1977.
(Imprimé en France)